ЮЛИЯ

ШИЛОВА

Я сделала приворот,

или Мужчина, мое сердце свободно

www.юлия-шилова.рф

Издательство АСТ
Москва

УДК 821.161.1-31
ББК 84(2Рос=Рус)6-44
Ш59

Серия «Женщина, которой смотрят вслед»

Официальный сайт Юлии Шиловой
www. юлия-шилова.рф

Портрет автора на обложке — Борис Бендиков
www.bendikov.ru

Компьютерный дизайн — Г. Смирнова

Адрес для писем:
143964, Московская обл., г. Реутов, а/я 877

Шилова, Юлия Витальевна.

Ш59 Я сделала приворот, или Мужчина, мое сердце свободно / Юлия Шилова. — Москва : Издательство АСТ, 2015. — 320 с. — (Женщина, которой смотрят вслед.)

ISBN 978-5-17-091597-2

Как устроить личную жизнь целеустремленной, но небогатой девушке? Конечно, выйти замуж за олигарха! Так решила талантливая художница Наталья и, не теряя времени зря, пустилась на поиски богатого мужа. Первым делом она отправилась к бабке-знахарке за любовным приворотом, не подозревая, каким кошмаром может для нее обернуться это на ее взгляд пустяковое дело...

УДК 821.161.1-31
ББК 84(2Рос=Рус)6-44

ISBN 978-5-17-091597-2

ОТ АВТОРА

ДОРОГИЕ ДРУЗЬЯ! ПЕРЕД ВАМИ ЦИКЛ КНИГ, КОТОРЫЙ СОСТОИТ ИЗ ПЯТИ НАЗВАНИЙ. СЕЙЧАС ВЫ ДЕРЖИТЕ В РУКАХ ПЕРВУЮ «ЛАСТОЧКУ». Я ИСКРЕННЕ НАДЕЮСЬ, ЧТО РОМАН ВАМ ПОНРАВИТСЯ И ВЫ С НЕТЕРПЕНИЕМ БУДЕТЕ ЖДАТЬ ПРОДОЛЖЕНИЯ. МНЕ ЧАСТО ЗАДАЮТ ОДИН И ТОТ ЖЕ ВОПРОС: ПОЧЕМУ ПО МОИМ ПРОИЗВЕДЕНИЯМ ДО СИХ ПОР НЕ СНЯТЫ ФИЛЬМЫ? ПРИЧИНА ОДНА: ДО СИХ ПОР У МЕНЯ НЕ БЫЛО КНИГ С ПРОДОЛЖЕНИЕМ. СООБЩАЮ ВАМ ПРИЯТНУЮ НОВОСТЬ: ИМЕННО С ЭТОГО ЦИКЛА И НАЧНЁТСЯ ЭКРАНИЗАЦИЯ МОИХ РОМАНОВ. ТАК ЧТО С ПОЧИНОМ И ПРИЯТНОГО ВАМ ЧТЕНИЯ!

Эта книга – самое настоящее руководство по отлову богатого и успешного спутника жизни, а также навигатор по превращению пешки в королеву. В ней собраны все «ловушки» на богатых и сильных мира сего. Вы узнаете не только о местах обитания олигархов, способах знакомства, но и о секретных технологиях завоевания мужских сердец. Вы вооружитесь тайными знаниями и женскими хитростями охоты на олигархов. А ещё научитесь не бояться жизненных перемен, неудач, а также не страшиться успеха.

Книга развеет миф о том, будто все богатые мужчины уже давно разобраны и на брачном рынке остался один неликвид. Если вы хотите найти свободного миллионера, не стоит ждать милостей от природы – включайте активность, закидывайте сети, и возможно, к вам в руки приплывёт судьбоносная «золотая рыбка».

Занимательных книжек про девушек, которые всеми правдами и неправдами пытаются выйти замуж за миллионера, – море, но моя книга отличается тем, что в ней описана судьба реальной девушки, которая поставила себе задачу любой ценой заполучить в мужья состоятельного и влиятельного мужчину.

Охота на обеспеченного человека – это увлекательная игра, похожая на наркотическую зависимость, столь же затягивающая и смертельно опасная. Вам, дорогие мои читательницы, предстоит самостоятельно решить, нужна вам подобная жизнь или нет.

Книга полезна не только для девушек, мечтающих заарканить миллионера и получить доступ к его неисчерпаемым финансам, она полезна и интересна всем, кто хочет заглянуть в закрытый мир богатых людей. Это роман о молодой, дерзкой и расчётливой девушке, мечтающей о добром, отзывчивом и симпатичном миллионере. Она искренне верила, что обязательно встретит красавца-богача, который превратит её жизнь в красивую сказку.

С какими препятствиями может столкнуться девушка, мечтающая застолбить место на знаменитой Рублёвке? Какие подводные камни и течения могут встретиться на нелёгком пути, когда кажется, что цель так близка? Есть ли у олигархов комплексы, психические отклонения и жуткие тараканы в голове? Они обычные люди или ненормальные и странные?

Ответы на эти и многие другие каверзные и почти интимные вопросы содержатся в книге. Это не дамский любовный роман, это реальность. Книга развеет женские иллюзии и представления о прекрасной и чистой любви с финансовым воротилой. Она поможет выработать тактику и стратегию в борьбе не за любовь, а за собственное благосостояние. Но если вы всё же хотите разобраться в своих желаниях, то здесь обязательно найдёте ответ на вопрос, кто же вам всё-таки нужен: любимый человек или денежный мешок?

Самое большое наше заблуждение в том, что у нас ещё много времени...

Автор неизвестен

ГЛАВА 1

Солнце жарило нещадно. Я остановилась на сельской дороге и поправила на носу темные очки. Навстречу мне шла немолодая местная жительница.

– Не подскажете, где баба Антонина живёт? – поинтересовалась я.

Тетка в вытянутой вязаной кофте притормозила около меня и взглянула с нескрываемым интересом.

– Последний дом справа, – махнула она рукой. – Вона, на самом краю деревни, у кладбища. – Видишь? А зачем тебе понадобилась наша ведьма? За колдовством идешь? – Ее глаза вспыхнули неподдельным интересом.

– Дело у меня к ней. Личное, – бросила я и постаралась побыстрее скрыться от ее пронизывающего взгляда, просвечивающего меня как рентген.

– Знаю я ваши дела... – пробурчала мне вслед тетка. – И ходют, и ходют... Привороты да порчу наводить. Грех на душу берёшь, девка. Смертельный грех. Вспомнишь мои слова, да поздно будет.

Молодые, да глупые... Держись-ка подальше от нашей Тоньки. Чернокнижница она. Настоящая ведьма, каких свет не видывал!

Я ускорила шаг, почти побежала. Меньше всего мне хотелось слышать слова осуждения в свой адрес. Сама знаю, никто со мной шутки шутить не будет, то, во что я сейчас ввязываюсь, – дело серьезное, с непонятными для меня последствиями. Но отступать было поздно.

Пыльная дорога привела меня к околице. Вот и последний дом справа. Частокол деревянного завалившегося забора, на нем крынки, стеклянные банки. Во дворе поленница дров. Ничего необычного... Я поднялась по скрипучим ступенькам на крыльцо и стукнула в перекошенную дверь. Не дожидаясь ответа, с силой толкнула ее и очутилась в темных сенях. Дверь в горницу отворилась, и выглянула старушка.

– Здравствуйте, – сказала я и улыбнулась. – А я к вам...

– Проходи, – просто сказала колдунья, и я перешагнула высокий порог.

На бревенчатых темных стенах пахучие пучки сушёных трав, на полках ряды банок и бутылок с непонятными снадобьями, заткнутые туго скрученными бумажками, дурманящий тяжелый запах и темные занавески на окнах. Старушка показалась мне даже симпатичной. А я-то сколько напридумывала, пока шла к ней! Только страху на себя нагнала. Я ведь представляла, что меня встретит страшная, скособоченная бабка с крючковатым носом, недобрым взглядом и растрёпанными седыми патлами. Ну, как бабка-ёжка из старой детской сказки. Правда, у этой тоже в ногах крутился черный кот.

– Проходи, – старушка показала жестом на стул у стола.

– Вы уж простите, что я без приглашения. Но у меня к вам дело важное.

– Не разувайся.

Я села на стул и как школьница сложила руки на коленях.

– У вас так необычно, – посмотрела я по сторонам. – Просто как в сказке...

– Призраков не боишься? – неожиданно спросила старуха. – А то соседи от моей избы шарахаются. – Она опустилась на лавку у окна.

– К-каких призраков? – испугалась я.

– Да таких, самых обыкновенных.

– Но ведь призраки не существуют – это выдумки, фантазии.

– Почему не существуют? Очень даже существуют. Призраки – это души умерших.

– Но после смерти душа попадает либо в ад, либо в рай. Разве не так?

– Верно. Но всё же некоторые души остаются на грешной земле и бродят между живыми людьми. Вот, к примеру, на нашем деревенском кладбище. Я приютила две души.

– Что вы сделали? – похолодела я.

– Приютила две заблудшие души. Пошла на погост, забрала две души и у себя поселила. Больше не могу. У меня изба небольшая. Но другие всё равно просятся. Я в этом вопросе крайне категорична. На всех места нет.

Я почувствовала, как пересохло во рту и учащённо забилось сердце.

– А как вы узнали, что призраки к вам... просятся? Вы что, с ними разговариваете?

– Конечно. А что ты удивляешься? Дело обычное. Ты же хорошо знала, к кому ехала? Недаром меня на деревне ведьмой кличут. Не знаю, ведьма я или нет. Но мне дано то, что другим не постичь. Тайные знания...

– Я призраков никогда не видела, но от одного упоминания о них мне становится страшно.

– Зря. Они безобидны. Единственное, что могут, так это напугать, когда двигают предметы. И это понятно: человек видит, как передвигаются предметы без воздействия внешних сил, и пугается. А на самом деле предметы двигают призраки. Я пустила к себе мирных, тихих. Буйные остались на кладбище, прости господи... Щас я самоварчик поставлю... – Бабка встала и направилась к печке, рядом с которой на табуретке стоял пузатый самовар.

– Спасибо, я не хочу, – отказалась я.

Бабка села на место.

– А призраки... они что, характер имеют?

– Конечно. Характер у призрака остается, как у умершего человека. Я подружилась со своими постояльцами. Они не просто мои квартиранты, но и лучшие друзья. Хотя, если честно, призраки разные бывают. Один такой на кладбище живёт, он и убить может. Совершенно спокойно. Как был при жизни убийцей, так и после смерти им остался. Говорят, ходил в длинном плаще, скрывал лицо под капюшоном и обладал огромной энергетической мощью. Так в таком виде и бродит по погосту, всё на мою избу поглядывает. Думает, пущу его. А я не пускаю. Пускай себе другое пристанище ищет. За кладбищем заброшенный дом есть. Иногда он там отсиживается.

– А ведь ваш дом совсем рядом с могилами. Вам не страшно такое соседство? – Я тут же прикусила язык, понимая, что сморозила глупость.

– Я же тебе сказала: не боюсь того, чего другие боятся. Люблю гулять между могилок. Кто ещё проведает призраков, если не я? Им же там тоже одиноко, поговорить не с кем. Деревенские меня боятся, считают, что я сумасшедшая. А я всего лишь могу общаться с неведомыми силами. Я зрю и ангелов и демонов. Это не каждому дано. С демонами стараюсь не общаться, а вот с некоторыми ангелами поддерживаю отношения. Это бессмертные разумные существа, которые облают нечеловеческими умениями и возможностями.

– Они невидимые.

– Для тебя да, а для меня нет. Ангел, он как человек, только с крыльями и нимбом вокруг головы. От них покой и умиротворение. Но ангелы тут бывают редко. Они не любят со мной общаться. Считают, я продала душу тёмным силам. Со мной больше идут на контакт банши.

– Банши? А кто это или что?

– Это самые загадочные из всех потусторонних существ. Люди о них ничего толком не знают, а ведь их много в наших краях. С виду то высокие зеленокожие девы с длинными распущенными волосами, зрачки у них кошачьи, узкие, то просто кикиморы страшенные.

– Я о таких и не знала.

– Людям о них неведомо. Банши живут в трясине, поэтому у них и кожа как тина болотная. А за нашим кладбищем как раз раскинулась топь непролазная. Банши злобные и коварные. Чуть дал маху – вмиг уволокут на дно трясины.

– Люди часто на болотах пропадают. Опасное место.

– А нечего туда шастать. Вторгаются на чужую территорию и не думают о том, что в этом месте обитают злобные и коварные духи. Слыхала, небось, что на болотах слышатся странные звуки? Это банши воют. И вой этот предвещает смерть.

– Господи помилуй... Да уж, не самое лучшее у вас соседство.

– Я не жалуюсь. Я же говорю, с духами нужно уметь общаться. На нашем кладбище и вурдалаков полно, вампиров или упырей по-вашему.

Я просто заледенела от ужаса.

– Кого? Вампиров?

– Ну да, упырей. Это живые мертвецы, которые постоянно жаждут крови. Вурдалак – труп, оживленный своими низшими принципами и сохраняющий нечто вроде полужизни в себе, выходя по ночам из могилы, зачаровывает свои живые жертвы и высасывает у них кровь. Характер вурдалака зависит от чистоты его души до смерти. Те, которые при жизни были тихими и скромными, пьют только кровь животных либо мучаются невероятно. А есть и такие, которые питаются людской кровушкой, но при этом никогда не будут пить кровь непорочных людей, а только тех, кто страшно провинился и много нагрешил. Таких много. Так как упыри боятся солнечного света, они появляются только ночью. Если эта нечисть увидит солнце, ее вечная жизнь тут же заканчивается. Солнечные лучи, попадая на вурдалака, сжигают его дотла. Нечисть пьет зелья, которые так и называются – «зелья тёмного щита». Редкая вещь! Теперь уж немногие могут их приготовить, рецепт утерян во времени. А я умею! И продаю зелье кровососам. У меня сортов много. Для нечисти это словно живая вода. Правда, действие у снадобий короткое. Всего сутки или трое. – Старушка замолчала, по узким губам скользнуло что-то наподобие ухмылки.

Я зябко передернула плечами.

– Ну что ты на меня уставилась? Думаешь, из ума выжила?

– Нет, что вы! Страшно...

– Не пужайся! Дело это обычное... – Старушка встала и выглянула в окошко, потом повернулась ко мне. – Ты думаешь, я так и родилась – старая да скрюченная? Я в молодости знаешь какая красивая была! Характер – огонь! А на личико – чистый ангел. Гремучая смесь. Ты даже представить не можешь, скольких мужчин я свела с ума. Как сейчас говорят, стерва и соблазнительница. Бабы меня ненавидели и проклинали, потому что я смогла свести с ума абсолютно любого мужика. Ты, конечно, можешь спросить, почему под старость лет я живу в ветхой избушке, а не вышла замуж за крепкого парня? Не родила деток? А всё просто: не надобно мне этого, не создана я для семейной жизни. Одиночка. Я всегда держалась от людей в стороне. Была нелюдимой. Я вот знаешь над чем постоянно в последнее время думаю?

– Над чем?

– Хочу обмануть смерть.

– Как это? Разве такое возможно?

Старуха села рядом со мной и заглянула в глаза.

– В жизни невозможного – мало. А вдруг у меня получится? В деревне меня не привечают, сторонятся, считают колдуньей, шепчутся, что с нечистью якшаюсь, детей мной пугают. А мне оборотни да кровососы любы. Мне многое дано: лечить могу, сглаз снимать, могу и порчу навести. Ты-то зачем ко мне пожаловала?

– Я от одной знакомой о вас услышала. Она мне по секрету рассказала.

– По секрету всему свету...

– Вы уж извините. Я знаю: незваный гость хуже татарина...

– Это точно.

– Но ведь с вами нет никакой связи. Я никак не могла сообщить вам о своём визите.

– Почитай каждый день ко мне кто-нибудь заявляется. И шастают, и шастают... А времени у меня мало. Надо травы собирать, снадобья готовить. Знаешь, ведь сила у меня не бесконечная, а приходится тратить ее на людей. Слабею я от этого.

– Простите, я не знала... – Я встала со стула и направилась к двери. – Извините. До свидания.

– Постой! Напугала я тебя, девонька?

– Есть немного, – призналась я честно. – Мне казалось, всё это выдумки, детские страшилки.

– Тогда зачем ко мне пришла, если не веришь?

– Ну как зачем? Пришла приворот сделать. В порчу и привороты верю. Слышала, что это реально работает.

– Приворот, говоришь. Не боишься?

– Боюсь, но другого выхода, чтобы заполучить желанного мужчину, не вижу.

ГЛАВА 2

Дрожащими руками я полезла в сумочку, достала фотографию и положила её на стол перед старушкой.

– Я хочу приворожить вот этого мужчину. Хочу, чтобы он по мне с ума сходил и не мог прожить без меня и дня, чтобы я стала для него всем.

Старушка посмотрела на фотографию, потом перевела взгляд на меня.

– Ты что, так сильно его любишь? – спросила она.

– Я вообще с ним не знакома, – честно ответила я и снова опустилась на стул.

– Тогда зачем он тебе? Ты же человека совсем не знаешь.

– Нужен.

Старушка обожгла меня взглядом, вновь взяла в руки снимок и усмехнулась.

– Можешь ничего не объяснять. Мне всё понятно. Главное достоинство твоего желанного – он богат. Хочешь жить без забот?

– А что в этом плохого? Да, это олигарх. Я хочу его приворожить, потому что устала от нищебродов, которые на моём пути встречаются. Надоели они мне, сил нет. Хочется познать любовь богатого мужчины, с которым я могу расслабиться и перестать ломать голову над житейскими проблемами. Я даже уверена, что смогу его полюбить. Да вы только посмотрите на фотографию. Ну как такого можно не любить? Просто красавчик. Я слышала, он щедрые подарки делает своим девушкам. Уж если выходить замуж и рожать детей, то от такого, как он, а не от нищего. Я слышала, любовный приворот – самое действенное средство.

– А ты хоть представляешь, как вообще делается любовный приворот?

– Нет, конечно. Ведь это ритуал. Обряд. Мужчина придёт к мысли, что лучше меня ему всё равно никого не найти. Только со мной ему будет хорошо и комфортно во всех отношениях. Я, конечно, слышала и о том, что должна быть знакома с этим мужчиной, но так уж получилось, что до сегодняшнего дня знакомства не произошло. Но это легко исправить. Мы иногда пересекаемся на вечерних мероприятиях. Правда, трудно к нему подойти и познакомиться, ведь он окружён плотным кольцом девушек. Но теперь я ни перед чем не остановлюсь. После приворота сама к нему подойду под любым предлогом и искренне надеюсь, что это сработает. Теперь я знаю: и на моей улице будет праздник. И мне плевать, что за ним табунами ходят девки всех возрастов и категорий. Пусть идут лесом. Он будет моим.

– Ты хочешь выйти за него замуж?

– Очень хочу. Другого мужа рядом с собой не представляю.

– Как тебя, девонька, величают?

– Наталья.

– Наталья, а почему ты решила, что если человек богатый, значит, щедрый? Есть такие экземпляры – хоть как старайся, ничего не получишь, кроме злости и досады. Трясутся над каждой потраченной копейкой, экономят на всём подряд.

– Знаю. Это мерзко, если мужик экономит на женщине. Очень унизительно. Противно, когда мужик ездит на хорошей машине, но если и приглашает в ресторан, заказывает самые дешевые блюда, не оставляет чаевые официантам. А то и вовсе объявит, что не голоден, и попросит чашку чая, не уточнив, голодна его спутница или нет. Жутко противно, когда спутник оценивает тебя настолько низко. Это страшно бьёт по самооценке. Таких кастрировать хочется, честное слово.

– Так может, и этот такой?

– Нет, он не жадный, – не раздумывая возразила я. – Он богат, красив, умён и, самое главное, щедр. Я навела о нем справки. Он не скупой, всем своим любовницам делает роскошные подарки. Даже когда расстаётся, даёт щедрые отступные. Но я не хочу быть его любовницей. Я хочу стать законной супругой. Баба Антонина, я больше не желаю связываться с нищебродами. Я даже в постели с богатым испытываю удовольствие большее, чем с нищим. Это же здорово, когда мужчина может исполнить любое твоё материальное желание. Жить за ним как за каменной стеной и быть уверенной в завтрашнем дне, ни о чём не беспокоиться – это же кайф! У состоятельного мужчины нет комплексов. Нищеброды же, наоборот, один сплошной комплекс, обвиняют своих близких во всех житейских неудачах. Не хотят признавать свою неполноценность. Осознание собственной неполноценности делает мужчину злобным и агрессивным. Он начинает всячески изводить близкую женщину. А если она добилась в жизни большего, чем он, просто её за можай загонит. Будет всячески унижать, втаптывать в грязь. Ведь изначально брак для женщины – крепость. И даже если у смышленого мужчины «сгорят» все средства, он заработает их по новой, ведь качества, которые позволили ему разбогатеть, всегда останутся при нём. Любой уважающей себя женщине нужен умный, работящий, ловкий мужчина. Ведь нужно знать, от кого рожать. Любовные лодки порой разбиваются о быт. Да и какая жизнь может быть со жлобом? Это не жизнь, а мука.

– Ты, девонька, правильно всё говоришь, но почему не хочешь познакомиться с таким сама, не прибегая к магии?

– Да потому что даже если я с таким познакомлюсь, то ни за что его не окручу. Он в девицах как в сору копается, разве к нему подступишься?

– Наташа, а ты знаешь, сколько слёз, крови, несчастий и даже горя приносит богатство? Ты представляешь, сколько из-за него бед? Из-за денег люди теряют родных и любимых. Ты понимаешь, что богатые тоже плачут?

– Лучше плакать во дворце, чем на помойке, – отрезала я. – Между прочим, баба Тоня, я тоже не на помойке себя нашла. Я воздушных замков не строю и отдаю себе отчёт: чтобы у мужчины возникало желание в тебя вкладывать, необходимо чем-то выделяться. И это не способность обалденно заниматься сексом или шикарно выглядеть. Я свободно владею двумя иностранными языками, могу запросто обсудить творчество Достоевского и Мопассана с англичанами и французами на их родном языке. Разбираюсь в истории моды, театра, кино. Могу рассуждать об искусстве и литературе, в том числе и классической, так, что заткну за пояс любого. Я хорошо танцую и неплохо пою. Умею играть на фортепиано, отлично разбираюсь в политике и экономике. В курсе всех событий, которые происходят в мире. У меня прекрасные манеры, и я владею этикетом. Со мной не стыдно, я не подведу. Мужчина может мною гордиться. И я ничего зазорного не вижу в том, что желаю красиво жить и получать дорогие подарки. Я не виновата, что в нашей стране, где из-за нехватки мужчин женщины их так набаловали, что чуть ли не сами дарят им цветы, желание выйти замуж за богатого и красиво жить является постыдным. Нет ничего криминального, если женщина хочет, чтобы её содержал мужчина. Страшно, когда он не желает этого делать. Из зависти её осуждают, а предложи завистницам составить достойную партию богатому мужчине, то побежали бы сломя голову.

Выдержав паузу, я пододвинула фотографию своего избранника к старушке. Она не шелохнулась.

– Баба Антонина, – взволнованно произнесла я, – вы даже представить не можете, как мне нужен именно этот мужчина. И щедрый, и красивая картинка, и всё при нём. Я всегда думала, что богатый и щедрый – это два разных человека, что не могут эти два качества сочетаться в одном человеке. Но ошибалась. Это – особый случай. То, что доктор прописал. А ведь мне всегда казалось, что богатый обязательно жадный или, как бы помягче выразиться, прижимистый. А этот – точно музейный экспонат.

– Девонька, откуда ты можешь знать, если с человеком даже не знакома.

– Я же говорю, навела справки. Мой информационный источник на сто процентов надежен.

– Даже если так, как ты говоришь, всё равно где-то здесь подвох. Может, он тиран, сволочь или скотина редкостная? Не бывает идеальных мужчин.

– Я знаю, принцы обитают только в сказках, но когда вы его ко мне присушите, из него вся дурь выйдет. Он же будет от меня полностью зависеть. Умоляю вас, сделайте приворот, я за ценой не постою.

– Девонька, а ты понимаешь, на что идёшь? Дело это непростое. Могут быть последствия непредсказуемые. Не боишься?

– Я уже ничего не боюсь. Надоела собачья жизнь до чертиков...

– Ну что же... Я обращусь за помощью к душам умерших. Их надо искать на кладбищах или в местах, обладающих мощной энергией. Во время обряда я создам точную копию твоего желанного, повлияю на него на тонком подсознательном уровне, подчиняя своим целям и желаниям его волю.

– Это то, что мне нужно. Пожалуйста, повлияйте. Повлияйте на него так, чтобы без меня он жизни не видел. Вы можете это сделать? Знаю, можете.

– Конечно. Могу сделать так, что он действительно начнёт думать, будто лучше тебя никого не найдёт. Тебе не придётся бегать, унижаться и искать с ним встреч. Он сам будет искать встречи с тобой и действовать так, как тебе надо. Но не стоит забывать, что конечный результат связан с силой твоего желания и твоего чувства к объекту любви. Это очень мощное и необратимое влияние на судьбу. Приворот всегда идёт против воли человека. Нарушение права свободы воли – это нарушение первого закона Вселенной. Ты готова его нарушить?

– Я готова нарушить все законы, какие только существуют, только дайте же мне возможность заполучить этого мужчину со всеми потрохами!

Недолго думая, я схватила колдунью за руки и бухнулась перед ней на колени.

ГЛАВА 3

– Да ты что, девонька, с ума сошла? А ну-ка, встань! Придумала тоже...

Старушка недовольно освободилась.

Я поднялась с колен и села напротив, опустив голову. Старушка недовольно зашипела:

– Когда нарушаешь первый закон Вселенной, совершаешь акт чёрной магии. Чёрной, не белой, заметь. А где чёрная магия, там всегда бесы. Ты хочешь сделать человека слабым, безумным, одержимым и уязвимым. Ты хочешь властвовать над ним и затмить разум человека, поработив его. Ты хочешь навязать ему свою волю. Он уже не сможет быть в ладах со своей душой и уж тем более не сможет быть счастливым. Тёмные силы сделают его твоим рабом.

– Моим рабом... – как во сне проговорила я.

– За то, что ты сотворишь, будут расплачиваться твои близкие, а быть может, и дети. Ведь через акт чёрной магии ты вселяешь бесов в другого человека. Они поселятся в его теле, а потом начнут плодиться и перейдут ко всем членам семьи. Ты можешь родить ребёнка, который с раннего возраста может получить блокировку жизненно важных каналов, и потом он всю оставшуюся жизнь станет отрабатывать карму родителей. И это будет наказание за то, что когда-то ты заставила одного человека руководствоваться страхами и рефлексами, а не разумом и свободой. Ты согласна на такое? Я не говорю, что это будет обязательно, но это может случиться.

– Я согласна на всё.

– Ты не должна никому рассказывать о том, что согласилась на приворот. Держи рот на замке. Я вижу тебя насквозь, девонька. В тебя вселяется сатана. Ты привораживаешь не ради любви. Никаких чувств ты не испытываешь и вряд ли будешь испытывать. Ты ищешь жертву, и жертва будет не одна. Я вижу, ты придешь ко мне несколько раз, всегда с одной и той же просьбой. Ты будешь поступать дико, по-зверски, словно какой-то наркотик удерживает тебя на всех этих заговорах. У тебя будет только одно желание: иметь контроль над своими жертвами. Тебя не остановит ни депрессия, ни болезни. Ты продашь душу дьяволу и пойдёшь на всё ради этого контроля. Ты не представляешь, как болеют те, которые привораживают других. Они испытывают страшное удушье ночью, их словно канатом душат. У них подгибаются ноги. Они могут упасть в любом месте в любое время, начнёт хлестать кровь из носа и из горла. Они словно варятся в адском котле, не думая о том, что сатана и бог существуют. Они живут с ненавистью, страхом, болью и ужасом. Адский огонь они ой как заслужили, потому что измучили свои жертвы, с виду ещё живые, а на самом деле давно мёртвые.

– Ой, ну вы уж меня совсем запугать хотите.

– Я не хочу тебя запугать. Просто говорю, как всё будет.

– А я вот слышала, любовные привороты бывают белые и чёрные. Белый любовный приворот никакого вреда не причинит ни тому, кто привораживает, ни тому, кого привораживают. Максимум, что две эти стороны могут ощутить, так это небольшие проблемы со здоровьем. А вот чёрные любовные привороты чреваты самыми разнообразными последствиями и даже смертью. Может, попробуем сделать белый любовный приворот? Все проблемы со здоровьем я постараюсь исправить.

– Отчаянная ты, Наташка. Ничего не боишься. Это хорошо, что включила мозги и стала взвешивать все за и против, оцениваешь возможные последствия. Ведь сила приворота воздействует на энергетику и биополе совершенно постороннего человека, который даже не догадывается о вмешательстве в его жизнь на высоких энергетических уровнях. Человека принуждают к не свойственным ему поступкам, заставляют испытывать нежелательные эмоции, подавляют свободу личности. Всё это действует крайне разрушительно на жертву и не может не вызывать негативных последствий. И не забывай: каждое действие рождает противодействие. Это общий закон Вселенной. Я не занимаюсь ни белыми, ни чёрными приворотами.

Я могу сделать настоящий приворот, который не имеет срока годности. А все эти сказочки про белый и чёрный привороты – для наивных дурачков. Некоторые делают приворот сами по фотографии, читают заговоры. Детский лепет, право слово. Я не занимаюсь подобной самодеятельностью. Ты можешь делать это сама, слепо верить и ждать годами результат. Я делаю настоящую присушку. Механизм действия приворота не зависит от того, белый он или чёрный, разница только в силе и агрессивности воздействия на жертву. Но ты ведь хочешь, чтобы твои жертвы сходили по тебе с ума и сохли от любви.

– Очень хочу! И не желаю думать, что будет потом. Я хочу, чтобы это произошло сейчас. Баба Тоня, умоляю, помогите! Одна надежда на вас.

– Помогу, девонька, помогу. Но о последствиях предупреждаю.

– Но ведь жертвы присушивались.

– Присушивались – не то слово. С кровью не отдерёшь. Но при этом почти все испытывали проблемы со здоровьем, потому что тратили слишком много сил на борьбу с давлением извне, а это сильно истощает даже самый сильный мужской организм. У многих возникали хроническая усталость, постоянная бессонница и даже проблемы с потенцией. У мужчин постоянно плохое настроение, они чувствуют себя несчастными. При этом раздражительны, нервозны, устраивают скандалы из-за любого пустяка и легко обижаются. Ты должна понять: приворот создаёт конфликт между силой воли человека и желаниями его тела. Запускается механизм саморазрушения. Человек может заболеть онкологией. Вечные мысли о самоубийстве до помешательства будут мучить его. Некоторые действительно накладывают на себя руки. Тяжело жить, когда твоя воля полностью подчинена и парализована. Некоторые становятся алкоголиками и наркоманами. И после этого ты не боишься брать такой грех на душу?

– Нет, – покачала я головой и облизнула пересохшие губы.

– Похоже, для достижения своих целей ты пойдёшь по головам. Тебя ничто не остановит. Ты, верно, жила и живёшь по принципу – добиться своего любой ценой? Знаешь, а из тебя получилась бы ведьма. Мне нравятся твои бесстрашие и нездоровый цинизм.

– Может, на старости лет я приползу к вам в эту избушку в надежде на то, что вы живы и вам удалось обмануть смерть. Попрошусь с вами жить. Буду помогать варить зелье, учиться колдовать. Одним словом, стану вашей ассистенткой. Наиграюсь во все эти игры с мужчинами и захочу скрыться от людей, жить отшельницей. Если вы меня примете, я с радостью буду вам помогать.

– А ты уверена, что доживёшь до старости? – неожиданно спросила бабка Антонина.

– Почему же нет? – У меня перехватило дыхание. – Думаете, не доживу? Так не хочется умирать молодой и красивой. Уж лучше старой и больной. Если и умирать, так от старости.

– В своих играх с мужчинами ты скоро почувствуешь себя не самым лучшим образом. Я говорю о твоём здоровье. Подавление личности другого человека отнимает много энергии. С каждым прожитым днём ты будешь физически истощаться. Быть постоянно связанным с кем-либо – это очень утомительно для психики. Это страшно изматывает, ведь со стороны жертвы ты будешь испытывать растущие на глазах негатив и агрессию. Ты потеряешь возможность существовать отдельно от человека, которого приворожила. Ты и жертва всё время будете находиться в энергетической связке, и разорвать ее никому не под силу. Твою жертву можно сравнить с паразитом, который, питаясь твоей энергией, станет энергетическим вампиром. А вот ты больше никогда не сможешь получать энергию из других источников. Ты станешь донором, а твой паразит будет полностью истощать тебя, свою хозяйку. На тебя будет направлен целый поток негативных эмоций. Депрессия и постоянные кошмары станут преследовать тебя постоянно. Начнутся также проблемы с психикой и сном. Смертельный исход может случиться в любой момент.

– Баба Тоня, вам не надоело меня пугать? Я же сказала, что согласна на всё. И пусть говорят, мол, чёрная магия ещё никому не помогала, у всякого дела есть обратная сторона... Я не хочу думать об этом. Сейчас я одержима только одним желанием. Может, я, как и вы, мечтаю обмануть смерть. Кто знает, вдруг у меня получится?

– Значит, нет в тебе страха, Наталья, но всё же помни: привороженные долго не живут.

– И в этом есть свой плюс, – я усмехнулась. – Я же не любовницей, а женой буду. Помрёт, мне всё достанется.

– Хорошо, если помрёт, а если сопьётся? И будет тебе крест на всю жизнь. Получишь безвольное существо на поводке, которое без тебя не сможет и шагу ступить. А избавиться уже от него не сможешь, как бы ни старалась. Присушен он к тебе намертво. Так и промучаетесь всю жизнь нелюбимая с нелюбимым. И каждый раз будешь думать о том, что живёшь не с мужиком, а с нелюдью.

– Может быть. Только я хочу думать о хорошем, а не о плохом. Если обо всех плохих последствиях думать, тогда вывод один: жить вообще вредно.

– Хорошо. Не буду тебя больше пугать и отговаривать, но ты всё же не забывай и о том, что если привороженный мужчина умирает, то приворожившая его женщина уходит вслед за ним. Смерть уводит одного за другим.

– Это еще почему?

– Понимаешь, девонька, магия небезопасна. За любым магическим обрядом стоят бесы, которые нападают на жертву приворота и лишают его воли. Бесы ещё никогда и никого не сделали счастливыми. Они не умеют созидать. Им по силам только разрушать. Я видела самые разные последствия приворота. Но почти у всех были резкая потеря здоровья мужчины, изменение в психике, запои, часто пристрастие к наркотикам, даже у тех мужчин, которые до приворота не видели их в глаза. И огромная череда неприятностей. Девушки ломали и свою, и чужую судьбы, забывая, что любовь – это дар. Любовь нужно просить у бога и получать её с верой.

– Некогда мне просить. Я получить её хочу. Пока буду любовь выпрашивать, моего олигарха уже женит на себе какая-нибудь провинциальная хищница. Слопает, и глазом не моргнёт.

– И всё же я должна пояснить, как работает приворот. Я из астрального мира, по твоему желанию, вызову беса или лярву, такое привидение, призрак, дух умершего злого человека, которые вселятся в твою жертву и дадут определённые установки, чтобы тот всегда был с тобой. Чем больше грешна жертва, тем быстрее сработает и подействует приворот. Но только ты должна знать: с тобой будет всегда общаться бес, который вселился в жертву. В глазах у супруга будет только бес, а его разум отключится. Бес всё сделает по команде или сценарию, которые ты ему дашь. Ты можешь задать вопрос: зачем это нужно бесу? Тут всё просто. Бес будет питаться энергией, как твоей, так и жертвы. А когда энергия в теле жертвы закончится, он сделает так, чтобы жертва наложила на себя руки. Вызвать беса очень легко, но практически невозможно избавиться от него.

ГЛАВА 4

Баба Антонина поднесла к глазам фотографию.

– А ведь и в самом деле олигарх.

– Что, видно?

– Взгляд уверенный. Сильная личность. Даже по фотографии видно, что толстосум. Он просто набит деньгами. Удача сама к нему в руки идёт. Чудная ты, Наташка. Первый раз встречаю, чтобы девушка решила олигарха приворожить. Обычно ко мне приходят с несчастной любовью. Вернуть или всё исправить. Начать всё сначала... Просят о взаимности. Но чтобы подловить олигарха, которого никогда раньше не видела, – такое первый раз.

– Ну вот, баба Тоня, нужно когда-то начинать. А для вас это совершенствование навыков. Что-то новое, неизведанное...

– Тебе всё шутки да прибаутки. Не хочешь ты понять, девонька, что с огнём играешь. А ведь мужик действительно красивый, породистый. А ты ему психику полностью разрушишь.

– На желаю думать о его психике. Баба Тоня, разве мужчины о нашей психике думают? Даже страшно представить, сколько женщин мой олигарх покалечил. Сколько девиц бросил, сколько судеб сломал. Он же баловень судьбы. Всегда в центре внимания. Девки бьются не на жизнь, а на смерть в надежде заполучить его как судьбоносный приз. Я в этой борьбе участвовать не желаю, просто возьму его и приворожу. Девки мне не конкурентки. Я их всех перехитрю. Все с ума сойдут, когда увидят, как он в меня влюбился.

– Уверена, у твоего избранника очень серьёзное окружение, как и у всех богатых людей. Его одержимость тобой может вызвать ненужную реакцию у близких ему людей. Возникнут вопросы. Скандал может разгореться. Твой олигарх начнёт путать карты, забыть о делах и партнерах, ведь в голове у него будут мысли только о тебе. А там и до финансового краха недалеко.

– Об этом думать рано. Всегда можно скорректировать дела.

– Между прочим, многие маги смотрят на любовный приворот как на порчу. Поэтому ты должна учитывать все обстоятельства. Если честно, жаль мне этого человека. Интересный на лицо и, видно, далеко не дурак, если в жизни многого добился. Это только в анекдотах для завистливых неудачников богатые мужики вечно придурки. Этот, сразу видно, работает, не жалея сил. После приворота он на глазах меняться начнёт, станет неадекватным и даже изменится внешне.

– Вот как?

– Привороженные мужчины и женщины перестают следить за собой, ведь у них теряется интерес к жизни и появляются вредные привычки. В их поведении проскальзывает агрессия, которая возникает сама по себе, без всякой причины. Привораживая нужный объект, девушка просто получает неполноценного спутника жизни. Он будет вымещать своё невольное рабство яростью и злостью. Он не сможет с тобой жить, но и уйти от тебя будет не в состоянии. Он даже начнет лупить тебя. Ты получишь не душу мужчины, а только его внешнюю оболочку, проще говоря, тело. Это будет совсем не тот человек, что раньше. Вряд ли ты будешь с ним счастлива и спокойна, скорее наоборот.

– Он даст мне определенный статус, материальное благополучие, комфортную жизнь и уверенность в завтрашнем дне. Уж если не могу заполучить его душу, согласна на оболочку, на большее не претендую.

– Ваши отношения будут похожи на отношения хозяина и раба.

– Какое счастье заполучить в рабство самого завидного холостяка нашей страны! Да я сплю и вижу, когда, наконец, стану его хозяйкой.

– Вы будете связаны друг с другом навечно, ваши дороги жизни соединятся в одну. Ты будешь эмоционально подавлять свою жертву, а он станет физически ослабевать. Чтобы исправить это, твой приворожённый мужчина начнёт питаться твоей энергией, а от этого ты сама ослабеешь. И не просто ослабеешь, а будешь истощаться. Ваши судьбы будут сломаны, и их уже не склеить. Начнётся расплата за насилие над волей другого человека. Какова будет кара возмездия, не знает никто, потому что насильно мил не будешь. Наколдованная любовь не приносит счастья. Ты, девонька, не представляешь, чем тебе придётся расплачиваться. Да и я не представляю... Но это страшно...

– Баба Тоня, неужели вы до сих пор не поняли, что я не отступлю? Сколько можно меня пугать? Давайте уже начинать.

– То, что ты не отступишь, я уже поняла.

– И не осуждайте меня. Любая другая на моем месте сделала бы то же самое. Просто вас найти нелегко. Все бегают по шарлатанам, которых сейчас в Москве пруд пруди. Теряют время и деньги. Никто ничего не умеет. Просто нашли способ хорошо заработать.

Я рассказала бабе Тоне, как одна моя знакомая вычисляла шарлатанов. Она приносила фотографию умершего человека и просила о нём что-нибудь рассказать. Почти все маги, гадалки и колдуньи в восьмом поколении даже не определяли, что человек на снимке мертв. Они плели всякую ерунду, крутили хрустальные шары и говорили о нём как о живом. Народ реагирует на громкие имена и на лица с экрана. Думают, если человек в «ящике», значит, он точно что-то умеет. Уж он-то не обманет. Как бы не так! И результат нулевой, и денежки – тю-тю!

Мы, женщины, всегда в чудеса верим и даём на своей наивности и вере зарабатывать. С нас отжимают бабло, считая за последних лохушек. Да и почему не рубить «капусту», если простаков действительно полно? Слишком много людей, которые не могут самостоятельно справиться со своими проблемами и требуют вмешательства тёмных сил.

Все снимают несуществующие порчу, родовое проклятие, точно такой же несуществующий венец безбрачия и делают любовные привороты. На каждую рекламу куча восторженных отзывов, которые как бы подтверждают тот факт, что успех гарантирован. Порчу у гадалок всегда наводит женщина, чаще всего темноволосая. Всё как под копирку. А, как известно, любая порча приводит к смерти... И тут начинается наглая выкачка денег и психологическое зомбирование – снятие порчи, астральная защита и так далее и тому подобное... Чаще всего за этим последуют шантаж и давление на клиента, особенно если он захочет соскочить и прекратить швырять деньги на ветер. Начинается навязывание магических процедур. Колдуны не хотят терять лоха, который поймался на удочку и его ещё можно трясти и трясти. Прибегают к запугиванию: мол, если остановишься и не захочешь совершать дальше магические процедуры, потеряешь семью, работу, ребёнка, умрёшь сам или на тот свет отправятся все члены семьи. Тут же предсказывают смерть с точной датой. Сказать, что это не действует на психику человека, значит не сказать ничего.

– Таких, как вы, баба Тоня, единицы, – вздохнула я. – У вас нет конвейера, вы не хотите превращать свое занятие в бизнес, ведёте скромный образ жизни. Не осуждайте меня, баба Тоня. Что бы ни произошло в дальнейшем, значит, у меня такая судьба. В жизни и так полно скучных и предсказуемых людей. Я никогда не хотела быть одной из них. Я всегда любила странных, но смелых. Есть экземпляры, которые не боятся носить странную одежду, совершать странные поступки, говорить о странных вещах, которые не укладываются в нормальной голове. Знаете, таких даже можно узнать по стуку в дверь. Он какой-то необычный... Очень... Я не отношусь к сумасшедшим, которым нужны настоящие чувства. Если у человека нет на меня времени, я никогда не настаиваю на общении. Я ухожу... Просто не хочу всю жизнь стоять в очереди. С самооценкой у меня всегда был полный порядок, но и в вечную любовь я не верю. Уж я-то хорошо знаю: красивую женщину всегда можно заменить на более привлекательную.

– По-твоему выходит, любимую женщину тоже можно заменить?

– Запросто. Новая любовь всегда горячее предыдущей. Когда-то я была очень хорошей и любящей девочкой. Три года любила и боялась быть плохой, но за всё это время я ничего не получила взамен. С каждым днём тот, кого я самоотверженно любила, всё меньше и меньше меня замечал. Однажды он не заметил, что я покрасила волосы. Потом что я сделала стрижку. Что надула губы гелем. Что на нервной почве очень сильно похудела, что старалась порадовать, готовила его любимые блюда. На следующем этапе он не заметил, что я не пришла ночевать. Я заявилась утром, он собирался на работу и равнодушно бросил, что не может найти свой галстук. Я нашла галстук и поинтересовалась, почему он не спрашивает, где я была. «Зачем спрашивать? – ответил он. – Я и так знаю, что у родителей». Он даже не спросил, почему я его не предупредила, что не ночую дома. И я поняла: он просто не заметил моего отсутствия. Принял душ, завалился в кровать, стал смотреть футбол и уснул... Вспомнил обо мне, когда стал искать галстук. И даже после того, как я сообщила, что была не у родителей, а провела ночь с другим, он усмехнулся. Не поверил. Мол, кому ты нужна. Так и закончилась история моей любви. Повторения не хочу. Эти отношения превратили меня в человека-невидимку. Настал момент, когда меня перестали замечать в упор, что бы я ни делала и что бы ни говорила. Остывшие чувства как остывший чай. Когда остывает чай, мы его не подогреваем, а просто выливаем и завариваем новый. Свежий, душистый. Точно так же и с чувствами: когда они остывают, нет смысла их подогревать, потому что они должны быть свежими и вкусными. Тот, с кем я нашла в себе силы расстаться, так и не узнал о моих мучениях. Он не подозревал, сколько я пролила слёз, сколько раз теряла надежду, насколько была сломлена в тот момент... Больше всего я боялась его потерять, не понимала, как удержать. Людей почему-то впечатляет, когда ради них умирают, но никогда – если ради них живут. И тогда я решила:

мужчины хуже зверей. Они не задумываются о том, что разрушают чужие жизни...

– Что ж, девонька, за работу, – прервала меня баба Тоня. – Я тебя обо всём предупредила. Пришла бы другая, я ничего бы такого ей не сказала и не взялась бы помогать. Как можно привораживать человека, с которым ты даже не знакома, ради корыстных интересов? Но есть в тебе что-то такое... Не хочу тебе отказывать. Странная ты. Очень странная...

ГЛАВА 5

Дальше я действовала так, как строго-настрого наказала мне баба Антонина. О том, что я сделала приворот, не знала ни одна живая душа, кроме неё и меня. Я вроде бы жила как обычно, а на самом деле тщательно готовилась к судьбоносной встрече со своим олигархом. И встреча не заставила себя ждать...

Через пару дней я должна была пойти на светское мероприятие, где моя жертва точно должна была присутствовать. Я уже давно так не готовилась к какому-нибудь торжеству, как к этому дню. Целый день провела в СПА. Потом посетила косметический салон. Сделала укладку, маникюр, педикюр и различные процедуры с лицом, чтобы оно сияло и выглядело свежим, с лёгким оттенком загара. Внешность должна быть не просто ухоженной, но ещё и холёной. Женщина должна манить и пленять.

Уж я-то знала, что к встрече с олигархом нужно готовиться и физически, и интеллектуально, и морально. Одним словом, я должна выглядеть как девушка с глянцевой обложки, показать, что во мне есть изюминка. Она нужна хотя бы для того, чтобы выделяться из толпы однотипных и похожих друг на друга девушек. Важно отработать нужный взгляд. Нужно вызывать доверие. Лёгкая, естественная улыбка. Желательно не наигранная. Красивая осанка и плавные, немного кошачьи движения. Походка, конечно же, от бедра. Такая, будто весь мир лежит только у моих стройных ног. Важно показать интеллект, уметь вести беседу, слушать собеседника. К олигарху надо проявлять интерес как к человеку, а не как к денежному мешку на ножках. Поэтому очень важно не выглядеть так, как выглядят охотницы за миллионами. Богатые люди всегда дорожат состоянием и репутацией.

Я тщательно продумала гардероб. Я знала, что ни в коем случае нельзя наряжаться в розовое. Богатые люди презирают розовый цвет, считают провинциальным, дурным тоном и даже пошлостью. Да и красное желательно тоже не надевать. Хотя бы на первую встречу. Очень важно правильно наложить макияж. Так, чтобы подчеркнуть глаза, выделить скулы, зрительно увеличить губы и удлинить ресницы. В общем, выглядеть нужно так, как выглядит женщина-мечта. И никаких сисек, которые в любой момент могут вывалиться из декольте. Даже самой не верится, что скоро я, будто бы случайно, встречу своего принца...

Мои мысли перебил телефонный звонок. Подруга Танька, которая вместе со мной должна была пойти на светское мероприятие, решила поинтересоваться, чем я в данный момент занимаюсь. Татьяна крутилась в шоу-бизнесе и знала о жизни так называемых звезд не понаслышке.

– Приветик! Я до тебя дозвониться не могу. Куда ты пропала? – донёсся оживлённый голос из телефона.

– Готовлюсь к завтрашнему мероприятию.

– А чего к нему готовиться? Оно не первое и не последнее.

– Скажи, Самуил точно будет?

– Наташка, ты меня уже в сотый раз спрашиваешь. Я же тебе говорила, что будет.

– Ну мало ли... Вдруг он передумал...

– Он в списке гостей. Обычно мероприятия такого уровня не пропускает. Если, конечно, не какой-нибудь форс-мажор.

– Какой ещё форс-мажор?

– Ну, если его ветром куда-нибудь не сдует, – пошутила подруга. – На вечеринке всё тот же состав. Будет весь цвет московского бомонда. Звёзды шоу-бизнеса, модели, актёры, режиссеры, различные светские львицы непонятного происхождения, которые почему-то все резко переквалифицировались в дизайнеров интерьеров. Вроде красиво звучит. Спортсмены, бизнесмены, политики. Все сливки светского общества. Сплошные объятия, фальшивые поцелуи и дежурные фразы. Ну и без Самуила, конечно же, не обойдётся.

– Это радует. Именно это я и хотела от тебя услышать.

– Наташка, зачем он тебе сдался? Вокруг него баб – просто жуть! Пустой номер. Он же один из самых завидных холостяков России. А все девицы мечтают об особняках и машинах, а точнее, заполучить этого красавца в мужья, чтобы обеспечить себе надёжный тыл на долгие годы.

– Ты не знаешь, он сейчас с кем-нибудь встречается?

– Тоже мне, спросила! Естественно! И не с одной. У него любовниц, что грязи, а в загс палкой не загонишь. А зачем ему жениться, если перед ним реально любая ноги раздвинет. Девки его со всех сторон атакуют. Смысл ему зацикливаться на одной? Если он и интересуется какой-то девушкой, то чаще всего как новой игрушкой.

– И где его только девицы цепляют...

– Да везде, где он появляется. Чтобы познакомиться с подобным перцем, нужно засветиться на экране. У него миллион претенденток, причем обалденно красивых и интересных. Борьба очень жёсткая. И тут главное даже не в том, чтобы встретиться с ним, а в том, как удержать, как конкурировать с другими женщинами, которые ничуть не хуже, а быть может, в чём-то даже и лучше. Такой не успеет штаны расстегнуть, как ему уже кто-то минет делает.

– Танька, что ты несёшь?

– Я говорю правду, только и всего. У него и друзья такие же. Меняют подружек и жен, как перчатки. И девок берут не последнего разбора – сплошные модели и актрисульки. Приглянулась девушка – подослал к ней нужного человека, и знакомство готово. На какие только жертвы девицы не идут, только бы пожить в роскоши. У них лучший друг – пластический хирург. Ботокс и силикон во все места. Работа над внешностью становится настоящим культом. Каждая мечтает довести своё лицо до совершенства. Я знаю одну девочку, так она устроилась в элитный магазин мужской одежды. Туда бедные не заходят.

– Она реально надеется подцепить богатенького буратино?

– Ну да. А ты как думала?

– Продавщица?

– Да. И не дурна собой, ведь клиенты магазина известные и богатые люди.

– И что говорит твоя девочка? Клюют?

– Ни черта. Смотрят на продавщиц только как на обслуживающий персонал. Могут пошутить, посмеяться, если настроение отличное. Оставить чаевые, но не более того. Ей как-то показалось, что один толстосум клюнул. Надеялась, что обязательно куда-нибудь пригласит, всё завертится, закрутится, и он подарит ей красивую жизнь. Ничего подобного. Продавщицы для них все на одно лицо. Просто обслуга. А обслуга, как известно, к сердцу не допускается. Только в дамских сериалах может быть по-другому. Регулярно только поступают предложения переспать... Сейчас уже все понимают, что любовь любовью, а кушать хочется. Кому нужен человек, который не стремится изменить жизнь к лучшему? И к счастью, сейчас богачей всё меньше и меньше интересуют девушки, которые не могут ничего предложить, кроме эффектной внешности. Новые времена, новые нравы.

– Тань, вот ты постоянно крутишься в светском обществе. По-твоему, какие девушки сейчас интересуют наших миллионеров?

– Понимаешь, в последние годы тенденция резко изменилась. Наши богачи хотят видеть рядом не просто моделей и светских львиц, а ярких и успешных женщин. Недаром все светские львицы тут же переквалифицировались в модельеров и владелиц салонов красоты. Некоторые еще и журналы глянцевые издают. Раньше всё было по-другому. От девушки всего лишь требовалось быть красивой, длинноногой, грудастой, покладистой и молчаливой, заглядывающей в рот своему покровителю. Она была важным атрибутом успешного мужчины, как дорогой автомобиль или часы известных брендов. Своеобразное украшение стола. Девица должна была только тешить самолюбие своего кавалера. Ни о каких карьерных амбициях не было и речи. Девицы нужны были для собственных утех и для того, чтобы с гордостью демонстрировать их своим друзьям. Их меняли как перчатки. Надоевшей подружке платили щедрые откупные и благословляли на новые поиски достойной партии.

– Да и сейчас рядом с богачами таких полно.

– Конечно. Да только они долго не задерживаются. Богачи нынче стали уже не те. Они хотят не просто ослепительно красивую, но и интеллектуальную красотку. Чтобы избранница была полна энергии и новых идей. Чтобы в отношениях развивалась, а не деградировала. Мужик хочет видеть рядом с собой бизнесвумен, получающую от работы удовольствие. Женщину, стремящуюся сделать блестящую карьеру. Ленивые красотки-идиотки больше никого не интересуют. Не модно. Некоторые дамочки умудряются стать полноправными деловыми партнёрами своих супругов.

– Считаешь, сейчас деловые качества ценятся?

– Ещё как! Ты только представь, как богатые мужики избалованы красивыми женщинами. Конечно, рабочие лошадки и феминистки им тоже не нужны. Пахать всю жизнь, как проклятая, при мужике – хорошего мало. Классно, когда работает правило: женщина занимается любимым делом, получает деньги, но при этом всё, что имеет, заработано супругом. Она не просто растит детей и служит своему мужу. Она служит ещё своему делу. Может, кому-то и нравятся домохозяйки, не спорю. Но очень часто, после нескольких лет, мужик говорит: «Дорогая, с тобой поговорить не о чем, кроме пелёнок, горшков, готовки и уборки». Мужчина начинает понимать, что женщина просто недотягивает до его уровня. Поэтому, чтобы в отношениях сохранялся баланс, женщина должна иметь возможность реализоваться в той сфере, которая ей интересна. В противном случае деградация неизбежна, ведь мир женщины не может крутиться только вокруг бытовых забот.

– И всё же есть примеры домохозяек. Это жёны очень влиятельных бизнесменов, которые решили посвятить себя исключительно семье. Но для этого надо иметь тихий спокойный характер и не бояться одиночества.

– И всё же, при этом, они стелятся перед мужьями, чтобы не остаться без средств. Ведь только в нашей стране можно бросить жену, оставив её без копейки. На западе домохозяйка – это такая же работа. А у нас умудряются и на работе вкалывать, а придут вечером домой с полными сумками из магазинов и снова – к плите, стиральной машине, детям.

– Стелятся не стелятся, но мудрости у них не отнять. Это же нужно ещё уметь не работать только потому, что ты правильно вышла замуж, быть уверенной в себе. Это ведь только у нас бытует стереотип, будто все домохозяйки тупые. А они развиваются просто для души, умеют не перенапрягаться и жить как бы при муже, но в своё удовольствие, не разрушая себя. Классно быть нужной своему супругу такой, какая есть. Подобные женщины считают, что любовь не измеряется объемом их талии и длиной ног. Они играют по своим правилам и почти никогда не проигрывают, закрывая глаза на все шалости супруга, включая и интимные.

– Наташка, значит, ты всё же видишь себя домохозяйкой? – усмехнулась подруга. – Что-то я плохо представляю тебя в этой роли.

– Я просто устала пахать, – честно ответила я.

– Даже если ты будешь домохозяйкой, то не такой, как все. Профессиональные достижения у тебя уже есть. Думаю, в той будущей жизни, какую ты себе нарисовала, тебе не грозит участь брошенки с детьми и финансовыми проблемами. В конце концов, если девушка встречает олигарха, вытягивая счастливый лотерейный билет, выходит за него замуж, то зачем ей убиваться на работе, трудясь на чужого дядю?

– Вот и я про то же. Настоящий мужик не позволит своей женщине уматываться на чужом предприятии. Ты вот говоришь, мужики уходят. Как уходят, так и возвращаются. Работница не даст тепла, которое может дать женщина, встречающая мужа дома. Сильный мужчина, как правило, против того, чтобы жена работала. У него жена будет заниматься детьми и домом. В таких семьях дети вырастают намного добрее, духовно богаче. Если мужчина и уходит от такой женщины, так это не потому, что она домохозяйка, а потому что разлюбил.

– Знаешь, так интересно получается. Много успешных дамочек, после того, как вышли замуж за богатых, послали свои бизнес-идеи куда подальше. Стали просто наслаждаться тем, что дала им жизнь. А те, кто ничего не имел до замужества, наоборот, выйдя замуж, стали тут же мутить какой-нибудь бизнес и теперь из шкуры лезут, чтобы стать успешными в делах. А вообще, как говорят в народе, – в нормальной семье мама красивая, а папа работает. Кстати, и к чему мы с тобой всё это говорим?

– К тому, что я скоро выйду замуж за Самуила, – вырвалось у меня.

ГЛАВА 6

– Я оценила твою шутку, – не поверила мне подруга.

Я хорошо её понимаю. Ведь если признаться честно, я ещё и сама плохо верю, что это произойдёт на самом деле.

– А это не шутка. Ты ещё вспомнишь мои слова.

– Ты же с ним вроде как незнакома.

– Завтра познакомлюсь.

– А замуж когда выйдешь? Послезавтра? – подколола меня подруга.

– Не послезавтра, а в самое ближайшее время.

– Наташенька, конечно, мечтать не вредно. В тусовке говорят, ещё не родилась та, что Самуила на себе женит. Я даже представить не могу женщину, которая сможет его окрутить. Рядом с ним всегда полк длинноногих красавиц. Реально глаза разбегаются. Одна круче другой. Это ж чем таким обладать нужно, чтобы удержать такого мужика? Не представляю... Красотой, сексом? Да у него от этого уже, наверное, пережор.

– Ладно, поживём, увидим. С охотницами за большими деньгами в наше время, действительно, перебор. Все хотят пожить в сказке с вечеринками на Лазурном Берегу, иметь коллекцию украшений в несколько миллионов долларов и наблюдать, как по щелчку открываются любые двери. Сменять модные мероприятия в Москве каникулами в Монако, Дубае, Куршевеле. У нас столько богачей нет, сколько хищниц, желающих их заполучить. За красивой жизнью едут отовсюду самолётами, поездами, маршрутками. На коленях ползут.

– Ещё бы, ведь у нас культ из жизни богатых и знаменитых. Все хотят прикоснуться к миру элиты. Даже если и удастся заинтересовать богатого, тут же возникает вопрос: как его удержать? В любой момент карета может превратиться в тыкву. Именно поэтому все, кто зацепил себе кошелёк на ножках, не хотят быть просто женами, а становятся телеведущими, актрисами, дизайнерами, певицами. Но никто ни от чего не застрахован. Сегодня ты любимая жена, а завтра любимой женой станет другая, помоложе. Она займёт место в твоём доме, в твоей спальне и в сердце твоего мужчины. И уже она, а не ты, будет желанной гостьей светской хроники, а тебя продажная пресса перестанет замечать.

– Ну что, встречаемся завтра в семь?

– Завтра в семь.

Я ещё никогда не волновалась так сильно, как в день, когда должна как бы случайно встретиться с Самуилом. Прокручивала в памяти моменты, на которых заостряла внимание бабка Антонина, повторяла ее нравоучения.

Я подъехала к модному ночному клубу в назначенный час.

На пороге меня встретила Танька и чмокнула в щеку.

– Надо же! Какая красавица! От тебя глаз не оторвать!

– Стараюсь. Положение обязывает хорошо выглядеть. Мне двадцать восемь, а я всё еще не замужем.

– Всего лишь двадцать восемь! Тоже мне старая дева нашлась.

– Ну, ещё не старая, но выйти замуж не помешало бы.

– За кого попало можно выйти хоть завтра, а нам же хочется чего-нибудь стоящего, не так ли? Думаешь, я не хочу свою личную жизнь устроить? Да только мне в сто раз тяжелее это сделать, чем тебе. Ты только прикинь, что будет, если вдруг мой будущий избранник узнает, что родилась я не Таней, а Толей.

Это действительно горькая правда. Таня родилась парнем, а потом стала девушкой. Такое состояние несоответствия порождает у человека тяжёлый психический дискомфорт, называемый гендерной дисфорией, сопровождающийся депрессией, которая может привести к самоубийству. Повышенная частота больших депрессий и самоубийств у транссексуалов, не подвергавшихся гормонально-хирургическому лечению, по сравнению с подвергавшимися таковому, подтверждается многими исследованиями. Танька с раннего детства ощущала себя не мальчиком, а девочкой. Человек не может захотеть сменить пол, будучи взрослым. Настоящие транссексуалы хотят этого с детства.

Конечно, многие твердят, что природа мудрее человека, что все проблемы в голове, но есть правда жизни, и от этого не уйдёшь. Невозможно задушить в себе желание носить женскую одежду и вести себя как женщина. Танька честно пыталась бороться с этими желаниями и со своей головой, в частности, но не помогло.

О том, что Танька родилась мальчиком, знали только самые близкие люди. Другие даже и представить себе этого не могли. А если бы им кто-то сказал, то не поверили бы. Люди привыкли мыслить стереотипами. Таких как Танька обычно не любят, рассуждая о том, что в наше время развелось слишком много женоподобных мальчиков, боящихся нести ответственность, не способных на мужские поступки, слабых и телом, и духом. Мол, они только и находят себе оправдание, что я на самом деле не мальчик. Просто так выглядят. Внутри они девочки... Кому такие нужны? Никому. Они помешаны на внешности, сплетничают, склонны к истерикам, подставляют других. Не мужики, одним словом, а бабы. Как-то я работала в коллективе, где большинство парней были не той ориентации. С ними даже поговорить нормально было нельзя, сделать элементарное замечание. Они тут же плачут и бегут жаловаться руководству.

Люди негативно воспринимают операции по смене пола. Им и в голову не придёт, как можно осознать, что ты не того пола... Ведь можно решить, что ты не того вида, прийти к доктору и попросить пришить тебе хвост, так как ощущаешь себя собакой. И всё же в наше время признали, что менять пол – это не уродство, а вынужденная мера не для всех, а для таких, как Танька.

И вот однажды Танька обратилась к специалисту, чтобы выяснить, что с ней творится и какой выход приемлем в её ситуации. Ей была назначена гормонотерапия. Потом она получила разрешение от специальной комиссии на смену пола. Состоялась первая операция – вагинопластика. Потом череда других операций. После чего были официально поменяны документы, и Таня перестала быть Толей. Она официально значилась теперь Татьяной.

Люди решаются на такой радикальный шаг, если понимают: им так будет комфортнее. Танька просто выпустила наружу девочку, которая жила внутри неё и находилась в заточении. Она ощутила себя по-настоящему счастливой, когда смогла одеваться, как ей нравится, вести себя, как ведут девушки, капризничать, делать макияж, причёски, ходить в туфлях на каблуках. Она тут же проколола уши, накупила различных серёжек, стала спать с парнями. Главное, прекратила бояться родителей, которые смогли принять и понять её проблему.

А ведь в школе Танька даже на физкультуру не ходила, потому что очень сильно стеснялась мальчишек. У неё было столько комплексов, не передать словами.

– Танюша, тебе необязательно говорить своему приятелю, что ты раньше была мужиком, – попыталась поддержать я подругу.

– А если узнает?

– Откуда? Сколько таких, как ты, выходят замуж, и ничего, нормально живут. Мужья даже не догадываются, думают, что их жёны не могут иметь детей из-за гинекологических заболеваний. И никто не знает их прошлого. Жизнь как у всех. Да, единственный минус: при смене пола рожать нельзя...

Я замолчала. Ко мне приближался Самуил в компании известного политика и парочки длинноногих девиц, будто сделанных под копирку. Девицы вышагивали с двух сторон, словно охраняли Самуила от конкуренток. Несмотря на их миловидные, подправленные пластическими хирургами мордашки, было понятно, что за себя они могут постоять не хуже бультерьера.

Вот они поровнялись со мной...

Недолго думая, я произнесла:

– Простите, вы Самуил?

Он остановился и посмотрел на меня, а я мило улыбнулась и продолжила:

– Приятно познакомиться. Я наслышана о вас. Меня зовут Наталья.

– Вот как? Кто вы, Наталья?

– Я художница. Даже в некотором роде известная. Если у вас будет желание, могу написать ваш портрет. У вас интересное лицо, красивые глаза... Мы с вами пересекались несколько раз на различных мероприятиях, не помните?

– И что? – Бизнесмен сказал это настолько безразлично, что мне стало не по себе. Ярко выраженное равнодушие убивало.

– Да ничего, – обречённо вздохнула я.

Похоже, приворот бабы Тони ни черта не действует. У него в «красивых» глазах только раздражение плещется. Вот еще одна девка зацепить его пытается. Нет, надо действовать, решила я. Смелее! И я вновь ему мило улыбнулась:

– Не желаете меня вспомнить? А ведь я ваша будущая жена.

Сама не знаю, как это вырвалось.

– Кто?

– Жена. – В моём голосе появилась уверенность.

– У вас прекрасное чувство юмора, милая дама.

– Спасибо. Надеюсь, что вас заинтересовало моё предложение. – Я повернулась к Татьяне. – Нам пора, – и подхватила подругу под руку.

– Городская сумасшедшая, – протянула одна девица и скривила яркий рот.

– Тут таких полно, – подтвердила вторая, и они увлекли Самуила прочь от меня.

ГЛАВА 7

– Наташка, ты что, сдурела? Вроде не пила, – испуганно поинтересовалась Танька.

– Да пошёл он! Козёл! – От досады я была готова разреветься прямо на месте. – Тань, скажи честно, я сейчас выглядела как дура?

– Ну, если честно, не особо умной. Я вообще не понимаю, чего тебе дался этом Самуил. Понятное дело, ничего путного у тебя с ним не будет. Мы же с тобой это миллион раз обсуждали. На кой он тебе черт?

Я подошла к фуршетному столу, взяла бокал шампанского и выпила его чуть ли не залпом. Обеспокоенная Танька на всякий случай потрогала мой лоб на предмет температуры.

– Вроде не горячий, – удивилась она.

– Я нормально себя чувствую.

– Знаешь, я раньше никогда такой тебя не видела.

– Какой?

– Ну... Такой одержимой. Не по себе сук рубишь, подруга. Какие бы мы ни были с тобой классные, увы, в этой жизни есть мужики не про нашу честь, давай смотреть правде в глаза. Мы же с тобой реалистки и если хватаем звёзды с неба, то только те, до которых можно дотянуться.

К нам подошла начинающая певица. Она хорошо знала Таньку, та ей даже как-то протежировала. Я потянулась за очередным бокалом. Да, лучше рискнуть и оказаться полной дурой, чем жить без всякого риска и думать о том, что, возможно, у тебя есть шанс, но ты никогда не найдешь в себе силы его использовать, даже если риск окажется неоправданным и покажет, что у тебя не было никакого шанса и что ты сама его себе придумала.

– Ой, девочки, видели, сам Самуил сюда пожаловал,– театрально захлопала ресницами певичка. – Ходит весь такой важный, а за ним, как всегда, вагон девок.

– Да пусть мужик развлекается, коли деньги есть, – заметила Танька.

– Как бы я мечтала когда-нибудь для него спеть! Говорят, он на своих фирмах часто вечеринки устраивает. Артистов разных заказывает, певиц. Иногда даже в своём особняке гуляет. Мне бы хотя бы на одну вечеринку попасть. Я бы пела для него бесплатно хоть всю ночь. Танюш, может, организуешь?

– Каким образом? Я всего лишь пиарщица, а не господь бог.

– Попытаешься меня порекомендовать тому, кто занимается организацией его вечеринок?

Я даже не сомневаюсь, у тебя выходы на таких людей есть и связи налажены.

– Милая, ты хоть представляешь, какого уровня звезд он заказывает? До этого уровня хорошенько подрасти нужно.

– На корпоратив хотя бы попасть.

– Так и на корпоратив идёт такой тщательный отбор, мама не горюй. Корпоратив корпоративу рознь. Это же не компания из двадцати человек гуляет. Когда Самуил закатывает мероприятие, он словно хочет всем доказать, что может позволить себе всё. И даже не просто всё, а абсолютно всё. Он и ему подобные готовы платить мировым звёздам заоблачные гонорары, только бы они отработали у них на корпоративе, дне рождения или на свадьбе. Они даже не хотят ограничиваться одной мировой звездой на своем празднике жизни. В голове не укладываются цифры, которые они готовы потратить на свои вечеринки. Мировые звёзды особо не напрягаются. Споют всего несколько песен и сидят за столом, наблюдают, как русские олигархи развлекаются. И встречают этих звёзд частными рейсами, не хуже, чем британскую королеву. Машины класса люкс и самые лучшие номера в центре Москвы. До сих пор не умолкают разговоры, как одна западная звезда всего за три песни на свадьбе одного олигарха получила два миллиона долларов. Что ж, шикарно жить не запретишь.

– Я бесплатно петь готова хоть сутки.

– Для таких мужчин, как Самуил, цена вряд ли имеет значение. Для него деньги – мусор. Но ты не переживай, моя дорогая, если у меня появится возможность, я непременно организую всё в лучшем виде. Я уяснила: ты готова петь для этого крутого перца всю жизнь.

– Если всю жизнь, то уже не бесплатно! – Певичка засмеялась и поспешила к группе гостей, где тусовались почти все фотографы.

Мы остались вдвоём. Танька вздохнула:

– Ты видишь, девок как грязи, и каждая готова на всё. Она ему хоть в бане споёт, хоть раком там встанет, только бы обратить на себя его внимание. Если нужно, со всей его охраной переспит, только бы он денег ей каких-нибудь отвалил или, на крайний случай, что-то пообещал. Наташка, а ты что-то на шампанское сегодня конкретно присела.

– Хочется напиться с горя. Напиться и забыться.

– Да ладно, не бери в голову. Считай, проехали. Забудь про этого нахала, будто и не подходила к нему. Пошутила, и хватит.

– В том-то и дело, что я не шутила, – пробурчала я себе под нос и потянулась ещё за одним фужером.

Именно в этот момент случилось невероятное. Мою руку перехватил... Самуил.

– Знаете, тут не самое вкусное шампанское, – промурлыкал он, как мартовский кот. – Я бы хотел угостить вас чем-нибудь более достойным.

– Вы?

– Я...

От неожиданности я выронила фужер. Он разбился вдребезги.

– Это на счастье, – только и смогла сказать я.

– Мне так неудобно, но я не запомнил, как вас зовут.

– Это неудивительно. Вокруг вас столько девушек. Вы физически не можете их всех запомнить. Да и не обязаны это делать.

– По-моему, Марина?

– Наталья.

– Извините.

– Ничего страшного.

– Так вы согласны выпить со мной бокальчик изысканного шампанского?

– Согласна. А где ваше длинноногое сопровождение? Они меня не побьют?

– Не думайте о них.

– Почему?

Олигарх растерянно пожал плечами и улыбнулся.

– Сам не знаю. Какая-то вспышка... Молния... Меня осенило. Вы ушли, а я решил, что обязательно должен вас вернуть и продолжить знакомство. А хотите, сбежим отсюда? Если честно, тут ничего интересного нет.

– Хочу, – кивнула я и уже через полчаса сидела в его машине, которая везла меня в один из самых лучших ресторанов Москвы.

Дальнейшие события разворачивались как во сне. Мы сидели на красивейшей террасе, украшенной живыми цветами и свечами, а рядом с нашим столом выстроилась шеренга официантов.

– Когда я сюда приезжаю, только для меня открывают террасу. Это одно из моих самых любимых мест в Москве.

– Да, здесь очень красиво. И нет толпы... Правда, толпа официантов...

– Они сейчас накроют нам стол и уйдут. Этот ресторан держит мой друг. Первое, что он сделал, когда его открыл, украл одного из самых лучших поваров Европы. Вернее, перекупил. Правда, на первых порах европейский повар и куча русских поварят совершенно не понимали друг друга и не могли работать слаженно. Но эта проблема оказалась решаема. Сейчас они работают как точный часовой механизм. Я люблю этот ресторан за то, что он тщательно поддерживает свой имидж и место для избранных. Чтобы удержать клиентов типа меня, кухня и обслуживание должны быть на высочайшем уровне, ведь сюда приходят люди, которые ценят роскошь и отменное меню. Здесь готовят для людей, знающих себе цену и привыкших получать от жизни максимум удовольствия. Я хочу, чтобы вы обязательно попробовали мои любимые кушанья... – Самуил резко замолчал, словно запнулся. – А давай на «ты».

– Давай.

– Так вот, я хочу, чтобы ты попробовала мои самые любимые блюда. Их уже несут. Это канадский лобстер с травами и утка с апельсинами. Их здесь так отменно готовят, не передать словами. Уверен, ты ничего подобного в жизни не пробовала.

Я смотрела то на Самуила, то на живописный вечерний город у моих ног и плохо понимала, что сейчас всё реально и всё происходит на самом деле. Романтический ужин с самым завидным холостяком России на фоне россыпи ночных городских огней с высоты птичьего полёта... Терраса достаточно большая, рядом с нами постоянно мелькает вышколенный обслуживающий персонал, а мы вдвоём. Это вечер только для нас... Необыкновенное ощущение уединения.

Любуясь мигающими разноцветными огоньками, я неожиданно вздрогнула. Из темноты ко мне явилось лицо бабки Антонины. Она подмигнула мне и прошелестела:

– И как ты, девонька, могла во мне усомниться? Баба Тоня слов на ветер не бросает. Подобное могла сделать только я, никто другой. Так что наслаждайся, девонька, сегодня пробил твой звёздный час.

– Спасибо, баба Тоня. Ты настоящая ведьма...

– Что ты сказала?

Я вздрогнула и посмотрела на Самуила.

– Прости, я задумалась. Правда, красиво? – Я указала на великолепный городской пейзаж за окном.

– Да, великолепно. Ты сказала слово «ведьма»?

– Это шутка такая. Ну, в смысле, колдовская красота...

– А-а... Скажи, тебе действительно здесь нравится?

– Потрясающее место! Какая же она всё-таки красивая, наша Москва!..

Мои лирические разглагольствования перебил звонок Таньки, которая на всякий случай поинтересовалась, на самом ли деле я уехала с Самуилом.

– Ты только смотри, ему сразу не давай, – кинулась наставлять меня подруга.

– Таня, я позже тебе перезвоню.

– Я на минутку. Ты действительно, смотри, сразу ему не давай. Помурыжь, иначе он вмиг интерес потеряет. Нужно хоть чем-то удивить этого козла. Покажи ему, что ты девушка-кремень. Пусть поймёт, что не все мечтают перед ним тут же раздвинуть ноги, что есть девушки, которые знают себе цену. Прикинься охренеть какой порядочной и не интересующейся деньгами. Мол, тебя состоянием не купишь. Тебе пофиг, что он сказочно богат. Тебе нужны настоящие чувства. Что-то из этой оперы. Мужики на это ведутся. И никакого быстрого секса. У него для этого целая рота девиц...

– Танюша, я перезвоню позже. Не могу сейчас разговаривать, – перебила я подружку и закончила разговор. В противном случае она читала бы мне свои нотации до бесконечности. Во всех женских премудростях я разбираюсь ничуть не хуже неё.

– Всё в порядке? – поинтересовался Самуил.

– Да. Подруга позвонила. Поговорить хочет. А мне сейчас разговаривать с ней некогда.

Официанты налили нам по бокалу вина, но тут на террасу влетел известный депутат, вечно мелькающий на экране телевизора, и принялся брататься с моим кавалером.

– Самуил, я как услышал, что ты здесь, так бросился к тебе не раздумывая! Рад видеть тебя, братишка! Ты только представь, меня ещё охранники пускать не хотели. Охренели! Кого? Меня, государственного деятеля, человека, обладающего депутатской неприкосновенностью? Я их чуть не поубивал. Сказал им: «Ребята, вы на кого пасть открываете? На государство? Оно вас поит и кормит! Государству везде зелёную улицу! Урою гадов!»

– Жорж, ну ты, как всегда, в своём репертуаре. Разве тебя можно куда-нибудь не пустить? Очень рад тебя видеть!

Мужчины обнялись, похлопали друг друга по плечам. Жорж сел за наш столик.

Самуил явно не ожидал такого поворота событий.

– Жоржик, ты меня прости, но у нас романтическое свидание, – попытался он технично отшить подвыпившего депутата.

– Да ты что! – Жорж поднял на меня восхищенный взгляд. – Пардон, миледи! – попытался он облобызать мне руку. – Ты, как всегда, в компании самой красивой барышни. А я заехал просто поужинать, пивка выпить. Ты завтра в баню не собираешься? Пошли, такой вип-мальчишник организуем – Москва вздрогнет!

Самуилу стоило огромного труда отправить депутата в зал для гостей и продолжить наш вечер.

– Он любые преграды возьмёт. Для него нет ничего невозможного.

– Да. Это чувствуется. Я иногда смотрю по телевизору его выступления. Цирк!

Мы одновременно потянулись к бокалам с вином, а наши взгляды встретились.

– Ну что, Мариночка, за знакомство?

– Меня зовут Наталья.

– Наташа, прости. Какой я дурак! Как можно... – Самуил раздражённо ударил себя по голове. – Нет, ну не придурок ли? Пригласить девушку на романтическое свидание и не запомнить её имя! Козел!

– Я не злюсь. Такому, как ты, простительно. Но всё же я надеюсь, наступит момент, когда ты обязательно выучишь моё имя.

– Я в этом даже не сомневаюсь. Считай, момент наступил.

– Ты уверен?

– Могу ответить твёрдо: «Да!»

Мы рассмеялись и в очередной раз подняли бокалы, чтобы, наконец-то, произнести тост.

ГЛАВА 8

– За встречу, – кивнул Самуил.

Мы чокнулись и сделали по глотку.

– За встречу.

– Ты так стремительно ко мне подошла... На тебя невозможно не обратить внимания.

В этот момент на террасу вновь вернулся Жорж, но уже не один, а с ещё одним известным политиком.

– Мишаня, я же тебе говорил, Самуил на террасе греется! Вот он, собственной персоной.

– Самуил, сколько лет, сколько зим! – Политик обнял Самуила. – Ты понимаешь, я не могу с этим тянуть. Этот вопрос нужно решить прямо сейчас. Мне важно знать судьбу акций...

Пока Самуил разговаривал с политиком, депутат озорно мне подмигнул и велел принести ему водку, селёдку и картошечку.

– Всё по-нашему, по-родному, – объяснил он. – Ничего импортного. Люблю наше, отечественное. Я ведь – государство. Чёрный хлебушек, водочка, селёдочка, молодая картошечка, малосольные огурчики – вот любимая пища наших государственных мужей.

Когда Самуил отвлёкся от разговора, он посмотрел на депутата, который явно собирался задержаться тут надолго.

– Жорж, а ты что тут присел? Ты нам мешаешь.

– А я что? Я ничего... Вместе веселее. Я же представитель государства, от этого свидание становится ещё романтичнее. Любовное свидание под присмотром самого государства! Это же круто! Самуил, у тебя когда-нибудь такие свидания были? Уверен, что нет! Ты только представь, как это необычно! Ты, твоя девушка и государство! Эй, ребята, да вы счастливчики! Государство одобряет сегодняшнюю тусу.

Сама не знаю, как Самуилу удалось выпихнуть дружбанов с террасы вместе с их водочкой, картошечкой и селёдочкой.

– Мне кажется, что они скоро вернутся,– улыбнулась я.

– Мне тоже так кажется. Послушай, а давай сбежим?

– Куда?

– Туда, где никого не будет, кроме нас двоих. Я уверен, Жорж сейчас соберёт ещё пару-тройку депутатов, они затарятся водкой и пойдут штурмовать террасу. И нам тогда от них точно не отвертеться. А если Жорж сейчас еще добавит, то всему ресторану крышка. Так что нужно уносить ноги, пока не поздно. Я знаю одно очень приличное место. Сейчас позвоню, и нам все организуют.

Самуил куда-то позвонил, и через несколько минут машина уже мчала нас по московским улицам. Мне было обещано романтическое свидание на крыше самого высокого здания в Москве.

Вот мы у цели.

– Боже, как высоко!

– Я говорил, что тебе понравится. Это место не для всех. Тут нет и не может быть посторонних.

Прямо на крыше высокой башни нас ждал торжественно накрытый стол для двоих. Крыша была завалена лепестками роз, цветами и плюшевыми игрушками.

– Какая красота! – пришла я восторг. – Выше нас только звёзды! Но ведь это не ресторан...

– Нет, – рассмеялся Самуил. – Это просто моя крыша. Что хочу на ней, то и устраиваю. Я купил крышу высотки Москвы. Ни один даже самый крутой ресторан не сравнится с красотой ночного неба.

– Как здорово!

– Ты только посмотри, какой огромный мегаполис у твоих стройных ног.

Такая завораживающая красота не могла не поразить воображение.

– А вон Кремль! Москва-Сити! Смотри, сталинские высотки!

Вдруг рядом с нами появился саксофонист и заиграл необыкновенно чарующую мелодию. Самуил обнял меня за плечи, и мы закружились в медленном танце. А когда я увидела фейерверк, то, как ребёнок, запрыгала и захлопала в ладоши.

– Вот это да! С ума сойти!

Чудеса продолжались. Неожиданно в небе появилась надпись «Наташа», переливающаяся разноцветными огнями. Я впала в ступор.

– Что это? – прошептала я, пытаясь прийти в себя.

– Этот фейерверк в твою честь! Я просто хотел доказать, что запомнил твоё имя...

– Я потрясена... Честно. Первый раз вижу такое. Для меня никогда и никто ничего подобного не делал.

Мы танцевали, пили шампанское, слушали саксофон и любовались ночным городом. Когда увидели на звёздном небосклоне падающую звезду, оба затаили дыхание и загадали желание.

– Ты загадала?

– Да. А ты?

– Тоже. Какое желание ты загадала?

– Не скажу. Желание нельзя рассказывать, а то не сбудется.

– Мне можно.

– Я загадала никогда с тобой не расставаться и выйти за тебя замуж.

– Но ведь ты меня не знаешь и не любишь?

– Откуда тебе это известно? Если мы недавно познакомились, это не значит, что я тебя не люблю.

– Разве можно полюбить человека, которого совершенно не знаешь?

– Можно. Тем более, если он – герой светских хроник, ты не можешь сказать, что его не знаешь. Всегда можно открыть газету и о нём прочитать.

– Но ведь чаще всего в прессе ничего хорошего не пишут.

– Хорошего действительно не пишут. Сплетни, скандалы, слухи, расследования... Но мне всё же показалось, за всем этим скрывается очень одинокий человек, который ищет свою вторую половинку и хочет быть счастлив. Да, никто не спорит, у него слишком много денег, но деньги не дают счастья и любви. Они дают только свободу.

– А ты уверена, что полюбила меня не из-за денег?

– Более чем. Я и сама твердо стою на ногах. Картины мои, между прочим, стоят немало. Я ни в чём не нуждаюсь. Мне хватает.

Я всмотрелась в звёздное небо и увидела силуэт бабы Тони, которая хитро смотрела на меня и улыбалась: «Ну ты, девонька, даёшь. Знаешь своё дело. Умеешь сказать мужику то, что он хочет услышать».

– Это так. Я сколько лет готовилась к этой встрече, представляла её в подробностях...

– Ты долго готовилась к нашей встрече? – удивился Самуил.

Я и не заметила, что разговариваю с бабой Тоней вслух.

– Да. Я действительно ждала встречи много лет. Знаешь, Самуил, мне кажется, никто и никогда не любил и не будет тебя любить так, как я. Я счастлива! Сегодня ты подарил мне целый город. Я испытываю такой всплеск радости и восторг, что не передать словами! У моих ног покоится мегаполис, а над головой бескрайняя небесная бездна. И пусть весь мир подождёт! Я ощущаю себя птицей, которая парит высоко над городом и любуется его огнями. Такое впечатление, будто мы одни в целой Вселенной.

Неожиданно на крыше появились связки воздушных шаров, которые полетели высоко в небо. И зажглись целые ряды гирлянд китайских фонариков. Из моих глаз заструились слёзы. Это были слёзы настоящего счастья оттого, что я попала в сказку.

– Ты что, плачешь?

– Это от счастья.

Самуил взял мои ладони, поднёс их к губам и поцеловал. Я смутилась и поспешила освободить руки. Мы сели за красиво накрытый стол, на котором стояли свечи, и продолжили пить шампанское. В этот вечер я узнала, что Самуил, помимо красивых женщин и своей работы, любит футбол, особняк в Монако и путешествия. Очень сложно найти хоть одну страну в мире, где он не побывал.

Я смотрела на своего олигарха и думала о том, какое счастье – стать женой такого человека, ведь молодость и красота когда-то уйдут. Молодость – товар недолговечный, а хирурги не боги. Как повезёт будущим ещё не родившимся детям! Позже они поймут и осознают, от какого отца родились. Важно устроиться в жизни, тем более, когда для этого есть все условия. Я ведь не только ноги умею раздвигать, как другие, но ещё имею мозги. Сколько дур сейчас среди моделей – ужас! Прыгают из одной постели в другую, отрабатывают подарки. Все они – клиентки одних и тех же пластических хирургов, венерологов. У всех негласный установленный прайс за интим. Все перенимают эстафету у предыдущей любовницы. На них на всех пробу ставить негде.

– Ты останешься со мной до утра? Останься, очень хочу.

– Где? На крыше?

– Ну, да. У меня здесь огромная железная кровать...

Я не успела возразить, как Самуил очутился рядом со мной, подхватил меня на руки и понёс на красивейшую кровать, которую укрывал от звёздного неба воздушный шатёр...

ГЛАВА 9

Я очутилась в роскошной кровати Самуила и тут же вспомнила предупреждение подруги, что не стоит отдаваться олигарху в первую ночь. Но было глупо провести удивительный вечер с самым интересным мужчиной нашей страны и так и не узнать, каков он в постели. А в постели он оказался, конечно, не таким любовником, как хотелось бы, но я даже не сомневалась, что он очень старался. Просто Самуил настолько избалован красивыми женщинами, что привык в постели больше брать, чем отдавать, и думает исключительно о своих интересах. Что ж, его можно понять. Непросто быть настоящим мужчиной, если у твоих ног самые изысканные и красивые женщины...

В постели с ним действительно слишком скучно, ведь он привык, что инициатива исходит от женщины. В его возрасте сложно меняться, поэтому в близких отношениях его лучше воспринимать таким, какой он есть. Неудивительно, что даже понравившуюся девушку он воспринимает как игрушку для удовлетворения своих сексуальных желаний.

И кто виноват? Ответ однозначен: виновата женщина. Именно она своим обожанием и желанием быть рядом, не испытывая никакого удовольствия, кроме материального, предоставила ему возможность не понимать свою спутницу и её желания, а удовлетворять только себя. Чтобы заполучить любую, ему не нужно быть прекрасным любовником, ощущать себя настоящим мачо, совершая какие-либо подвиги. Ему вообще ничего не нужно делать, кроме как быть собой.

Для любой девушки оказаться в его постели – уже великое счастье. Я уверена, многие девушки, занимающиеся сексом с Самуилом, просто имитируют оргазм, чтобы показать ему, какой он сексуальный гигант. Я же никогда не занималась имитацией. Просто мне кажется, секс – это такая область, где не должно быть вранья. Мужчину нужно хвалить, но только если он действительно доставляет удовольствие. Имитируя оргазм, женщина, сама того не осознавая, делает из мужчины ещё большего эгоиста.

Признаться честно, мне редко встречались мужчины – эгоисты в постели, которые привыкли только потреблять. Им было незачем изучать женское тело, чтобы доставлять партнерше наслаждение. Я старалась сразу расставаться с подобными типами. Что это за секс – никаких прелюдий... Сунул и вытащил. Самое интересное, что обычно такие мужчины представляют себя настоящими секс-гигантами. Такой никогда не спросит, какую именно позу предпочитает женщина, думая, что она достигнет оргазма только от одного его вида. Ни о каких эрогенных женских зонах не может быть и речи. Мужчине интересно, что женщина может сделать для него, и ему совершенно по барабану, если вдруг сексуальные предпочтения партнерши не совпадут с его.

Что касается постели с Самуилом, здесь вряд ли что-то изменишь, но всё же можно кое-что подкорректировать. Если, конечно, наши отношения всё же продолжатся. Я верю в силу бабы Антонины и думаю, именно так и будет. Нужно попробовать с ним поиграть и затянуть прелюдию. Может быть, стоит попробовать поговорить с ним о своих желаниях? Уверена, для него это будет очень даже необычно. Не думаю, что кто-то из девушек решался на такое. Просто нужно очень аккуратно объяснить ему: если я согласилась с ним на секс, необходимо учитывать и мои желания.

Ведь в сексе я, если разобраться, часть процесса, а значит, имею право как на ласку, так и на оргазм. Мы должны делать друг другу приятное и получать удовольствие от того, что приятно партнёру. Наверное, стоит поговорить о своих тайных желаниях и ощущениях. Если что-то не нравится, то девушка должна сказать об этом сразу, не откладывая в долгий ящик проблему сексуального плана. Мужчина должен знать не только свои предпочтения, но и предпочтения той, которая лежит с ним в одной кровати, ведь женщина имеет полное право на наслаждение.

– Я так устал за последнее время. Давай немного поспим.

Не успел Самуил это произнести, как тут же уснул и даже слегка захрапел. Я накрыла его кружевным покрывалом, замоталась в шёлковую простыню и пошла к столу за шампанским. На крыше никого не было. Повсюду горели свечи и китайские фонарики. Налив себе полный бокал шампанского, я вернулась к кровати, села на стоящий неподалёку пуфик, посмотрела на спящего Самуила, улыбнулась и, поджав ноги, принялась медленно потягивать восхитительно вкусное шампанское.

Мне до сих пор не верилось, что я сижу на крыше самого высокого здания Москвы, а рядом самый завидный холостяк нашей страны. Всмотревшись в небо, я вновь увидела зыбкий образ бабы Тони и помахала ей рукой.

– Баба Тоня, ты чудо! Пока всё идёт по плану. Посмотри, где я нахожусь. Я о таком даже не мечтала.

– Девонька, всё как ты хотела... Только будь осторожна. Всё самое важное впереди.

– Для меня самое важное, чтобы это не ограничилось одной ночью, а получило продолжение в форме замужества. Вот оно, настоящее счастье, баба Тоня. Пойми, я это заслужила. С детства не мечтала встретить парня, с которым можно пивко с чипсами на лавочке употреблять, а ведь этого хотели многие мои сверстницы. Им этого было вполне достаточно. Розовые очки дурацкой влюблённости не для меня. Понимаешь, баба Тоня, я всегда была леди, даже в наших дворовых компаниях. За это меня многие не любили. Мне всегда нравились парни на приличных машинах, ужины в уютных кафе. Ребята, которые занимаются прибыльным делом и по-настоящему за него болеют. Я любила смотреть передачи о мире богатых и знаменитых. Часто рассматривала жён богатых людей, чтобы, наконец, понять, на ком же они женятся, и была искренне удивлена, когда поняла, что их избранницы – не всегда красотки. Я любила гулять по богатым районам, наблюдать за жизнью тамошних обитателей. Смотрела на окна их квартир, на машины с водителями, старалась посещать дорогие рестораны, пусть даже для того, чтобы просто выпить чашечку кофе или съесть салат. Главное, мне хотелось изучить элитную публику... Холёные девушки обедали с особой важностью, всячески показывая, что они относятся к высшему слою общества. На самом же деле они – обычный трофей, который получал тот, кто платил ожидаемую цену в виде квартиры, регулярного шопинга и ежемесячного обеспечения.

– А ты не думала, что олигарха в основном заслуживают женщины, которые прошли с ним весь путь, от дешевых макарон до Макдоналса...

– Я понимаю, о чём вы. Если мечтаешь стать женой генерала, выйди замуж за лейтенанта и покатайся с ним двадцать лет по гарнизонам. Эта история не про меня. Я не скрываю, что хочу всё и сразу. И пусть для кого-то это аморально и стыдно. Мне плевать. Какой смысл мотаться по гарнизонам двадцать лет, если потом тебя всё равно променяют на молодую и красивую? На кой чёрт я должна терпеть все эти тяготы? Рядом со мной сейчас мужчина, который может купить полмира, и считаю, что я заслужила его. Я стану для него надёжным тылом и буду держать марку. Мне несложно каждый день говорить своему мужчине, что он гениальный и великий. Уж если он и привык шататься по девкам и не может без этого жить, я согласна отнестись к подобным издержкам шикарной жизни с пониманием и не ущемлять его свободу. Для меня главное – выйти замуж и удержать моего избранника. При желании к изменам можно подойти философски, рассуждая о том, что женщина по своей природе моногамна, а мужчина полигамен. Поэтому бороться с мужской природой не нужно, разумнее дать мужчине свободу, и это позволит сохранить отношения.

– Ты, девонька, даёшь... При таком мудром подходе к браку его можно сохранить на долгие и долгие годы. Такой подход вполне можно себе позволить рядом с богатым и влиятельным мужчиной.

– Вот и я про то же. Это лучше, чем приносить кофе друг другу по утрам и бояться, что кто-то сходит налево. У каждого должно быть своё личностное пространство, и его лучше не нарушать. Как в браке, так и без него можно добиться многого, если вовремя поменять своё мышление. Кстати, Самуил отметил, что со мной очень комфортно, потому что я человек позитивный. А ведь это правда. Кому нужна вечно ноющая, оплакивающая бог знает что девушка? Если я буду думать о хорошем, у меня всё получится.

Я кинула взгляд на похрапывающего Самуила и продолжила:

– Я не должна думать, что недостойна мужчины такого уровня. Иначе никогда ничего не получится. Если я достойна лучшей жизни, то достойна и любимого мужчины. Лучше думать, как же ему повезло, ведь я из тех женщин, что заставляют мужчин сворачивать шею, глядя им вслед.

Мне было приятно общаться с бабой Тоней. Я открывала ей душу как близкой родственнице. Да и тема такая – моё будущее. Какие события ты прогнозируешь для себя, такие и произойдут. Всё развивается в соответствии с нашими ожиданиями. Все эти процессы происходят на уровне нашего сознания. Мы просто программируем себя на что-то. Вот на что программируем, то и получаем. Всё, что происходит в моей жизни сейчас, – дело моих рук и мыслей. Я всегда хотела большего, чем могла предложить мне судьба. Я развиваюсь, читаю много книг о миллионерах, о том, как они пришли к своему успеху. И из этих книг я вывела одно интересное заключение. Все миллионеры абсолютно уверены, что они лучше других. И не просто лучше, а намного лучше. Именно поэтому, по их мнению, они заслужили богатство, власть, славу.

Когда у меня не было денег, я мечтала о норковой шубе и верила, что заслуживаю лучшей жизни.

Я не скрываю, что с завистью смотрела на девушек в норковых шубах. Я не обижалась на них. Просто понимала: я этого тоже заслуживаю. И норковая шуба не заставила себя ждать.

Вселенная всегда поддерживает того, кто стремится к высокой цели. Чем большего ты достигаешь в жизни, тем ещё большего заслуживаешь, и это истина. Если считаешь себя лучше других – это не значит, что ты относишься к людям с неуважением. Ты просто прогнозируешь свою судьбу. Программа жизни проста: нужно понимать, что ты уникален, что ты лучше других и заслуживаешь только самого лучшего. Поэтому я и хочу выйти замуж за самого прекрасного из мужчин. Это нормальное желание женщины, которая хочет получить от жизни по максимуму.

– Я хочу жить богато, радостно, в здравии, – продолжала я разговор с бабой Тоней. – МОЯ ЖИЗНЬ – ЭТО ТОЛЬКО ДЕЛО МОИХ РУК. Когда человек это понимает, у него происходит перезагрузка, и жизнь в корне меняется в самую лучшую сторону. Осознание себя другой принесёт новое в мою жизнь.

– Будь осторожна, девонька, – произнесла баба Тоня и тихо растаяла в воздухе.

– Баба Тоня, ты куда? Я не договорила. Давай ещё поболтаем. Не хочется пить шампанское в одиночестве.

Но небо затягивало тучами. Исчезли звезды, заморосил дождик, и сильный порыв ветра разлохматил мои волосы.

ГЛАВА 9

– О чёрт, – прошептала я, увидев, как ветром срывает шатёр над кроватью. – Ураган, что ли...

Поставив пустой бокал на пол рядом с постелью, я испуганно посмотрела на сорвавшийся шатёр, который унесло ветром, и принялась будить мирно посапывающего Самуила.

– Самуил, просыпайся. Смотри, какой сильный ветер. Дождь. Нужно перебираться в помещение.

Он наконец приподнял голову и непонимающе посмотрел на меня. Вдруг над крышей появился вертолёт, завис прямо над нами и... раздались резкие хлопки. Я не сразу поняла, что это выстрелы. Сделав пару-тройку кругов над нашей крышей, вертолёт улетел. Я перевела взгляд на Самуила и вздрогнула от ужаса – он лежал в луже крови.

– О боже... – Пулей метнувшись к своему телефону, я принялась вызывать «скорую». – Пожалуйста, приезжайте! Быстрее! Человека убили! Я не знаю, жив он или нет. Если жив, вдруг его ещё можно спасти! Умоляю...

У меня спросили адрес, и я обомлела – адреса я не знала.

– Я не знаю. Мы на крыше. Это самое высокое здание Москвы.

– Девушка, вы в своём уме? Бригада «скорой помощи» должна ездить по всей Москве и искать самое высокое здание?! Вы как себе это представляете? Я могу принять у вас вызов, если вы назовёте точный адрес.

– Я не знаю адреса!– завопила я.

– Спросите у кого-нибудь.

– У кого? Тут никого нет!

– Девушка, не занимайте время. Я вот сейчас с вами разговариваю, а другие люди, которым нужна срочная помощь, не могут дозвониться. Как узнаете точный адрес, так звоните.

– Да у кого я его узнаю? Где?!

Но вместо ответа в трубке послышались короткие гудки. Недолго думая, я вновь подбежала к Самуилу, пощупала пульс и, убедившись, что он ещё живой, стала тащить его волоком по крыше. Не знаю, откуда у меня взялось столько силы, но, подтащив его к стеклянной двери, я принялась спускать его по ступенькам. Я затащила его в лифт и нажала кнопку первого этажа.

– Самуил, пожалуйста, не умирай, – умоляла я сквозь слёзы. – Сейчас мы кого-нибудь встретим, и нам вызовут «скорую».

Лифт доехал до первого этажа, и двери кабины наконец открылись. Я вытащила Самуила из лифта и из последних сил поволокла в холл. Ко мне бросились охранники.

– Я не знаю, жив он или нет, – произнесла я устало. – Совсем недавно был жив. Вызовите срочно «скорую». Я не смогла, адреса не знаю.

Изумлённые охранники тут же схватились за свои телефоны и принялись звонить как в «скорую», так и в службу спасения. Я только сейчас обратила внимание, что Самуил совершенно голый, но это уже было не важно. Ужас в том, что он был буквально залит кровью. Страшно представить, сколько на нем ран.

«Реанимация» не заставила себя ждать. Не прошло и пары минут, как в холл влетела бригада врачей с носилками. Я поплотнее запахнула свою простыню, которую завязала навроде пляжного покрывала, и попыталась сесть в реанимационную машину, чтобы поехать вместе с Самуилом в больницу. Но меня грубо оттолкнули и сказали, чтобы я не мешала спасать ему жизнь. Последняя фраза меня обнадёжила. Если человека спасают, значит, он ещё жив. А если жив, значит, есть все шансы его спасти.

– Девушка, отойдите от машины.

– Я волнуюсь. Я бы хотела поехать с вами.

– У нас реанимационная машина. Посторонним в ней нечего делать.

– А я не посторонняя. Я будущая жена.

Но никто из врачей не обратил внимания на мои слова. Дверцы машины резко захлопнулись, и, включив мигалку, «скорая» помчалась в больницу. Я, пытаясь унять нервную дрожь, смотрела ей вслед.

– Девушка, представьтесь, пожалуйста. Скажите, как вы очутились в постели одного из самых завидных холостяков нашей страны и что произошло? Почему его увезла «скорая»? Только у нас! Только для наших телезрителей информация из первых уст!

Я отвлеклась от своих мыслей и с ужасом посмотрела на молодого человека, держащего микрофон. Затем перевела взгляд на мужчину с видеокамерой, и сморщилась от вспышек фотоаппарата. Холл уже заполнила полиция.

– Вы кто? Что вам от меня нужно?

– Телевидение. Отдел новостей. Ответьте на несколько вопросов. Как произошла трагедия?

– Уйдите. Уберите камеры. – Я попыталась закрыть лицо руками, но в это время с меня сдернули простыню, и вспышки фотоаппаратов замигали с удвоенной силой.

– Вот чёрт!

Я отобрала простыню и попыталась скрыться от прессы. Но мне это не удалось.

– У реанимационной машины вы кричали, будто вы – будущая жена Самуила. Что вам дало право так говорить? Вы в этом уверены? Неужели самый завидный холостяк России собрался жениться? Вы уже подали заявление? Жалеете о том, что в случае его смерти вы окажетесь в пролёте? Ведь вы могли быть наследницей, если бы подсуетились с браком чуть раньше... Какие ваши прогнозы? Он будет жить?

– Да пошли вы ко всем чертям, – обессиленно пробормотала я.

Я поспешила прочь от камер. Телевизионщики бросились следом за мной. Но меня перехватила полиция, которая устроила мне многочасовой допрос.

Когда, наконец, мне сообщили, что я свободна и могу поехать домой, но по первому зову должна прибыть в полицию, я дождалась, пока за мной приедет Танька, и, уже в своей одежде, юркнула к ней в машину. Увидев, что газетчики бросились к машине, Танька быстро надавила на газ, и мы рванули от злосчастного места как можно быстрее.

– Танька, не знаю, что произошло. Мы спали на крыше. Подлетел какой-то вертолёт, из него расстреляли Самуила. Я пыталась вызвать «скорую» – ни черта. Сама не пойму, как дотащила его вниз, до охраны. Потом эти ужасные газетчики, полиция... Полицейские так долго меня допрашивали и задавали такие неприятные вопросы с подковырками, как бы намекая, что это чуть ли не я собственноручно погубила своего любовника. Они не могут понять, почему убили только Самуила, а я целёхонька... Но я и не могу ответить на этот вопрос. У меня создалось впечатление, что всем бы гораздо больше понравилось, если бы убили меня. Я словно должна ощущать себя виноватой за то, что осталась жива.

– Ох, Наташка, я как чувствовала. С такими, как Самуил, лучше не связываться. Проблем не оберёшься. Он-то, понятно, рискует, у него миллионы, а ты? Ничего у таких мужиков святого нет. Для них женщина – вещь. Я вчера встретилась на мероприятии с одной знакомой. Так вот, она знакома с Самуилом. Говорит, он – редкостная дрянь. Когда выпьет, в телефоне копается, считает, сколько девок готовы отдать ему свою девственность... Понимаешь, такие, как он, не влюбляются. Олигархи вообще не знают, что это такое. Иначе не были бы олигархами. Ты хотя бы сейчас поняла, что хорошего от этой связи мало? Это опасно, в конце концов! Тебе действительно повезло, ведь ты чудом осталась жива. От таких мужиков лучше держаться как можно дальше. Какое бы впечатление они ни производили, но такие люди не уважают женщин, не испытывают любовного трепета и не поддаются дрессировке. И я больше чем уверена, они все плохие любовники. Чаще всего импотенты или козлы, которые думают только о себе и о своих удовольствиях. Рядом с таким мужиком ты вечно подвергаешься опасности быть убитой или похищенной, а если выходишь замуж, то подвергается опасности твой ребёнок. Да и жёны их глубоко несчастные люди, потому что всю жизнь находятся под контролем олигарха и его окружения. Контролируется каждый шаг. Очень хорошо портрет олигарха дал Ганс Христиан Андерсен в своей сказке «Дюймовочка», изобразив его в образе Крота. Олигархи – это такие кроты, богатые и слепые. Им не нужна красота, так как они ее просто не видят. Все время проводят, подсчитывая и пересчитывая прибыль. На любовь и женщин им плевать...

Почувствовав, что Таньку опять понесло, я тут же её перебила:

– Тань, ну к чему ты сейчас это говоришь? Я даже не знаю, выживет он или умрёт. Я вообще ничего не знаю. И чтобы ты ни талдычила, если я провела с ним ночь, значит, он мне действительно нужен. Просто обидно, что приходится перед всеми оправдываться.

– Ты о чём?

– О том, что все меня только и спрашивают: почему я осталась жива. Будто я должна за это оправдываться. Бред какой-то. Неужели всем было бы легче, если бы меня тоже застрелили на этой крыше?!

– А ты не думай обо всех. Человеческой зависти и злости нет предела. Страшно представить, как тебя газетчики растерзают. Ты хоть какое-нибудь интервью давала?

– Таня, ты в своём уме? Какое интервью? Я их всех посылала подальше. Но они накинулись, как вороньё, и щёлкали своими фотоаппаратами.

– Ладно. Главное, ты ничего не говорила. А то, что они напишут, это их домыслы. Может, тебе ухать куда-нибудь, пересидеть?

– Куда я уеду, если с меня взяли подписку о невыезде?

– Вот чёрт! По всем фронтам кранты.

– Вот и я про то же. Все себя так ведут, будто я собственноручно расстреляла Самуила или на него навела. Следователь намекал на эту версию тоже и сказал, что будет меня проверять. Пусть проверяет. Мол, ему очень странно, как так получилось, что мы с Самуилом вечером познакомились, провели ночь вместе, и он отпустил всю охрану. Охрана была только на первом этаже.

– Ха-ха-ха, – не удержалась Танька. – Полицейские там совсем с дуба, что ли, рухнули? Нашли из кого святошу строить, из Самуила. Да он трахает всё, что шевелится. В диковинку им, что люди первый раз в жизни друг друга видят и проводят ночь вдвоём?! Какие правильные! Да кого этим сейчас удивишь?

– Понимаешь, Таня, я, можно сказать, этому Самуилу жизнь спасла, если, конечно, он останется жив. Тащила его вниз, пыталась вызвать «скорую», рисковала собственной жизнью, а они ещё меня делают виноватой. Наверное, так всегда бывает. Ни одна живая душа меня не пожалела.

– Наташка, я тебя жалею. Просто нужно набраться сил и всё пережить. Вот увидишь, люди поговорят три дня и всё забудут. А полицейские, они точно так же, ещё пару раз вызовут, допросят и так же отстанут. Что произошло, то произошло! Жизнь продолжается!

ГЛАВА 10

Сказать, что на следующий день я проснулась знаменитой, значит ничего не сказать. Мои фотографии, где я стою, закутанная в простыню, и моё имя не сходили с полос газет и журналов. Находиться в квартире было практически невозможно – её атаковали журналисты и телевизионщики, которые дежурили у дверей моей квартиры и умоляли сказать несколько слов на камеру.

– Привет, звезда! – разбудила меня Танька своим телефонным звонком. – Как тебе живётся в лучах славы?

– Тань, прекрати издеваться. Какая, к чёрту, слава?

– О тебе не говорит только ленивый. Ты стала героиней нашумевшего триллера!

– Эти гады дежурят у дверей моей квартиры. Я не могу никуда выйти. Они предлагают мне деньги. Танька, это всё так ужасно. Я даже не знаю, отстанут они от меня или нет.

– Девочка моя, ты, наверное, забыла, что твоя подруга – профессиональная пиарщица, и мы можем сейчас на этом хорошо заработать.

– Тань, ты серьёзно? – пришла я в замешательство.

– Более чем. Только не строй из себя моралистку. Ты стерва похлеще меня будешь. Понимаешь, с этим олигархом ничего непонятно. Выживет он или нет. Тебя всё равно никто к нему не пустит, ведь ты для него никто и зовут тебя никак. Хотя ты себе нафантазировала про то, что будешь его женой, давай не отрываться от реальности. Даже если он выживет, то не факт, что ты увидишься с ним второй раз. А сейчас, в момент так называемой славы, мы можем сделать тебе имя и заработать денег. Пойми, интерес к тебе очень и очень скоротечен. Завтра про тебя все забудут. А кто ты, по сути? Ну, художница... Не спорю, талантливая, только абсолютно не медийная. А чтобы тебя продвигать, нужны деньги, и немалые... Ты же знаешь, я бы взялась за твою раскрутку, только где деньги взять, ведь всем платить надо. А тут сама судьба дала тебе повод вылезти не за счёт денег, а за счёт мощного информационного повода. Одним словом, доверься профессионалу. Я к тебе сейчас приеду.

– Танюша, ты серьёзно? Тут человека убили, а мы на этом пиар строить собрались...

– Наташка, я же попросила без фальшивого морализаторства. В жизни каждый выживает как может. Чтобы завоевать своё место под солнцем, приходится толкаться локтями. Мы будет конченными идиотками, если не воспользуемся ситуацией, в которую ты попала. Сама судьба дала тебе шанс выйти на новый качественный уровень. Ничего страшного, начнём тебя раскручивать как девушку Самуила... Это на первых порах. А потом уже как модную художницу. О том, что ты когда-то была девушкой Самуила, все забудут, зато у тебя появится свой бренд. Люди станут проявлять интерес к тебе, к твоим работам, к твоей личной жизни. Сам бог велел сделать тебе имя за счёт этого козла. Надеюсь, ты ни в чём не чувствуешь себя виноватой? Самуил далеко не ангел, много крови попил девушкам, столько женских судеб переломал. Так что сейчас всё по-честному.

Я хотела Таньке возразить, но не успела. Она уже бросила трубку и мчалась ко мне на всех парах. Танька, как всегда, в своём репертуаре. Влетев, как фурия, в квартиру, она тут же кинулась ко мне.

– Как же я об этом мечтала! – воскликнула она взволнованно.

– О чём?

– Ну, чтобы журналисты к звезде прямо в очередь в коридоре выстраивались. Чтобы не я за ними гонялась, а они часами ждали, пока звезда даст интервью. Я им прямо так сейчас и сказала: «В очередь, сукины дети! В очередь!»

– А кто звезда-то?

– Как кто? Ты, конечно, кто ж ещё? Нам просто подфартило! Даже не думала, что так бывает.

– Таня, человека, можно сказать, убили, а ты говоришь, подфартило.

– Наташка, ты ещё слезу пусти. Как говорил Станиславский: «Не верю!» Будто твоего мужа ранили или родственника. А так, очередного олигарха, прожигателя жизни. Его подстрелили за его же деяния. И вообще, что мы говорим о нём как о мёртвом? Его судьба – это его судьба, а твою ещё не поздно взять в руки. Сейчас дашь интервью, а потом устроим пресс-конференцию. – Танька пристально посмотрела на меня. – Чего ты сидишь как истуканша? Прессу задерживаешь. Лицо быстро накрась. Ты должна выглядеть как звезда. А то сидишь в халате, с растрёпанными волосами!

Не став спорить с Танькой, я быстро оделась и стала приводить себя в надлежащий вид.

– Припудрись хорошенько.

– Зачем?

– Затем, чтобы лицо на экране не блестело. Чтобы всё было достойно и красиво. Хорошая картинка – залог успеха.

Череда интервью, которые организовала мне Танька, показалась мне бесконечной. Один телеканал сменял другой, одна газета другую.

– Вы должны были выйти замуж за Самуила?

– Да. Я должна была стать его женой. Любимой и единственной.

– Неужели у него были серьёзные намерения?

– Да.

– А как же его разгульная холостяцкая жизнь? Самуил известен своей любвеобильностью и непостоянством. Ходит много домыслов о его склонности к оргиям, смене девушек и непростом характере.

– Но ведь это всего лишь домыслы.

– Есть рассказы девушек, что Самуил заказывал их в эскорт-агентстве и бесцеремонно с ними обращался. Мог схватить за волосы, нагнуть, потыкать лицом себе в промежность, это типа шутки у него такие, и это всё совершенно не стесняясь окружающих. Даже страшно представить, как он себя ведет с ними наедине. Ходят слухи, что он извращенец.

– Я вам ещё раз повторяю: это всего лишь слухи, и у меня нет желания их опровергать. Мой мужчина – самый лучший, и мне плевать, что было у него до меня. У каждого человека свои тараканы в голове. Особенно у богатых и успешных.

– Вы считаете, что ежедневные оргии – это тараканы в голове?

– Ежедневные оргии – это ваши домыслы, при чем тут я? В тот момент, когда моего будущего мужа расстреляли, мы были на крыше вдвоём. Не было никаких оргий. Нам вполне хватает друг друга, нам хорошо вместе. А если его и видели в окружении красивых девушек, то он берёт их для антуража и веселья.

– Но зачем он публично хулиганит? Бросает деньги на ветер, распутничает?

– А почему нет? Это его деньги. Он их зарабатывает, он их и тратит. Я же вас не спрашиваю, куда вы деваете свои деньги.

– Его подозревают в сутенёрстве. Говорят, он заставляет своих девушек вступать в связь с друзьями. Дарит драгоценности и другие подарки, например часы стоимостью в четыреста тысяч евро. Ещё ходят слухи, что Самуил тратит за сезон больше двадцати миллионов евро. Обливает своих девушек коллекционным шампанским. Одна бутылка стоит больше шести тысяч евро. Когда выливает сотни бутылок напоказ, то любит повторять, что занимается благотворительностью. Вам не противно?

– Нет. Считать деньги в чужом кармане – паскудство и убожество. Завидуете? Лично я не замечала за своим любимым ничего подобного.

– Вы что, слепая? Тому есть масса очевидцев и рассказы девушек, близко с ним знакомых. Правда, каждая заключает негласный контракт на молчание. В противном случае Самуил обещает чудовищные проблемы.

– Это ничего не доказывает. Сплошные сплетни. Девушки могут быть обижены на Самуила за то, что их отношения закончились. Поэтому и рассказывают о мифических сексуальных домогательствах.

– А очевидцы тоже за что-то обижены? И фото с подобных торжеств, конечно же, фальшивые? И видео – постановочные?

– Что вы хотите от меня услышать? Что вы привязались? Плохое про моего любимого человека? Нет. Вы этого не услышите. Мой будущий муж не даёт всем покоя, потому что он умница, миллиардер и красавец.

– Вы правы. У каждого свои критерии счастья. У кого-то куча моделей, оргии, блуд, а у кого-то детский смех, семейные ужины, походы в театр, прогулки по парку с собакой. Кстати, говорят, что всё, на чём заработал капитал ваш любимый, было полностью незаконно. Ему пока везет, что не посадили. Когда я вижу таких, как Самуил, возникает чувство, будто эти люди собираются жить вечно. Во всяком случае, они так себя ведут. Их настолько занимают деньги, что бедолаги забыли о жизни. Потеряв смысл жизни в погоне за деньгами, люди забывают, что богатство – в наших сердцах.

– Извините, но это уже беллетристика. Я не буду комментировать ваши соображения. Это не ко мне. Мой любимый не обязан всем нравиться. Он не золотой рубль. Он из тех, кто не боится рисковать, даже если придётся остаться у разбитого корыта. Страшнее сидеть у разбитого корыта и ждать, когда золотая рыбка хвостиком махнет.

– Вы просто идеализируете своего избранника. Самуил – ваша первая любовь?

– Нет. Я любила. Мы расстались.

– Почему?

– Странный вопрос... Почему люди расстаются? Любовь ушла.

– Он тоже был олигархом?

– Нет. Он совершенно простой человек. Но он смог сделать меня сильной.

– Каким образом?

– Нужно быть очень сильной, чтобы забыть того, кого однажды выбрало сердце.

– Значит, ваши прежние отношения были по большой любви, а эти за деньги?

– Я разве так сказала? Что вы всё перекручиваете? Идиотские домыслы. Прежде чем делать выводы и осуждать меня, пройдите путь, который прошла я. Наткнитесь на каждый камень, о который я споткнулась, ощутите боль, которую ощутила я. И только потом учите, как правильно жить. Человек, которого я когда-то любила, ничего мне не дал. Он только отнял время, силы и даже здоровье. Самуил – человек, который не забирает, а даёт. С годами ты приходишь к мудрости, что рядом лучше иметь мужчину, который не забирает, а даёт. Мужчин, которые могут забрать, сейчас слишком много. А тех, кто может дать, – единицы. Когда-то за человеком, которого сильно любила, я бы пошла на край света, а сейчас даже не встану с дивана. Не стоит входить в одну и ту же реку дважды. Что прошло, то было мило... Прошлого не вернуть. Давайте жить настоящим. Вы довольны ответом?

Как только за последним журналистом закрылась дверь, Танька торжественно вывалила передо мной целую груду денег.

– Что это? – опешила я.

– Это то, что мы с тобой сегодня заработали.

ГЛАВА 11

– Ну ничего себе! С ума сошла? Ты действительно брала за всё это деньги?

– Конечно. А ты как думала, наше время ничего не стоит? Я, конечно, со всех брала по-разному. Как говорится, от каждого по способностям. Всё зависит от канала и его возможностей. А есть, между прочим, каналы ой какие богатые... Делим поровну, чтобы никому не было обидно. Я тебе ещё такую пресс-конференцию забацаю, мама не горюй. Огромный актовый зал придётся брать в аренду, чтобы всех разместить. Наконец-то я могу нормально развернуться и поработать в полную силу.

– Тань, и всё-таки на душе нехорошо. Мне кажется, скоро обман откроется.

– Ты о чём?

– О том, что в интервью я называю себя любимой женщиной Самуила. Все же в это верят.

– В том-то и фишка, что ты не одноразовая девка, как другие, а его дама сердца, которую он долгое время скрывал от общества. Конечно, слишком много сомневающихся, но ведь нам это выгодно. Твой рассказ вызывает бурные споры. Все же просто спят и видят заглянуть в чужую постель.

– Ведь есть свидетели, которые знают, что это не так. Я с ним познакомилась в присутствии двух девушек. Они ещё обозвали меня сумасшедшей. Политик... Все эти люди видели, как я подошла к нему познакомиться, внаглую заявила, что я его будущая жена. А до этой минуты олигарх даже не подозревал о моём существовании. Они могут выступить в прессе и опровергнуть мои слова. Могут сказать, что я самозванка, что они присутствовали при нашем знакомстве, которое продолжалось всего одну ночь.

– Расслабься. Пусть говорят всё что вздумается. Чем больше будут болтать, тем круче скандал. А скандал – это всегда информационный повод. Так что всё хорошо. Люди чешут языками, а ты набираешь баллы. Надеюсь, ты понимаешь, что я имею в виду? Слухи, сплетни, скандалы, расследования – это всё, что нам нужно. Главное, чтобы пена эта держалась как можно дольше.

– Кстати, полиция тоже знает, что мы были знакомы всего одну ночь.

– Пусть знают и молчат. Их дело – расследование. Больше толку будет.

– Но ведь они могут дать комментарии.

– Да пусть дают. Наташка, не понимаю, почему ты так напряглась. Если решила стать публичной личностью, то должна только радоваться, что кто-то о тебе говорит. И не важно, плохо говорят или хорошо, важно, что говорят. Ты думала, публичная жизнь легкая? Это чудовищное бремя. Нужно быть слепой и глухой на предмет критики. Ну что, звезда моя, ты устала?

– Просто ощущение какое-то непонятное... Вроде у человека горе, а мы извлекаем из этого выгоду.

– Поверь, на твоём месте так бы поступила любая, если у неё есть хоть немного мозгов. Мы с тобой не из тех, кто упустить возможность заработать.

Как я и думала, на следующий день во всех газетах появились статейки, подписанные девицами Самуила. Все обзывали меня самозванкой, подчёркивали, что я случайно очутилась на крыше и что знакома с так называемым владельцем заводов и пароходов всего одну ночь. Танька довольно потирала руки, мол, нам это только на пользу. Скандал, а значит, и пиар, набирает обороты.

Она стала требовать совсем немаленькие деньги за моё участие в различных ток-шоу. Как ни странно, телеканалы эти суммы платили. Я вовремя уловила телевизионные правила игры. Нужно побольше кричать, всех перебивать, со всеми спорить, с пеной у рта отстаивать свою правоту, и тогда ты на всех телеканалах будешь своей. Редакторы станут наперебой тебя приглашать, а у передач будут сумасшедшие рейтинги. Это телезрителям кажется, что в ток-шоу всё по-настоящему, а для тех, кто принимает в них участие, – это просто спектакль, в котором все играют по правилам телевизионного бизнеса.

На всех передачах Танька всегда была рядом со мной, подсказывала, что лучше говорить и как лучше отбиваться от тех, кто на меня нападает.

– Какие люди в Голливуде! Глазам не верю! – бурно встретила меня в гримёрке совершенно незнакомая девица.

Я сразу поняла, что она имеет отношение к Самуилу и мы будем сегодня принимать участие в одной передаче. Признаюсь честно, подобная перспектива меня абсолютно не радовала.

– Я вас не знаю, – бросила я и села гримироваться.

– Зато я тебя знаю! Тебя теперь вся страна знает! Самозванка! – не унималась девица.

В разговор незамедлительно вмешалась Танька.

– Послушай, ты что орёшь? Крутая, да? Побереги эмоции. Съёмка ещё не началась. Как только дадут команду «мотор», ты скажешь всё, что думаешь, в полном объёме. А сейчас заткнись.

– Я очень близкий человек Самуилу, – никак не хотела успокоиться девица. – Ближе, наверное, просто не бывает. Я знаю всех его постоянных девок, этой Натальи там сроду не было.

– Вот и замечательно. Ты сейчас об этом обязательно расскажешь телезрителям. Тут собрались самые близкие Самуилу люди, и нам есть о чём перетереть и перемыть друг другу косточки.

– Я просто не понимаю, какое нахальство нужно иметь, чтобы, пообщавшись с человеком один раз, а точнее, одну ночь, объявить себя будущей законной женой? Это ещё Самуил не слышит этого бреда, потому что лежит в больнице. Он вообще не собирался жениться.

– Ой, и не говори, – ухмыльнулась Танька. – Какие же они всё-таки непостоянные, мужики. Сегодня говорят одно, завтра другое. Сегодня с пеной у рта доказывают, что никогда больше не женятся, а завтра хватают свой паспорт и бегут в загс.

Поняв, что с Танькой спорить бесполезно, девица налила себе кофе, но продолжала сверлить меня подозрительным взглядом. После грима я отвела Таньку в сторонку.

– Таня, я устала. Больше не могу! – в отчаянии воскликнула я.

– Чего ты не можешь? Деньги считать, которые мы с тобой за эти дни заработали? А денежки, я тебе скажу, немалые. Если бы не твоя подписка о невыезде, мы бы могли на Мальдивы рвануть, снять офигенную виллу и жить, ни в чём себе не отказывая. Да только сейчас самый сенокос и нужно рубить бабло, пока оно само в руки идёт. Только дура от такого бабла откажется. Наташка, ты ведёшь себя неправильно. Звёздная болезнь не обошла тебя стороной. Капризничаешь. То не буду, это не хочу...

– Да при чём тут деньги и звёздная болезнь? Просто мне бодяга эта осточертела. Целыми днями врать, врать, врать, что-то кому-то доказывать и чужие плевки терпеть. Все пытаются мне какую-нибудь гадость сказать.

– А ты думала, как публичность нарабатывается? Через «не могу»! Ты только посчитай, сколько мы за такой короткий срок денег подняли. Ты на своих картинах в жизни бы столько не заработала. Не обижайся, но кто скажет тебе правду, если не я? И имидж тебе нарабатываем.

– Да какой, к чёрту, имидж? Вообще не пойму, кто я?

– Пока девушка Самуила. Но это пока. А дальше будешь светской львицей. Хотя нет, быть светской львицей сейчас не модно. Ты же у нас художница. Можно сказать, дизайнер. Так что регалии мы тебе соорудим, не проблема. Да ещё такие, чтобы они впечатляли любого. Ты должна понять, что такие придурочные девицы, как эта, нам только на руку. Ты представь, как она сейчас в студии орать будет. Это же караул! Дурочка, видимо, не догоняет, что это шоу, и представляет себя борцом за правду.

– Да, конечно. Такое впечатление, что она сейчас в студии бросится на меня с кулаками. Словно я у неё последний кусок хлеба отобрала.

– А ты отвечай резко, но с достоинством. Пусть на твоём фоне она выглядит эдакой базарной бабой. В тебе должна чувствоваться порода. Уж если и утирать нос такой, как она, то делать это надо красиво.

В моей сумке зазвонил мобильный телефон. Показалось, ещё немного, и я потеряю рассудок, но звонил Самуил.

– Наташа, добрый день! Как себя чувствуешь?

На мгновение я потеряла дар речи, но тут же взяла себя в руки.

– Я... х-хорошо. Лучше скажи, как ты? – ответила я.

– Живой, как слышишь.

– Господи, какое счастье. Можно к тебе приехать?

– Я хотел тебя об этом сам попросить. Где ты сейчас? Продиктуй адрес моему водителю. Он через пару-тройку часов за тобой заедет.

В телефоне послышался голос водителя, я передала трубку Таньке и попросила:

– Продиктуй адрес, где мы сейчас находимся.

Взволнованно отчеканив адрес, Танька тут же сориентировалась в ситуации, посмотрела на часы, сделала важное лицо и принялась отдавать команды вошедшей в гримерку редакторше:

– Срочно начинайте. У нас мало времени. Позвонил Самуил. Просит невесту приехать в больницу. Уже и шофера выслал. Не минуты без нее не может...

– Тань, прекрати... – Сердце бешено колотилось, и я чувствовала себя нехорошо.

– Наташа, доверься мне как профессионалу. У нас всё идёт гораздо лучше, чем можно представить. Если он вызывает тебя для того, чтобы попросить не давать интервью, да ещё пригрозит, ты сыграй бедную овечку. Скажи, что журналисты устроили на тебя травлю и не дают прохода. Ты здесь ни при чём. Это всё они виноваты, гады проклятые.

– Таня, а ты думаешь, Самуил зовёт меня именно за этим?

Танька посмотрела на меня с недоумением.

– Наташа, что с тобой происходит? Словно тебе известно то, чего не знаю я. Такое впечатление, что ты чего-то недоговариваешь. Ты реально во что-то веришь и на что-то надеешься? Ты же всегда была нормальной и адекватной, трезво оценивала ситуацию. Понятное дело, он зовёт тебя не для того, чтобы признаться в любви... Ты этого ждёшь?

– Ну, зачем ты так... резко... Необязательно сейчас признаваться в любви. Может, он просто хочет меня видеть.

– Скорее всего, наехать на тебя он хочет за интервью, или с тобой лично побеседовать желает служба его безопасности, по поводу инцидента с вертолётом и твоей причастности к этому трагическому случаю. Возможно, они просто не доверяют полиции.

– Таня, где логика? Если бы со мной хотели побеседовать сотрудники службы безопасности, то уж, наверное, мне бы давно позвонили. А мне позвонил сам Самуил. Улавливаешь разницу? Понимаешь, жизнь состоит не только из шоу и пиара. В жизни должно быть что-то настоящее.

– Настоящее есть, не спорю. Но это настоящее явно не Самуил. Неужели ты до сих пор не поняла, что он за человек?

Но я уже не слушала Таньку, я посмотрела в окно на небо. Там я увидела... бабку Антонину.

Она загадочно улыбалась и поправляла свою косынку. Я улыбнулась ей в ответ и прошептала:

– Баба Тоня, спасибо...

Я понимала, что действует приворот, что сейчас мне помогает бабка Антонина и поэтому всё идёт именно так, как нужно. Главное, верить и знать: я получу всё, что задумала, и ничто и никто не помешает мне прийти к своей цели...

ГЛАВА 12

Я вошла в палату. Самуил повернул ко мне голову и улыбнулся. Я присела на стул рядом с ним и взяла его за руку.

– Самуил, я хочу, чтобы ты знал... Я не причастна к тому, что произошло.

– А кто говорит, что ты причастна?

– Полиция, пресса, телевидение. Устроили травлю. Никак не могут найти объяснение, почему в меня не попало ни одной пули. Всем просто не даёт покоя, что я жива и невредима. Я и сама не знаю, почему не тронули меня, ведь если разобраться, я единственная свидетельница.

– Единственная свидетельница, что ты могла видеть?

– Вертолёт, который чуть не приземлился на крышу, людей в масках и вспышки. По тебе открыли огонь.

– Я знаю, кто это сделал. Мои люди накажут тех, по чьей вине это произошло. Мне очень приятно, что ты жива, здорова и невредима.

– Правда?

– Что правда?

– Ты веришь, что это не я? Что я к этому непричастна? Ты мне веришь?

– Наташа, да что ты такое говоришь? Как на тебя вообще можно подумать? Неужели полиция и пресса тебя так сильно затравили, что ты даже передо мной оправдываешься? Девочка моя, я просто обязан встать с кровати и тебя защитить.

– О том, чтобы встать с кровати, не может быть и речи. Впереди долгое выздоровление, но я верю, что ты быстро пойдёшь на поправку и всё будет хорошо. А если каждый день станешь есть мой куриный бульон, силы вернутся к тебе очень и очень скоро.

– Наташенька, какой ещё бульон? Мне личный повар готовит. С этим проблем нет.

– Я понимаю, что у тебя ни с чем нет проблем, но я бы очень хотела что-то делать для тебя сама. Вот увидишь, моя еда не сравнится ни с каким личным поваром. Она очень быстро даст тебе силы, и ты выздоровеешь. Хочешь, я дома приготовлю и завтра тебе принесу?

– Чудная ты, Наташка. Ну, если настаиваешь...

– Настаиваю.

– Тогда приноси.

– А меня пустят?

– Тебе дадут пропуск. Ты можешь позвонить моему водителю и сказать, в какое время хочешь меня навестить. Он заедет за тобой в удобное время.

– Спасибо.

– Это тебе спасибо, что решила обо мне позаботиться.

– Да мне это только за счастье.

На следующий день я приехала в больницу с куриным бульоном и домашними котлетами из индейки. Перед дверью в палату меня остановил охранник.

– Что несем?

Недолго думая, я открыла свою большую сумку, показала кастрюли, закутанные в махровые полотенца, чтобы еда не остыла, и продемонстрировала чудеса кулинарного искусства.

– У меня с Самуилом договорённость, что я буду баловать его домашней едой. Можете у него спросить.

– Да, он предупреждал. Но я всё равно должен попробовать то, что вы принесли.

– Ешьте. Тут на всех хватит. Я много наготовила. Могу всех накормить.

Охранник взял ложку и снял пробу из каждой кастрюли.

Он пропустил меня в палату и сказал:

– Самуил, я сам лично всё проверил. Готовит отменно. Для ребят ещё корзину пирожков принесла. Давно я так вкусно не ел. Как в детстве. Даже отчий дом вспомнился.

– Я же говорила...

Я приезжала к Самуилу каждый день и старалась удивить его своей стряпнёй. Как ни странно, он восхищался:

– Божественно готовишь!

– И это говорит человек, который попробовал все блюда на свете? Тебе же есть с чем сравнить, не так ли?

– Ты права, я перепробовал многое. Больше всего меня впечатлило мясо акулы. Я прилетаю в Японию, только чтобы им полакомиться.

– Акулу жалко.

– Я как-то не думал об этом. Японцы вылавливают сотни акул, которых потом продают в свежем, замороженном, соленом, копченом и консервированном виде. Деликатесом считается суп из акульих плавников. Ещё я любитель фугу. Это блюдо традиционной японской кухни из некоторых видов ядовитых рыб семейства иглобрюхих, содержащих яд тетродотоксин. Также часто «рыбой фугу» ошибочно называют множество видов рыб этого семейства. В Японии фугу считается деликатесом и пользуется большой популярностью. Рыба, из которой готовится блюдо, содержит смертельную дозу яда, концентрация которого должна быть уменьшена до допустимой в процессе приготовления. Фугу считается деликатесом, её употребляют с целью «пощекотать себе нервы». Приём в пищу неправильно приготовленного фугу может быть опасен для жизни. Поэтому для приготовления фугу в специальных ресторанах японским поварам приходится пройти специальное обучение и получить лицензию. В прошлом в Японии существовала традиция, согласно которой в случае отравления фугу повар, приготовивший блюдо, должен был его также съесть либо совершить ритуальное самоубийство. На протяжении долгого периода в Японии запрещалось употреблять фугу в пищу и даже существовал запрет на вылов рыбы фугу. Рыба фугу содержит смертельную дозу яда во внутренних органах, в основном в печени и икре, желчном пузыре и коже. Печень и икру рыбы фугу нельзя употреблять в пищу вообще, остальные части тела – после тщательной специальной обработки. Яд парализует мышцы и вызывает остановку дыхания. В настоящее время не существует противоядия, единственная возможность спасти отравившегося человека состоит в искусственном поддержании работы дыхательной и кровеносной систем до тех пор, пока не закончится действие яда. Несмотря на лицензирование работы поваров, готовящих фугу, ежегодно некоторое количество людей, съевших неверно приготовленное блюдо, погибает от отравления.

– И зачем нужно так рисковать?

– Если бы ты хоть раз это попробовала, то уже бы не спрашивала. Сказать, что это божественно вкусно, нельзя. Это очень необычно.

– Я этого не понимаю.

– Я и скорпионов пробовал. В Таиланде из скорпионов делают шашлыки.

– Они ведь тоже ядовитые.

– Термическая обработка убивает любой яд. Он полностью испаряется. А каких я только не видел кузнечиков! Их в Мексике едят повсеместно: вареными, сырыми, высушенными на солнце, обжаренными, вымоченными в соке лайма. Самое популярное блюдо – гуакамоле. Как любое мелкое обжаренное насекомое, жареный кузнечик не обладает выдающимся ароматом, и обычно его вкус – это вкус масла и специй, в которых его жарили. А суп из них отменный.

– Никогда не пробовала.

– Попробуешь. У нас с тобой всё впереди.

– У нас с тобой? – Я растерялась.

– Ты всё правильно услышала, – кивнул Самуил. – Наташа, не знаю, что со мной происходит. Раньше не было такого. Первый раз в жизни, не поверишь, тянет к тебе, как магнитом, и всё тут. Не могу я без тебя. Хочется везде тебя возить, всё показать. Хочется, чтобы мы вместе попробовали одно из моих любимых блюд: мозг живой обезьяны.

– Что?!

– Мозг живой обезьяны.

– Да как ты можешь?! – От одних только слов мне стало нехорошо.

– Ещё как могу. Это моё любимое лакомство. Такое блюдо подают только в закрытых ресторанах Гонконга. Официально блюдо запрещено правительством Китая, но из-за спроса и экзотичности спрос всегда превышает риск получить штраф за жестокое обращение с животными. Владельцы крупных ресторанов пытаются обойти закон и придумать различные варианты блюд, которые подходили бы под рамки закона, однако традиционный способ поедания мозгов из черепа еще живой обезьяны по-прежнему пользуется популярностью. Кстати, перед тем как подать блюдо, животное накачивают алкоголем. Официант сбривает шерсть на его голове. Молоточком и стамеской пробивают череп и снимают его верхнюю часть. Мозг надо есть ложечкой, пока несчастное существо еще живое...

– Боже, какой кошмар! Не могу слушать!

Да, он очень жесток, потому что нормальный человек никогда не будет есть еще живое существо.

– Я хочу, чтобы ты попробовала вместе со мной жареных бамбуковых червей, личинки травяной моли. Они как чипсы. А ещё мясо крокодила, жареную морскую свинку со снятой кожицей, медовых муравьёв.

– Самуил, хватит, мне сейчас станет плохо!

– Девочка моя, я говорю всё это к тому, что никакие устрицы, никакие лягушачьи лапки и фуа-гра не сравнятся с твоими котлетками и пирожками. Наташка, ты меня приколдовала, что ли?

– Что? – Я вздрогнула и покраснела.

– Ты что так испугалась?

– А зачем ты говоришь ерунду? – Меня бросило в жар.

– Я же пошутил. У тебя что, чувства юмора нет? Просто я не пойму, что со мной происходит, почему меня так к тебе тянет. Ты меня манишь, как магнит. Точно не приворожила? Тянет меня к тебе, и ничего я с собой не могу поделать.

– Я такими глупостями не занимаюсь.

– Я знаю, но меня приворожить невозможно. Ты только представь, сколько девушек пытались это сделать, и ни у одной не получилось. И не получится. У меня мощнейшая защита стоит. Её пробить невозможно. Со мной такие маги работали... Поэтому я знаю, что это исключено.

– А почему ты считаешь, что не можешь просто влюбиться? Ты что, не такой, как все люди?

– Нет, я обычный. Просто со мной никогда раньше такого не было. Четвёртый десяток разменял, и тут – раз, и шандарахнуло.

– Когда-то надо начинать.

– Вот я и начал. Если честно, ничего подобного от себя не ожидал.

– Если хочешь, я не буду к тебе приезжать.

– Ты что, с ума сошла? Я теперь даже представить не могу, как буду жить без твоих котлеток и пирожков.

Мы рассмеялись. Я наклонилась к Самуилу и нежно его поцеловала.

– Наташа, что с нами? Это любовь? Чувствую – умираю от желания.

– Не знаю, как ты, но когда я тебя вижу, мне кажется, что я летаю. Похоже, ради тебя я могу свернуть горы и объять необъятное. При этом я понимаю, что мне нельзя тебя любить.

– Почему?

– Потому что ты очень богат и, что бы между нами ни произошло, все будут говорить, что я тебя не люблю, а я с тобой только из-за денег.

– А тебя интересует чужое мнение? Неужели ты живёшь с оглядкой на других?

– Я стараюсь не обращать внимания. Я учусь. Всё равно не смогу никому доказать, что твои деньги меня совершенно не интересуют, что мне нужен ты. Поэтому я боюсь, что мой полёт будет коротким, а падение слишком болезненным. Я опасаюсь тебя любить. Очень боюсь, но не могу с собой ничего поделать. Мне страшно остаться с разбитым сердцем. Любовь... Она же как снежинка: вроде на ладони, а может растаять и стать капелькой, слезинкой. Когда я тебя вижу, мир замирает. Не буду скрывать, я мечтаю, чтобы моё чувство было взаимным. Что бы ни случилось, ты всегда будешь в моих мыслях. Когда вдруг подумаю, что однажды могу тебя не увидеть, мне кажется, у меня останавливается сердце. Такое ощущение, что оно не бьётся вообще. Становится очень страшно. Видимо, после того, как узнала тебя, я не смогу быть счастлива с другим.

– Я не позволю, чтобы рядом с тобой был другой, – категорично заявил Самуил и прижал меня к себе.

ГЛАВА 13

– И всё-таки не пойму, что шеф в ней нашёл? У него же девок-моделей пруд пруди. Одна красивее другой. Ноги от ушей, волосы до пояса, глаза, как озера лесные... Картинки. Нет, она, конечно, не страшная, но и не писаная красавица. Так себе, середнячок. Неужели он на ней остановится? Чем она его так цепанула? Обычная баба. Чем нашего шефа можно удивить? Да ничем. Сиськами, письками его не удивишь. Он их столько видел, что нам и не снилось. Что-то на временное увлечение это не похоже. Да и, если честно, сиськи у неё так себе, а он грудастых любит. Ему нравятся дойки отменные, а эта как вобла. Тьфу, смотреть тошно.

– Я вот тоже не пойму, что он к ней прилип? Бегает в палату со своей жрачкой, как колхозница. Кастрюли таскает. Повар у виска крутит. Ржёт, что у него стало меньше обязанностей. У меня такое впечатление, что шеф жрёт из её кастрюль только из жалости.

– А чего её жалеть? Она что, убогая? Подумай, знает ли наш шеф, что такое жалость? Я думаю, нет. Похоже, он в эту деваху реально врезался.

– Да на кой ляд она ему сдалась? Нужно сделать так, чтобы она от него отстала.

– Интересно, каким образом?

– Как всегда, вагон девок привезти, и он про неё быстро забудет. Вот мы ее проблемами ещё не занимались, а если заняться, на неё можно хороший компромат нарыть и шефу предоставить. Мутная она какая-то, реально. С шефом проще общаться, когда у него нет серьёзных привязанностей. Тогда всё более-менее ясно. А эта труженица кухни реально норовит за него замуж выскочить. Ни рожи, ни кожи. Вобла сушёная. Она меня уже конкретно раздражает, а её пирожки сухие поперёк горла стоят.

– И не говори. Что он в ней нашел? Ей, с её пирожками, самое место в сельской больнице рядом с гармонистом деревенским, а не в элитном госпитале. Нужно отвадить ее таскаться сюда со своими помоями!

– Ты прав. И чем быстрее, тем лучше. Видно, баба ушлая и, скорее всего, хитрая. Играет бескорыстно влюблённую дурочку, а сама на его миллионы глаз положила. Сейчас ещё специально залетит, брюхо икрой набьёт и придёт к шефу с требованием жениться или признать отцовство. Одним словом, нужно с ней хорошенько поработать. Если компромат не соберём, соорудим фотомонтаж. Поможем шефу, как думаешь?

– Простите, а кто тут колхозница? – Я вышла из-за колонны и в упор посмотрела на охранника Самуила. – У кого тут сиськи маленькие?

Парень смутился, но тут же нашелся и, как ни в чём не бывало, спросил:

– Наталья, я вас не понимаю. Вы о чём?

– О том, что я слышала ваш разговор! Вы хотите меня подставить, сфабриковать порочащие фотографии.

– Чего-чего? Какие такие фотографии? С вами всё в порядке? Вы не выспались? Вам что-то приснилось?

– Вы меня за дуру держите? Вы только что обо мне говорили!

– Послушайте, у вас случайно не мания величия? Нам больше нечего делать, как вас обсуждать? Вы вообще-то кто такая? Мы на службе, а не на посиделках.

– Разве? А мне показалось, что на посиделках.

– Хватить шутить. Вы опять со своими кастрюльками? – В голосе охранника явно читалась насмешка.

– Не ваше дело.

Я вошла в палату Самуила, дождалась, пока мы остались одни и, достав кастрюли, принялась кормить его свежим супчиком.

– Наташа, ты что такая дерганая?

– Какая?

– Нервная. Тебя кто-то обидел?

– Да как-то день сегодня не задался.

– Что случилось?

– Самуил, даже не знаю, как тебе сказать...

– Говори как есть. Мы же с тобой не чужие друг другу.

– Понимаешь, твой охранник хочет меня убрать. Козни строит.

– Каким образом?

– Я стояла за колонной и слышала разговор. Ему не нравится, что в твоей жизни появилась глубокая привязанность.

– Это не им решать. – Глаза Самуила потемнели от гнева.

– Я тоже так думаю, но, видимо, у них другое мнение. Они считают, что тобой проще управлять, когда у тебя нет привязанностей.

– Бред какой-то. Как мной можно управлять? Я сам кем хочешь управляю.

– Похоже, твоё окружение рассуждает иначе. Меня хотят от тебя убрать. Пытались собрать на меня компромат, но его просто нет. Теперь решили сфабриковать. После больницы хотят привезти тебе вагон девок, чтобы ты напился и забылся. Если не подействует, изготовят фотомонтаж, на котором, по всей вероятности, я буду с другим мужчиной. Они считают, после этого ты дашь мне хорошего пинка. Знаешь, мне так больно и горько всё это слышать...

– Наташа, ты уверена, что тебе не померещилось?

– Самуил, ты рассуждаешь точно как они. Эти люди стараются уверить всех, что я не в себе. Изображают меня сумасшедшей. У меня пока ещё со слухом всё в порядке. Я очень хорошо слышу и соображаю. Я нормальная.

– Вот уж не думал, что моё окружение решает мои личные проблемы.

– Конечно, ты можешь их сейчас вызвать и в лоб спросить, что они имеют против меня? Но, думаю, тебе ничего не ответят и вновь сделают так, будто я не в себе, они ни при чём, и я всё придумала. Самуил, я уже давно приглядываюсь к твоим охранникам. Мне кажется, они обладают гораздо большей властью, чем позволено?

– Ты о чём?

– О том, что они предатели.

– Наташка, ты в своём уме? Павел проверенный человек.

– Ты не злись. Просто подумай над моими словами. Мне кажется, именно он сдал тебя тем, кто стрелял из вертолёта.

– Это исключено, – Самуил рассмеялся.

– Понимаю, в это сложно поверить. Очень сложно. Но ты не отрицай сразу. Уверена, это именно он тебя продал. Откуда люди в вертолёте могли знать, что ты в данный момент на крыше и без охраны? Ты просто последи за ним. Нет, не сам. Найми людей со стороны. Пусть тщательно его проверят. Проверят, не приобрёл ли он или кто-то из его родственников что-то ценное в последнее время.

– Что ты имеешь в виду?

– За предательство хорошо платят, сам знаешь... Может, квартиру купил себе или родственникам.

– Наташа, это уже клиника. Пойми, в моём окружении нет и не может быть непроверенных людей. У меня с этим очень строго.

– Любимый, пойми, я не прошу его уволить, просто прошу его проверить и за ним проследить. Ты мне можешь это пообещать?

– Хорошо, обещаю. Но, если честно, не вижу в этом смысла.

– Ещё скажи, тебе жалко лишние деньги на ветер выкинуть. Ты можешь заплатить, чтобы его проверили?

– Ты сейчас сама подумала, что сказала? При чём тут деньги? Ты же знаешь, это для меня не проблема. Я всегда плачу.

– Извини, просто я что-то разнервничалась. И пожалуйста, не верь снимкам.

– Да никто и не позволит эти снимки сделать.

– Самуил, я знаю, ты всегда встанешь на мою защиту и накажешь любого, кто захочет меня обидеть, но всё же прислушайся к моим словам. Я любимому человеку плохого не пожелаю.

Вскоре Самуил выписался из больницы. Я была рядом с ним и не могла не обратить внимание, что охранник просто скрипит зубами при виде меня.

– Не нравлюсь? – с вызовом спросила я, пока мы дожидались Самуила, который задержался в душе.

– Наталья, не понимаю, что с вами происходит? Почему вы ко мне стали цепляться? Каждый из нас занимается своим делом и служит одному человеку.

Охранник, как и прежде, «включал дурака» и всем своим видом показывал, что не понимает, о чём я говорю.

– Служишь Самуилу ты, а у меня с ним любовь. Касаемо того, что каждый из нас делает своё дело... Ты мне мешаешь делать моё дело и за спиной строишь козни. Предупреждаю, тот разговор и та информация, которую я получила, очень сильно тебе аукнутся.

– Наталья, да что с вами происходит? Чем я вам не угодил?

– Колхозник, – только и смогла сказать я и бросилась к вышедшему из душа Самуилу.

– Наташенька, что опять случилось? С тобой всё в порядке? – Самуил моментально уловил моё настроение.

– Опять поконфликтовала с твоей службой безопасности.

– Шеф, да она сама ко мне цепляется. Я её не трогаю. Напридумывала ерунды и меня этим попрекает, – оправдывался охранник.

– Ещё не хватало, чтобы он меня трогал.

Мы сели в машину, Самуил прижал меня к себе.

– Наташка, ну не связывайся ты с моей службой безопасности. Хорошие ребята. Не конфликтуй с ними.

– А я у тебя вообще ругаться не умею. Просто отстаиваю свою честь. Как я могу общаться с людьми, которые за моей спиной строят план, чтобы разлучить меня с любимым человеком? Естественно, я этим сволочам показываю, что могу за себя постоять.

– Никто тебя со мной не разлучит, – попытался успокоить меня Самуил.

– Точно?

– Точнее некуда. Дурочка, неужели ты не видишь, я без тебя жить не могу.

– Господи, Самуил, как я об этом мечтала...

ГЛАВА 14

Машина с водителем теперь была в моём постоянном распоряжении. Решив сделать Самуилу сюрприз, я не стала предупреждать его о своём визите и велела водителю отвезти меня в замок, где я теперь была частой гостьей. Достав зеркальце, я припудрила носик и поправила причёску. Но тут же припомнила слова охранников, что я не самая красивая девушка на свете, и почувствовала тяжесть в душе. Я и не собиралась с кем-то конкурировать красотой. Я такая, какая есть. Ну и пусть далеко не писаная красавица, но и не страшная, а очень даже притягательная, потому что умею себя подать. Главное, знать, что ты лучшая. А если ты лучшая, значит, достойна самого лучшего мужчины.

Машина подъехала к воротам, её тут же остановили и какое-то время не пускали на территорию.

– Что происходит? Позовите мне начальника!

Я принялась набирать номер Самуила, чтобы пожаловаться на охрану, но он не отвечал.

– Наталья, рад вас видеть. – Знакомый охранник подошёл к машине, хитро улыбаясь.

– В чём дело? Почему меня не пускают?

– Потому что не велено никого пускать.

– Что значит «не велено»?

– Мы всего лишь исполняем поручения хозяина.

– Но ведь я не кто-то, а любимая женщина. Вы что, получили задание меня не впускать?

– Нет, таких инструкций мы не получали. Мы получили инструкции вообще никого не пропускать.

– К чёрту ваши инструкции! Самуил дома? Я звоню. Он не берёт трубку.

– Понимаете, Наталья, хозяин сейчас занят. Очень занят.

– Что значит «очень занят»?

– У него важное мероприятие. Не думаю, что сегодня у него есть время для вас. На будущее я бы не советовал приезжать в дом, предварительно не согласовав свой визит с хозяином.

– Ваши советы меня не интересуют. Вы что-то темните.

– Я?! Наталья, вы же знаете моё к вам отношение. Я всегда с вами открыт и честен. Поезжайте домой. Я сообщу хозяину, что вы приезжали. Когда он освободиться, обязательно вам позвонит.

– Я хочу увидеть Самуила, – стояла я на своём. – И требую меня к нему пустить. В конце, концов, я не посторонний для него человек.

– Наталья, вы уверены, что хотите увидеть хозяина? – прищурился охранник.

– Не поняла вопрос. Если требую, значит, уверена.

– Вы хорошо подумали?

– Я что-то не понимаю... Что за подковырки?

– Моё дело вас предупредить. Чтобы у меня потом не было проблем с шефом. Если что, я вас предупреждал. Вы настояли. Я должен пустить вас в дом из-за вашей настойчивости, а то вы ко мне и так предвзято относитесь. Придумываете, будто я собираю на вас компромат, хочу сделать какие-то фотографии, говорю гадости за вашей спиной. Так вот, чтобы этого не было, я вас пропускаю. Как вы сказали, к вашему любимому человеку.

Уже по издевательскому тону этого гада было понятно, что ничего хорошего меня в доме не ждёт. Вероятно, Самуил набедокурил, и я должна это увидеть.

Как только я въехала в ворота, сразу почувствовала неладное. На душе стало нехорошо. Я попросила водителя не отлучаться, так как, возможно, мне придётся скоро уехать. Я вышла из машины и сразу услышала со стороны бассейна шум.

Я направилась прямиком к бассейну. Уже через несколько шагов я застыла как вкопанная. От увиденного мне захотелось закричать. На бортиках бассейна сидели полуголые девицы. Они громко верещали, смеялись, пили шампанское и им же обливали друг друга. Рядом с бассейном играл оркестр. Ко мне подошел знакомый охранник Павел и услужливо доложил:

– Шеф сейчас занят. Но скоро освободится.

– Кто эти девушки?

– Эти дамы из элитного эскорт-агентства, их услугами шеф всегда пользуется. Красивые, не правда ли? Шеф всегда их берёт на запланированные серьезные деловые переговоры, в длительные поездки. Они знают иностранные языки, умны, образованны. Между прочим, это самые красивые и талантливые девушки нашей страны. С ними мечтает познакомиться каждый второй, если не каждый первый мужчина. Но только у нашего шефа есть шанс воплотить мечту многих. Шеф всегда пользуется услугами этого агентства, потому что уровень агентств, предоставляющих эскорт-услуги, очень сильно различается. Так что, Наталья, перед вами цвет нации, можно сказать. Самый что ни на есть элитный эскорт.

– Я это уже поняла. Эскорт – это, как я понимаю, сопровождение, только вот сейчас они его куда сопровождают? В бассейн?

– Сейчас они создают шефу праздничное настроение, которого ему так давно не хватало и к которому он привык. Человек только что из больницы. Имеет право расслабиться. Может, он осатанел от ваших котлеток и куриных бульончиков? Может, они ему поперек горла уже, не думали? Кстати, непривычно видеть вас без ваших авосек и кастрюлек. Правда, я не уверен, что сейчас здесь, на этом фуршете, они бы пригодились. Вряд ли девушки оценят ваши супчики.

– Добился всё-таки своего. Обещал привезти вагон девок и привёз, – хмыкнула я.

– При чем тут я? Их хозяин заказал, причём собственноручно. Наталья, вы только посмотрите, какие красавицы! Вы даже представить не можете, сколько они стоят! Эти девушки могут поддержать разговор на любую тему, окружают шефа таким вниманием и такой заботой, что глаз оторвать невозможно от этой редкостной красоты. Это, Наталья, не котлетки на постном масле жарить и не пирожки лепить, и тем более бегать по элитной больнице с кастрюльками... Вам этого не понять. Эти девушки могут не только трясти восхитительными сиськами. Они обладают разными умениями, знаниями, могут подать себя на светских раутах, украсить любые деловые встречи и переговоры.

– Хватит рассказывать мне про навыки и умения обычных проституток, – процедила я сквозь зубы, не скрывая раздражения.

– Зря вы так, Наталья. Шеф никогда не опускался до обычных проституток. Преуспевающего, успешного, амбициозного человека всегда выделяют не только его богатство, но и суперкрасивые спутницы. Этим бизнесмен подчёркивает свой статус.

– Вот уж не знала, что если человек таскает за собой шеренгу девок, это подчёркивает его статус. С каких пор статус подчёркивают наличием шлюх?

– А вам не понять, Наталья. Что вы можете знать о статусе, если у вас его нет.

– Выйду за Самуила замуж, и будет, – невозмутимо ответила я.

От моих слов Павел просто позеленел. Правда, через пару секунд взял себя в руки.

– Что-то я вас не пойму, Наталья. Как-то вы странно себя ведёте...

– Вы о чём?

– О том, что вы нормальная девушка. Почему вы всё это терпите? А любая нормальная девушка должна затопать ногами и сказать, что ей всё это не нравится. Вы должны психануть, убежать и понять, что с этим человеком вам дальше не по пути. Ведь терпеть всё это унизительно.

– Надо же... А откуда вам знать, что я должна, а чего не должна? Может, меня всё устраивает...

– Что устраивает? – опешил охранник. – Полный дом голых девок?

– А куда деваться, если они нужны моему мужу для статуса? Простите, опечатка. Не мужу, а жениху. Самуил достоин того, чтобы его даже дома окружали шикарные спутницы, народные актрисы, супермодели, умненькие студентки и прочие привлекательные милашки. Я не ханжа и постараюсь отнестись к милым шалостям Самуила с пониманием.

Похоже, мои слова вогнали парня в ступор, он не знал, что возразить.

– Наталья, любящая женщина никогда не будет делить своего любимого с другими женщинами.

– Смотря какая женщина. Мудрая отнесётся с пониманием и, может быть, даже разделит предпочтения своего избранника. Так что, дорогой, я хорошо помню, как ты решил меня вагоном девок напугать. Считай, ничего у тебя не получилось. Можешь смело второй вагон подгонять, хрен ты меня от Самуила отвадишь.

– Сука ты, Наташа. Дрянь, – раздул ноздри вспотевший охранник. Видимо, его терпению наступил предел.

– От кобеля слышу. Мы с тобой вдвоём рядом с Самуилом не уживёмся. Одному придётся уйти, и это будешь ты. – Я подошла к бассейну, налила себе шампанского и громко спросила: – Что справляем, девочки?

– Ничего.

– Если ничего, то валите отсюда.

– А ты кто? Из какого агентства?

– А я невеста Самуила. Ещё вопросы есть?

Девчонки замолчали и вытаращились на меня с нескрываемым интересом. Оркестранты тут же замолчали, у бассейна стало тихо. Так тихо, что от этой тишины зазвенело в ушах.

– Праздник жизни закончен. Теперь все по домам.

– Девочки, я её видела, она по телевизору выступала. Её действительно представляли как будущую жену Самуила, – сказала роскошная блондинка в бикини.

Откуда-то возник потный лысый тип, представился хозяином элитного агентства. Я поморщилась и скомандовала:

– Забирайте своих девок и уматывайте! Чтобы я вас здесь больше не видела!

– Но... Дело в том, что не вы нас заказывали и не вам нас выгонять, – отрезал лысый. – Мы имеем дело непосредственно с Самуилом. Он лично отбирает и утверждает каждую девушку. У нас особые договорённости. И этот банкет ещё не оплачен.

– Вам заплатят чуть позже.

– Простите, но я не могу верить вам на слово, хотя бы потому, что вас не знаю. Окончательное слово может быть только за Самуилом.

В этот момент к бассейну вышел совершенно пьяный Самуил в окружении трех почти голых девиц. Полное отсутствие верхней части купальников, а вместо трусов тоненькие ниточки, которые тяжело отнести к разряду одежды.

– Я не понял, почему музыка замолчала? Один раз живем! Праздник продолжается! Гуляют все! – пошатнулся Самуил и... встретился со мной взглядом.

ГЛАВА 15

– Наташка, а ты что тут делаешь? – спросил меня он, с трудом держась на ногах.

– К тебе приехала.

– Почему не позвонила?

– Сюрприз хотела сделать.

– Терпеть не могу сюрпризы.

– Я уже поняла. Извини, не знала. Самуил, я даю десять минут на то, чтобы посторонние люди покинули дом. Сделай, пожалуйста, то, о чём я прошу, и я на всё закрою глаза и не упрекну тебя ни разу. Пусть девки собирают свои пожитки и отправляются туда, откуда приехали.

– А почему ты командуешь в моём доме? – заплетающимся языком спросил Самуил и пошатнулся.

Такого поворота событий я не ожидала и растерялась.

– Потому что ты мой любимый человек. Мы с тобой не чужие люди, и мне неприятно на всё это смотреть. Вот если бы ты приехал ко мне на квартиру и увидел, что она полна мужчин?

– Наташа, это мое личное дело. Ты предлагаешь мне изменить образ жизни? Завалилась без звонка и качаешь права. Пытаешься подкаблучника из меня сделать? Ты – женщина и должна знать своё место!

– Значит, не желаешь девок выгнать?

– Вот именно! Не желаю!

– Получается, шлюхи тебе дороже, чем я?

– Слушай, не нарывайся на конфликт. Что тебе от меня надо? Решила характер показать?

– Посмотри, на кого ты похож. Ты только что с больничной койки поднялся. Ещё слабый. Тебе нельзя пить. А ты нажрался, натащил полный дом шалав. Я забочусь о твоём здоровье, потому как думала, что у нас с тобой всё серьёзно.

– На-наташка, – попытался взять меня за руку Самуил, – ты сейчас отправляйся домой, а мы с тобой позже поговорим. Лады?

– Нет, давай сейчас.

– Я не в силах сейчас разговоры разговаривать. Ты чего на меня давишь?! Ограничиваешь мою свободу, понимаешь... Я что, раб твой? – Мутные глаза Самуила налились кровью.

– Я думала, ты нормальный человек, а ты... Тебе помощь психиатра нужна и визит в наркодиспансер. Адекватный человек не может отмахиваться от заботы ближних.

– Да пошла ты... – отмахнулся Самуил и пошел, покачиваясь, от меня прочь.

Мне в сердце ударила горячая волна, а в глазах потемнело от унижения. Не вспомнив о водителе, я бросилась к воротам и стала голосовать проезжавшим мимо машинам. Одна остановилась, я плюхнулась на переднее сиденье и попросила водителя, пытаясь сдержать дрожь в голосе:

– До города, пожалуйста.

Тот ничего не ответив, нажал на газ.

Дома я уткнулась в плечо верной подруги и разревелась.

– Таня, чтоб он сдох! Такая сволочь! Я каждый день к нему в больницу моталась, супчики-бульончики скотине таскала, ворковала... А он, гадина, в душу мне плюнул, девок позвал, устроил оргию, представляешь? Представляешь, как я себя чувствую? Ведь я дала ему шанс. Пообещала на всё закрыть глаза, ни разу об этом не вспомнить, только пусть прекратит безобразие. А он сказал, чтобы я катилась...

– Наташка, а чего ты хотела? Ждала других отношений? Ты до сих пор не поняла, кто он? Пока был больной, он в тебе нуждался. Окреп, и сразу хвост торчком. Да пойми ты, наконец, такие, как он, не женятся. Изменение психики, другие жизненные приоритеты, он женщин рассматривает только в одном качестве, а ты ему талдычишь: «Любовь, любовь...» Да плевал он на твою эту самую любовь. Он и понятия не имеет, что это такое.

– Он мне говорил ласковые слова... Казалось, у нас всё серьёзно...

– Да что ты взбеленилась? Ты что, правда в него втюрилась? Да не бывает у таких, как он, ничего серьёзного в этом плане. Богатство – это главное достоинство таких мужчин, как Самуил. Если мужчина богат, конкуренция за такого мужчину обычно слишком велика. Богатый мужчина может быть обязателен только в бизнесе, но не в отношениях со слабым полом. Вот я бы не хотела такой жизни! Что за жизнь, когда шаг вправо и шаг влево – расстрел. В подобном браке никакой свободы. Наташ, мы с тобой тысячу раз это обсуждали, а ты всё льёшь слёзы, всё веришь в чудо. Забудь ты его!

– Забыть? Да ты что? Нет, это слишком просто...

– Ты сейчас сама подумала, что сказала? Забыть просто... Да забыть – это самое тяжёлое. Ты не можешь стереть ластиком его образ в памяти.

– Согласна. Но это не тот случай. Забыть Самуила – это самое простое. Я хочу его заполучить, а это сложно... – Я вытерла слёзы, сжала кулаки. – Танька, вот увидишь, он у меня ещё в ногах будет валяться и прощение вымаливать. Бегать за мной будет, говорить, что был дурак, что больше никогда такое не повторится. Пусть только протрезвеет. Несколько дней пробухает, придёт в себя, вспомнит обо мне и помчится ко мне на всех парах.

Танька села рядом со мной, протянула мне носовой платок, чтобы я вытерла слёзы.

– Наташка, ты в это веришь? – спросила с жалостью в голосе. – Ты веришь, что Самуил приползёт к тебе на коленях прощения просить?

– Не просто приползёт, а будет стоять до тех пор, пока не прощу.

– Ну, если так в этом уверена, пользуйся моментом. Поставь ему тогда жёсткие условия, мол, твоё прощение стоит денег. Так все нормальные спутницы богатых мужиков себя ведут. Они готовы закрыть глаза на причуды своих благоверных за соответствующую сумму. Пусть дарит дом. Или машину. Главное, чтобы всё было оформлено на твоё имя. Одним словом, извлекай свою выгоду и постарайся побольше с него содрать. Что Самуилу стоит купить тебе особнячок или автомобильчик? Да ничего! Он за один раз на своих девок тратит гораздо больше.

Мои слова оказались пророческими. Через несколько дней на пороге моей квартиры появился Самуил с охраной.

– Привет. Я звоню, звоню, а ты сбрасываешь. Чаем напоишь? – Выглядел он неважнецки, отечный, под глазами темные круги, голос сиплый.

– Напою. Только тебя одного. А эти пусть ждут в подъезде, – я бросила недовольный взгляд на его свиту. – У меня места мало. Квартира небольшая, тесная. Что тут им толкаться.

– Наталья, а мы и не напрашиваемся, – расплылся в фальшивой улыбке Павел. – Нам следует зайти к тебе на пару минут и осмотреть квартирку на предмет безопасности. Это наша прямая обязанность.

– Приятно, что у вас трудовая дисциплина на высоком уровне, —съязвила я и пропустила мужчин в квартиру.

– Скромненько живешь, Наталья. Очень скромненько, – не мог не укусить меня охранник.

– Живу по средствам. Зато уютненько.

Мужчины заглянули в каждый угол, и Павел обратился ко мне:.

– Наталья, а водичкой не угостите?

– Внизу, на первом этаже магазин.

– Понял.

За ними захлопнулась дверь, Самуил попытался обнять меня за плечи, но я резко сбросила его руки.

– Грубо ты с ним... Всё никак не можете поладить.

– А почему я должна с ним ладить? Он мне кто – сват, брат? Обычный сводник, сутенёр, который поставляет тебе девок.

Я включила чайник и села напротив Самуила. Он взял меня за руку и заискивающе посмотрел мне в глаза.

– Натулечка, я никогда не просил прощения и даже не знаю, как это делается. В общем, прости меня, пожалуйста. Я был не прав.

Он полез в карман пиджака и достал плоский бархатный футляр.

– Что это?

– Подарок, чтобы хоть как-то загладить вину.

Я вспомнила Танькины слова и усмехнулась. Как же она была права... Открыв футляр, я ахнула, увидев бриллиантовое колье. Страшно представить, сколько оно могло стоить.

– Скажи, тебе нравится? Я угодил? Я ещё не знаю твои вкусы.

– Очень красиво, – сказала я, но тут же захлопнула футляр и протянула его Самуилу. – Я не могу принять твой подарок. Ты сделал мне очень больно. Так больно, что даже не можешь себе представить. Ты унизил меня перед проститутками. Я ехала к любимому человеку, чтобы сказать ему о том, как его люблю, а там... Страшно вспоминать, что я увидела...

– Наташа, не томи душу. Ты видела, что я был пьян. Ты прекрасно знаешь, как я к тебе отношусь. Я тебе уже говорил тысячу раз, что меня тянет к тебе. Не пойму, что со мной происходит, но я всё больше прихожу к мысли, что не могу без тебя. Я хочу, чтобы ты приняла это колье и поняла, как ты мне дорога. Возьми. Мне будет очень приятно.

– Ну, хорошо, – я надула губки и обиженно взяла футляр. – Но мне всё же очень горько, что ты смог так со мной поступить. Скажи, ты хоть чувствуешь свою вину?

– Конечно, чувствую. Ну что мне ещё сделать, чтобы ты меня простила?

– Жениться на мне.

– Жениться?

– А почему нет? Как честный человек, ты теперь просто обязан это сделать...

ГЛАВА 16

Вечером мы сидели в закрытом ресторане, пили вино и ужинали при свечах. На моей шее красовалось бриллиантовое колье. Наверное, другая на моём месте, чувствовала бы себя самой счастливой на свете, но я хотела полностью заполучить этого мужчину. Мне был нужен брак.

– Наташа, всё так неожиданно. Я хочу, чтобы ты не обижалась на мои слова, но я никогда не думал о женитьбе. Я привык жить свободно, понимаешь? Я работаю как вол двадцать четыре часа в сутки. Хочу, чтобы ты была рядом, чтобы всё было хорошо, но брак... Зачем он нужен?

– Почему ты боишься связать себя обязательствами? Я хочу семью, детей...

– Каких ещё детей?! – Глаза Самуила наполнились ужасом.

– Наших. Самуил, почему ты так боишься законных отношений? Ведь это так естественно. Тебе уже не двадцать лет. Я буду хорошей женой, надёжным тылом. Буду во всем тебе помогать, поддерживать.

– Наташа, но всё это и без брака возможно. Пойми, эта форма отношений не для меня. Все и так знают, что ты моя женщина, и относятся к тебе с почтением.

– Я не хочу быть твоей женщиной. Я хочу быть твоей женой.

– Наташа, ты на меня давишь. Ещё раз повторяю: я не думал о браке.

– Если ты не думал о браке, тогда зачем тебе я?

– Я не могу без тебя...

– Если не хочешь на мне жениться, значит, можешь.

Я отодвинула от себя тарелку, встала, сняла колье, бросила его на стол и выбежала из зала.

– Наташа, стой! Верните её!

– Не смейте ко мне прикасаться!

Пробегая мимо охранника Павла, я сделала ему комплимент насчёт того, что красный галстук идёт к его красной роже. Очень хорошо сочетается. Выскочив на улицу, я села в такси и назвала таксисту домашний адрес. Быстро покидав в чемодан первые попавшиеся вещи, я заказала билет на Маврикий – изумрудный остров с великолепными пляжами и позвонила Таньке уже из аэропорта.

– Таня, меня не будет какое-то время. Я улетаю.

– Куда? Почему так скоропалительно?

– На Маврикий. Почему туда? Да сама не знаю. Я подумала... мне нужны свежие впечатления.

– А ты раньше не могла сказать? Я бы разобралась с работой и рванула с тобой.

– Наверное, потому и не сказала, что мне хочется побыть одной. Знаешь, ты была права насчёт Самуила. Ему не нужна семья. Ни семья, ни жена, ни дети. Ему никто не нужен. Работа и девки. В общем, я хочу немного восстановиться. Вернуть себе душевное спокойствие.

– Ты надолго?

– Пока не знаю.

Танька хотела вставить свои пять копеек, но я не дала ей этого сделать, потому что прекрасно понимала: с той минуты, как я вступила в связь с Самуилом, мой телефон прослушивается.

– Таня, ты не представляешь, как мне тяжело! Ведь я по-настоящему любила этого человека. Я ему верила. Никто другой мне не нужен. Только он. Я мечтала выйти за него замуж, родить детей, создать счастливую семью. Возможно, он мне не доверяет. Думает, что мне нужны его деньги. Но деньги меня не интересуют. Он так и не понял, что, в отличие от всех девок, которые вечно его окружают, он интересует меня как человек, а не как денежный мешок.

От моих слов Танька, впала в небольшой ступор, но потом уловила правила игры и стала мне подыгрывать.

– Да, Наташа, я знаю, как сильно ты его любила и любишь. Я предупреждала, что такие, как Самуил, никогда не женятся, потому что все девушки для него меркантильные стервы. Он считает, что они все охотницы за деньгами. Ему никогда не понять твою чистую душу, творческую натуру и то, что всю свою жизнь ты живёшь под девизом «Я сама». Он даже представить не может, что существуют девушки, абсолютно безразличные к деньгам.

– Вот и я про то же. Деньги – всего лишь обыкновенные бумажки. Любовь не купишь ни за какие деньги. Она не продаётся. Самуилу никогда не понять, что не всё в этой жизни упирается в материальные ценности. Есть ещё ценности духовные, и они превыше материальных.

– Милая, ты не переживай, обязательно найдётся мужчина, который сможет оценить тебя по достоинству.

– В том-то и дело, что я представить не могу себя рядом с другим мужчиной. Он меня словно заколдовал. С той минуты, как я его увидела, даже не посмела думать о ком-то другом. И знаешь, если новый мужчина когда-нибудь и появится, я хочу, чтобы он не был богат, чтобы денежные знаки не стояли между нами.

– Правильно подруга, пусть лучше он будет с пустыми карманами, но с большой и чистой душой, а также с добрым сердцем. А деньги мы заработаем сами. От нас не убудет. Нам не привыкать зарабатывать на жизнь.

Заканчивая с Танькой разговор, я сообщила, где находится мой отель и как он называется. Затем положила трубку, мысленно поблагодарила свою боевую подругу за то, что она мне подыграла, и пошла на посадку в самолёт.

Маврикий оказался раем на земле. Я влюбилась в остров с первого взгляда. Бросив свои вещи, я первым делом побежала купаться, а потом отведала свежайших креветок в различных сочетаниях и краба в кисло-сладком соусе. Это было большое блюдо с нарубленными кусками толстенного краба.

Остров Маврикий имеет вулканическое происхождение. Однако вулканическая деятельность давно прекратилась, и ветер сильно сгладил рельеф острова. Берега окаймлены коралловыми рифами, красоты необыкновенной.

Климат на острове замечательный. Остров лежит на пути тропических циклонов, зарождающихся над просторами Индийского океана. Почти ежегодно в феврале-марте они обрушивают на остров шквальные ветры, скорость которых достигает 220 километров в час, и ливневые дожди, вызывающие катастрофические наводнения. Первые колонисты сажали на Маврикии пряности, французы – кофе, англичане – чай. Все эти культуры могли бы давать прекрасные урожаи, если бы циклоны не уничтожали посадки. И только стебли сахарного тростника выдерживают натиск стихии. Средняя температура самого тёплого месяца (февраля) на побережье острова не превышает 23°, а самого холодного (августа) не опускается ниже 19°. Плато и горы Маврикия прорезаны сотнями небольших рек, изобилующих порогами и водопадами.. Из природных достопримечательностей интересны кратеры потухших вулканов и плато, увенчанные необычными по форме горными вершинами, порой имеющими интересные названия, например

Большой Палец, Кошка и Мышка, Три Соска. На побережье, вблизи посёлков, часто встречаются рощи кокосовой пальмы.

Маврикий – это клондайк фауны. Многие животные, обитавшие здесь, не водились больше нигде на свете. Первых поселенцев поражало обилие огромных сухопутных черепах и богатство мира птиц. Черепах уничтожили пираты и моряки, которые, проходя на кораблях мимо Маврикия, непременно заходили на остров, чтобы набить свои трюмы этими «живыми консервами». Затем наступила очередь бескрылых дронтов. По свидетельству первых голландских поселенцев, долины острова буквально кишели этими птицами, весившими до 15 килограммов. Дронты подпускали людей к себе вплотную, и те забивали птиц палками. Завезённые крысы, кошки и свиньи также способствовали уничтожению бедных додо.

Мой домик стоял прямо на берегу Индийского океана, и в комнате гулял свежий океанский бриз. Вид на бассейн, который зрительно сливался с морем, просто завораживал, а от потрясающе красивой природы перехватывало дух. Я наслаждалась океанским ветром, неповторимыми ароматами морских тропиков и разглядывала птиц. В саду их было множество. Обед с видом на бирюзовую воду океана под шелест качающихся на ветру пальм... Белый песок, синее небо и восхитительный воздух...

За несколько дней я успела поплавать с дикими дельфинами в океане, погулять с настоящими львами и прокатиться на рыбалку. И, конечно же, не могла не нервничать даже в этом роскошном раю, так как в глубине души ждала Самуила. Вечером, сидя у океана, я посмотрела на тёмное небо и увидела бабку Антонину.

– А ты сильная, – сказала я ей, глотнув шампанское. – Он мне рассказывал, что у него сумасшедшая защита стоит, а ты смогла её пробить. С ним маги работали.

– А ты сомневалась в моих способностях? – Бабка Антонина, как всегда, привычным жестом поправила свою косынку.

– Нет, не сомневалась. Я знала, я чувствовала, я догадывалась, что ты сможешь. Скажи, он прилетит?

– Куда он денется. Влюбится и женится. Только про последствия повторять не буду. Я тебя предупреждала, – рассмеялась бабка Антонина и тут же исчезла.

– Я не хочу думать о последствиях, – сказала я уже тёмному небу. – Я хочу получить желаемое... И мне абсолютно неинтересно, какой ценой.

Самуил прилетел на следующее утро. Похудевший, бледный и несчастный. Сев рядом со мной на песок, расстегнул пуговицы на рубашке.

– А почему Маврикий? – с недоумением спросил он.

– Потому что это далеко, и мне казалось, ты меня не найдёшь.

– Я не зря плачу своей службе безопасности!

– Тоже верно. А ты зачем искал меня?

– Понимаешь, пытался без тебя жить, но не получается. Чертовщина какая-то... Места себе не нахожу. Тянет к тебе. Вот я вляпался...

– Ты прилетел на край света, чтобы сказать мне именно это?

– Я... нет... Послушай... Выходи за меня замуж!

– О боги! – воскликнула я счастливо и упала на песок, раскинув руки.

Самуил выглядел неважно. Взгляд его блуждал по сторонам, по вискам тек пот, и он утирал его ладонью. Губы кривились в жалкой улыбке, но меня это мало интересовало. Наконец-то я получу от жизни желаемое!

Перед самой свадьбой мой олигарх попытался заикнуться про брачный контракт, но я вспылила, как мегера, обвинив его в том, что он не верит в искренность моих чувств и что при таком раскладе пусть живёт без меня. Поняв, что спорить со мной бесполезно, ни о каком контракте он больше не вспоминал. Всё его окружение находилось в диком ужасе, узнав, что Самуил решил не заключать брачный контракт.

– Что она с ним сделала? – шептали его знакомые. – Он что, с катушек слетел?..

– Приворожила ты его, что ли? Говорят же, есть ворожеи...

– Это невозможно. Я точно знаю – у него мощнейшая защита.

– Ну как он может не заключить брачный контракт? Он же здравомыслящий человек... Он же не дурак!

– Может, действительно влюбился и голову потерял?

– До сорока лет не влюблялся, а тут – раз, и влюбился. Странно это всё... Вообще связь очень странная...

– Непонятно, что он в ней нашёл? Были бабы куда как лучше... Чем она его взяла?

– Наверное, это понятно только ему...

– Нет, она, конечно, не серая мышь, но далека от идеала.

– С лица не воду пить...

Свадьбу гуляли с размахом в княжестве Монако. Это небольшое государство, расположенное на юге Европы на берегу Лигурийского моря. Площадь страны составляет всего 2,02 км^2, что почти втрое меньше московского парка Сокольники. Княжество широко известно благодаря огромному количеству казино. Монте-Карло – моё самое любимое место на земле, оно известно безупречным сервисом. Самуил зарезервировал один из самых роскошных пляжей Монако. Нашу свадьбу тут же назвали «свадьбой года». На торжество были приглашены звезды как российского, так и зарубежного шоу-бизнеса. Мою причёску украшала тиара с бриллиантами.

– Наташка, ты просто колдунья. Поделись опытом, как ты это сделала? – спрашивала обезумевшая не меньше меня от счастья Танька.

– Я же тебе говорила: он на мне женится, и добилась своего. Я упорно шла к своей цели, сметая все преграды.

– Но это же нереально.

– Как видишь, в этой жизни всего можно добиться, если очень сильно захотеть.

– Я горжусь тем, что у меня такая клёвая подруга. Решила женить на себе олигарха и ведь женила! Сказала, как отрезала.

– Я пристроена. Сейчас и тебе какого-нибудь богатого перца найдём из окружения Самуила.

– Да я-то что... Главное, чтобы тебе было комфортно.

– Но согласись, комфортнее не бывает. Я чувствую себя как в сказке.

– Кто бы мог подумать, что ты выйдешь замуж за самого богатого холостяка страны, а свадьба будет в одном из самых красивейших и роскошных мест мира? Что может быть круче, чем свадьба в Монте-Карло? Монте-Карло – это столица княжества Монако. Здесь концентрация роскоши необычайно высока. Роллс-ройсы, мировые знаменитости, легендарные гонки «Формула-1», папарацци, Лазурный Берег, лабиринты пассажей, площади и фонтаны... Твоя свадьба – высший уровень шика. И нас доставили частным бортом прямо в европейскую столицу роскоши и гламура, место отдыха состоятельных людей, где принято демонстрировать богатство и тратить деньги красиво.

– Всё так. Я ведь за кого собралась замуж? Не за Васю же сантехника. Самуил просто обязан устроить пир на весь мир!

Это было фантастическое торжество. Мне казалось, всё происходит во сне. Улыбки, смех, слёзы... У алтаря меня ждал мой олигарх. И пусть в его взгляде не читались восторг и обожание, но он улыбался, пытаясь показать всем, как счастлив. Церемония, клятвы, обмен кольцами, страстный поцелуй, который я раньше наблюдала только в фильмах... Потом мы танцевали свадебный танец, разрезали огромный торт и любовались небом, которое полыхало разноцветными огнями в нашу честь. Это была свадьба моей мечты. А если честно, о таком я даже мечтать боялась...

ГЛАВА 17

Мы вернулись в Москву. Муж сделал мне роскошный свадебный подарок: машину моей мечты – красный «Феррари». Поцеловав мужа, я села в свою машину и умчалась к Таньке, чтобы покатать её по городу.

– О-о, подруга, круто! – прыгнула в машину Татьяна и завизжала от восторга.

– Новенькая. Прямо из салона!

– Ещё не хватало, чтобы твой олигарх тебе подержанные тачки дарил.

– Танька, жизнь удалась! Ты не представляешь, какая же я везучая! Подумать только, деньги делают нас счастливыми! Обалдеть!

– Не только деньги, но и статус жены олигарха. Ты же не какая-то любовница, а самая что ни на есть законная супруга!

– Таня, сама не верю!

– Наташка, при твоих возможностях тебе сейчас нужно карьеру делать. Может, запоёшь? Певицей станешь?

– Танька, ты с дуба рухнула? Я петь вообще не умею!

– А чтобы быть певицей, необязательно умение петь. Деньги всё сделают за тебя.

– Слушай, этот вопрос я без Самуила решить не могу. Что ему по статусу положено: чтобы жена занялась шоу-бизнесом или работала? Думаю, идея не очень ему понравится.

– А ты сразу не шарахай его по голове. На это нужно время. Просто знай, что твой личный пиарщик у тебя есть. Я такую звезду из тебя вылеплю! Всем на загляденье. Твой муж профинансирует. Для него это раз плюнуть.

У меня зазвонил мобильный. Я посмотрела на дисплей.

– Муж, – с гордостью произнесла я. – Да, дорогой. Мы с Татьяной обкатываем мою новую ласточку, – сообщила я Самуилу весело.

– Наташа, я улетаю в Италию. Прямо сейчас. Позвонил, чтобы тебя предупредить.

– Милый, утром ты не говорил, что улетаешь за границу.

– Это деловая поездка. Я еду не на экскурсию, а работать. Сегодня я в одном месте, а через час уже в другом. Я же не на стройке работаю. Хотела замуж, получай. Привыкай к чудовищному ритму моей жизни.

– Ты надолго?

– Не знаю. Как получится. Дней на пять точно.

– Как жаль, что я не рядом. Я бы собрала тебе вещи.

– Ничего страшного. Мне их уже собрала помощница по дому.

– Я буду скучать. И не забывай, пожалуйста, что у нас ещё не было медового месяца. Он за тобой. Звони мне почаще. Помни, у тебя есть жена, которая очень сильно за тебя волнуется.

– Я всегда помню об этом.

Положив телефон в сумку, я посмотрела на Таньку.

– Муж в Италию поехал по служебным делам...

– Ну так радуйся. То, что доктор прописал.

– Я вот думаю, он взял с собой шлюх или нет? Ты как считаешь, холостяцкие привычки в силе? Законная жена для него что-нибудь значит?

– А зачем ты об этом думаешь?

– Ну, так жена всё-таки...

– Ты место застолбила, а теперь расслабься и получай от жизни удовольствие. Где ты видела мужиков, которые не гуляют? Просто смешно. Тем более, Самуил твой по жизни кобель каких мало. Я почему-то думала, что тебя это не будет волновать.

– Изменять тоже можно по-разному. Можно втихаря, а можно и дальше позориться, таская за собой проституток.

– Слушай, я тебя не узнаю. Да пусть он хоть три вагона девок за собой таскает. Ты законная жена, сидишь в новом «Феррари», а муж зарабатывает деньги для семьи. Что тебе ещё нужно?

– Всё равно неприятный осадок на душе...

– Я понимаю, он бы тебя мучил, если бы ты замуж по любви вышла. Но ты же вышла за бабло.

Так будь мудрой и закрывай глаза на слабости супруга.

– Я не просто за бабло вышла. Мне, между прочим, Самуил нравится. Может, я даже когда-нибудь его и полюблю. А почему его не любить? Он красивый, обаятельный, богатый. Просто я мучаюсь вопросом: бывают мужики, которые не шляются налево?

– Я тебе отвечаю: такие мужики есть, но, как правило, импотенты.

– Хочешь сказать, без вариантов?

– Что ты всполошилась? Нужно на многое закрывать глаза, если хочешь, чтобы твой брак был долгим. Ты же не будешь выслеживать благоверного всю жизнь, сканировать телефоны, почту. Мне кажется, спокойней надо к этому относиться... без надрыва юношеского. У нормального, здорового мужика при виде красивой женщины волей-неволей встает, и требуется уединиться. А по факту это уже измена. Потом всё зависит от обстоятельств и адекватности мозгов. Неважно, кинется в объятия женщина, на которую «встал», или пройдет мимо. Главное, намерение. Если «встал» на другую, а это естественно для мужчины, если он не импотент, значит, его уже привлекают в сексуальном отношении другие женщины, кроме жены.

– И всё-таки есть те, которые не гуляют и при этом не импотенты?

– Может, и есть. Только это не значит, что о бабах не думают. Просто не выпадало подходящего случая, иначе бы точно воспользовались. Запомни: женщина ходит налево, если «голодная». Когда ей не хватает секса, тепла, внимания. А мужики – когда зажрались: частый секс с одной и той же женой, однообразие, хочется попробовать что-то новое, другую бабу. Да и женщины редко получают удовольствие от связи с малознакомым человеком, лучше, когда сексуальный партнер привычный и предсказуемый. Я действительно счастливых людей в браке по пальцам могу пересчитать. Наверное, надо воспринимать это как суровую правду жизни. Только не нужно эту правду переносить на себя. Если у других не очень ладится, не факт, что у тебя будет точно так же. Вот у меня хороший знакомый полностью обеспечивает семью: жена, дети ни в чем не нуждаются. Жену любит, она это знает. Но поскольку он работает как конь, иногда ему нужно расслабиться, пойти с друзьями в сауну и заказать проституток из проверенных, надежных мест. Всегда предохраняется, так что для здоровья риска нет. Есть еще секретарши на работе, они надолго не задерживаются. Он также говорит, что имеет полное право расслабиться в обеденный перерыв и что ни одна из этих женщин не займет место жены. Он никого не обманывает, лапшу на уши никому не вешает, ложных обещаний не даёт. Все получают, что хотят, все довольны. Вопрос: кому от этого плохо? Кто страдает и как? Никто.

– Всё равно это как-то неправильно.

Вернувшись в свой особняк, я очень удивилась, когда увидела в доме Павла, охранника мужа.

– А почему ты не поехал с моим супругом? – не смогла я скрыть удивления.

– Потому что с ним полетела другая смена. Мы летаем по очереди. Самуил оставил меня за старшего, я отвечаю за вашу безопасность.

Я заметила, каким официальным тоном теперь говорит со мной этот крайне неприятный тип.

– Он что, специально это сделал? Знает, что я тебя на дух не переношу.

– Он всего лишь даёт мне указания, а я выполняю его инструкции.

– Хреновые инструкции. Не меня, а моего мужа охранять нужно. Он у нас большой бизнесмен.

– А вы теперь, Наталья, жена большого бизнесмена.

– Ладно, вернётся, я с ним поговорю. Чем меньше буду видеть твой малоприятный фейс, тем лучше буду себя чувствовать.

– Зря вы так, Наталья. Я считаю, нам с вами всё же нужно подружиться и забыть былое.

– С какого перепуга я должна с тобой дружить? Уволь меня от этой дружбы. Кстати, мой муж в Италию с девкой поехал? Не подскажешь?

– Не могу знать.

– Ой, да ладно! Всё ты знаешь. Скажи уж по дружбе.

– Так вы же со мной дружить ни в какую не хотите. Тем не менее я вам всё же скажу, что ваш муж любит только вас и на других женщин не смотрит.

– Ха-ха-ха. Очень смешно, – бросила я и пошла в свою комнату.

Я легла на кровать и набрала номер мужа. Самуил долго не брал трубку, а когда ответил, я поняла, что он раздражён моим звонком.

– Наташа, что-то срочное? У меня работы полно. Переговоры за переговорами.

– Я просто хотела сказать, что очень сильно скучаю. Ты мне позванивай иногда. У тебя же бывает свободное время. А то я вроде теперь при муже...

– Если у тебя что-то срочное, всегда можешь обратиться к Павлу. Я его тебе специально оставил.

– Самуил, ты издеваешься? С чем я должна к нему обратиться? С тем, что я по тебе соскучилась? Зачем ты вообще мне его оставил? Знаешь ведь, я этого придурка ненавижу. Чем он мне может помочь? Исполнить за тебя супружеский долг?

– Что ты сейчас сказала?

– Прости. Это я от злости. Сморозила глупость.

– Повтори, что ты сказала.

– Не буду.

– Но я прошу тебя повторить. Наташа, давай быстрее, у меня не так много времени.

– Чем Павел мне может помочь? Исполнить за тебя супружеский долг?

– Жена моя, я представил, как это происходит, и возбудился... А ну скажи мне, пофантазируй, как бы ты хотела, чтобы он это сделал... Сзади, спереди? Скажи, я быстро помастурбирую и кончу. А то у меня сейчас опять переговоры... Ты хочешь, чтобы он так же, как я, взял тебя за волосы, широко развёл ноги и вошёл сзади?

Я охнула и выронила трубку из рук.

ГЛАВА 18

Эту ночь я почти не спала. Размышляла о том, что лежу на огромной антикварной кровати в потрясающей красивой спальне. Раньше я думала, что о таком нельзя даже мечтать. Вернее, мечтать можно, а вот надеяться на то, что это когда-нибудь у меня появится, бесполезно. Теперь в моей жизни есть роскошные отели с лучшими зарезервированными столиками в самых изысканных ресторанах, безумно дорогие машины, знакомые мужчины в элегантных костюмах, шикарные подруги и самые изумительные пляжи мира. И пусть в моей жизни всё слишком цинично, но ведь если разобраться, этот цинизм хорошо оплачивается... И пусть я меркантильна, но сейчас такая жизнь, и она ставит нас в такие условия, что иначе нельзя. Чтобы выжить, приходится сделать шаг в нужную сторону. Любовь по расчёту – это верный путь к успеху.

Я всегда думала, что если уж и любить человека, то за определенные качества. Необходимо, как минимум, уважение к человеку. А ведь по своей природе мужчина охотник и добытчик. Если он состоялся, его есть за что уважать. Ведь он может обеспечить свою семью. А деньги – показатель успеха. Успех не может не привлекать, точно так же, как и успешный мужчина.

Успешные мужчины – люди со стержнем. В отличие от неудачников они не жалуются на жизнь и имеют массу возможностей для совершенствования. Наверное, в этом и кроется причина, почему женщины ищут обеспеченных мужчин. Никто не виноват, что наше общество помешано на деньгах и материальных ценностях.

И всё же одна мысль не давала мне покоя. Я не раз слышала, что мой муж – извращенец, но сегодня имела возможность убедиться в этом на собственном опыте, когда он просил меня рассказать о том, в какой позе меня бы отымел его охранник. В любом случае пусть он лучше мастурбирует, представляя эти весёлые картинки, чем таскает за собой вагон девок и бурно развлекается. Ладно, в конце концов, это только его эротические фантазии, а не извращение. У каждого есть свои слабости и свой скелет в шкафу. Такой скелет должен быть и у моего мужа.

Утром я отправилась сварить себе чашечку кофе и вновь столкнулась с охранником. Я не смогла скрыть раздражения.

– Не пойму, ты тут прописался, что ли? Я замуж вышла, чтобы твою морду каждый день видеть?

– Наталья, не понимаю вашего недовольства. Я отвечаю за безопасность этого дома и вашу личную безопасность. Это приказ вашего супруга.

– Когда он приедет, я попрошу его сделать так, чтобы ты отвечал за безопасность не в поле моего зрения и не маячил у меня перед носом. Говоришь, вы в командировки посменно гоняете? Значит, ехать в следующую командировку твоя очередь?

– Да, моя.

– Ну, хоть какое-то время я не буду тебя лицезреть, а то у меня аппетит сразу портится.

Павел не обращал на мои упрёки и недовольство никакого внимания, проявляя холодную выдержку. Он дождался, пока я сварила себе кофе, а затем деловито поинтересовался:

– Наталья, а у вас на сегодня какие планы?

– А тебе какая разница?

– Уже, наверное, в сотый раз повторю: я отвечаю за вашу безопасность. Я должен действовать по инструкции.

– И поэтому я должна теперь перед тобой отчитываться?

– Не отчитываться, а ставить в известность. Вы жена известного человека и не можете позволить себе жить так, как жили раньше.

– Ты о чём?

– О том, что передвигаться по городу вы должны с кем-нибудь из наших ребят. Для всех было бы спокойнее, если бы теперь вас сопровождала охрана. Да и за рулём теперь самой не нужно сидеть. Лучше пользоваться машиной с водителем.

– Какой водитель, если я хочу погонять на «Феррари»? Какая охрана? От кого меня охранять?

– Вы должны понимать, кто ваш супруг. Вас могут похитить и шантажировать вашего мужа. У вашего супруга много врагов и недоброжелателей. Если вы не хотите прислушаться ко мне, вам придётся прислушаться к словам шефа. Когда он приедет из командировки, обязательно поговорит с вами на эту тему. Он хотел сделать это сейчас, но не успел. Пришлось срочно улететь.

– Хорошо. Я обязательно выслушаю все доводы и аргументы мужа. Я сама решу с ним этот вопрос, но никак не с тобой.

– Как вам угодно. Я просто хотел объяснить вам разницу между женщиной, бегающей с кастрюльками по больницам, и женой очень богатого человека.

– Что ты мне всё о кастрюльках напоминаешь? Тебе не даёт покоя, что я Самуила на себе женила? Может, кастрюльки и сыграли решающую роль, а то его прошлые шалавы, кроме как ублажить похоть, ничего предложить не могли, – произнесла я с вызовом и вышла на улицу. – Делать мужику минет ума много не надо, а вот замесить пышное тесто – надо ещё постараться. Что-то ни на одной из своих шалав Самуил не женился, а выбрал меня.

– Наталья, вы куда собрались? – настойчиво поинтересовался Павел.

Господи, как он достал меня вместе со своими инструкциями!

– В свою мастерскую поеду. Хочу поработать, – зло отозвалась я.

– Возьмите машину с водителем.

– Не надо. Мне нравится с ветерком обкатывать подарок мужа.

– С вами должен поехать охранник.

– Ещё чего не хватало. Мне ваши рожи в доме надоели. Прямо не дом, а пристанище для мордоворотов. Как в общежитии, честное слово. Невозможно уединиться.

Я села в «Феррари», накрасила губы яркой помадой под цвет машины и, послав Павлу воздушный поцелуй, включила первую скорость. Вскоре я неслась по дороге как ветер. А затем... Затем стало происходить непонятное. Я попыталась сбрасывать скорость, давить на тормоза, но они не работали. Меня обдало ледяным потом, я вновь принялась бить по тормозам, но они отказывались слушаться. Перед железнодорожным переездом, я стала давить на тормоз с удвоенной силой.

– Ничего не понимаю! Что случилось?! – закричала я и въехала в стоящий передо мной грузовик, который ожидал, пока пройдёт поезд и откроется переезд.

Я открыла глаза и не сразу поняла, что произошло. Больничная палата, врачи в белых халатах и боль по всему телу.

– Где я? Что случилось?

– Наконец-то очнулась, – врач посветил фонариком мне в глаза. – В рубашке родилась, милая. Хорошо, что при вас были документы. Вы действительно жена Самуила?

– Да. Это мой муж.

– Вашему супругу уже сообщили, что произошло. Сейчас он находится в Италии, но обещал прилететь при первой же возможности.

– Доктор, скажите, а что со мной? Я жить буду?

– Если разговариваете, значит, будете. Правда, придётся долго восстанавливаться и поваляться в больнице.

Самуил прилетел на следующий день. Приехал в больницу, выстроил всё отделение и заставил врачей кинуть все силы на моё восстановление. Сев рядом со мной, он взял меня за руку.

– Как ты? – спросил он с горечью.

– Сказали, буду жить.

– Это самое главное.

– Мне сообщили, что машина восстановлению не подлежит.

– Да и чёрт с ней, с машиной. Обычная железка. Ещё купим. Самое главное – ты и твоё здоровье.

Я внимательно посмотрела на мужа и отметила, что он вновь изрядно помят, невыспавшийся и от него несёт перегаром.

– Ты пил?

– Наташа, а что я должен был делать после того, как мне сообщили, что моя жена разбилась? Я же не робот, а живой человек! Я бросил все свои дела и сразу вылетел к тебе. У меня в голове не укладывается, как такое могло произойти. Проводится следствие. Ведь ты уже ездила на этой машине, и всё было прекрасно.

– Самуил, отказали тормоза. Я не обратила внимания, что не работает тормозная система. Узнала об этом, только когда попыталась сбросить скорость. Что-то случилось с тормозами.

– Будем разбираться. Главное, ты жива. И это хороший урок. Ты не должна ездить за рулём сама. Только с водителем.

– Самуил, пойми, что даже если бы в то злосчастное утро я уехала вместе с водителем, произошло бы то же самое. Только разбилась бы я не одна, а мы вдвоём.

– Когда дарил тебе автомобиль, я и подумать не мог, что однажды он чуть тебя не убьёт.

Я попыталась приподнять голову, но тут же почувствовала головокружение и вновь опустилась на подушку.

– Самуил, пожалуйста, послушай меня. Мне кажется, это Павел.

– При чём тут охранник?

– Он что-то сделал с тормозами. Сам посуди. Я приехала вечером на машине, всё было в порядке. Я ночую в доме. Утром сажусь за руль, а тормоза отказывают. Такого просто не может быть. Случайностей не бывает. Зачем ты вообще оставил его со мной? Он обещал меня убрать ещё раньше, вот и убрал.

– Наташа, это исключено. На меня работают годами проверенные люди, которые никогда меня не продадут и не предадут. Павел проверенный человек, он не раздумывая отдаст жизнь. Если у вас и есть неприязнь друг к другу, то только с твоей стороны. Павел – человек дела, ответственный сотрудник, он не станет заниматься подобными делами. Будь у меня продажное окружение, меня бы уже давно не было в живых. Кстати, сейчас мои ребята выясняют, как это могло произойти. Как только что-то прояснится, я сразу дам тебе знать.

Самуил зевнул, я поняла, как он сильно устал. Ему необходимо выспаться.

– Ты хочешь отдохнуть? Поезжай домой, поспи и, пожалуйста, узнай, что произошло. Сегодня отказали тормоза, а завтра на мою голову упадёт кирпич. Скажи, ты хоть немного меня любишь?

– Зачем спрашиваешь? Ты же знаешь, я не могу без тебя...

ГЛАВА 19

– Ну вот, сегодня выглядите значительно лучше, – сказал врач. – Уверенными темпами идёте на поправку.

– Доктор, почему ко мне не пускают мою подругу? Когда ко мне начнут хоть кого-то пускать, кроме супруга? Ведь прошло уже две недели, как я здесь. Хотя мне никто, кроме неё, не нужен. Я больше никого и не жду.

– Посещения запрещены. Это приказ службы безопасности. О гостях вы должны доложить мужу. Сами понимаете, всё делается в целях вашей безопасности. Если бы вы знали, сколько журналистов пыталось сюда прорваться! Но охрана вашего мужа доблестно держит оборону.

– Хорошо, я поговорю с мужем.

Когда мне удалось дозвониться до Самуила, я услышала в трубке какой-то шум и женский смех.

– Самуил, я хочу, чтобы ко мне пропустили Татьяну. Ты же знаешь, это моя лучшая подруга. Она уже места себе не находит. Я тебя очень прошу, пожалуйста, сделай так, чтобы она смогла меня проведать. Больше мне никто не нужен, только Танька.

– Хорошо. Я скажу, чтобы её пропустили.

– А ты сейчас где?

– Я на деловом заседании, решаю кое-какие вопросы.

– А девки почему чуть ли в не трубку орут? Они помогают решать эти самые вопросы?

– Наташа, я же общаюсь с компаньонами не только в офисе, но и в свободной обстановке.

– Значит, это называется релакс?

– Это называется деловая встреча, и я хочу, чтобы ты не выносила мне мозг и отнеслась к этому с пониманием. Я приеду к тебе, как только освобожусь.

Самуил заявился в клинику уже под газом. Как всегда, выстроил всех врачей в шеренгу, разорался, что лечение идет очень медленно. Затем прошёл в палату, сел рядом со мной и дыхнул на меня перегаром.

– Ты опять пьяный?

– Я тебе уже сказал: это работа. Большой бизнес. Мне по-другому нельзя.

– Но ведь ты раньше так не пил. Самуил, что происходит?

– Наташка, ты мне что, мамка, меня контролировать?! Знаешь, иногда мне хочется тебя задушить. Взять подушку и задушить, чтобы ты навсегда ушла из моей жизни вместе со своими упрёками. Откуда ты только взялась? Иногда мне кажется, я тебя ненавижу. Я же так хорошо жил без тебя!

У меня была понятная, отлаженная жизнь. А сейчас...

– Самуил, что ты такое говоришь? Как ты можешь? Я же болею, я такое пережила... Лежу на больничной койке, а ты мне – «задушить»...

– Прости.

Самуил встал, достал из тумбочки бутылку виски и налил себе почти чашку. Как ни в чём не бывало её осушил и посмотрел на меня уже потеплевшим взглядом.

– Просто нервы. Не дёргай меня, Наташ. То не так, это не так. То тебе не нравится, это не нравится. Я не мальчик уже. Ты моя жена, а не прокурор.

– Я тебя не дёргаю, – произнесла я обиженно. – Просто мне хочется, чтобы ты меня любил.

– А я что, по-твоему, делаю? Я женился на тебе. Всё, как ты хотела. Любой каприз... Сам не понимаю, что происходит, но я без тебя не могу. Не могу жить и знать, что ты где-то есть... Вот так, дожил до сорока лет, и башку сорвало. Не ожидал от себя такого.

– Я не хочу, чтобы ты пил.

– А я не хочу слушать твои нравоучения. Ты мне уже весь мозг вынесла. Даже здесь, в больнице, ты пытаешься установить надо мной контроль своими звонками.

– Что, я позвонить мужу не могу? Мне же тут грустно и одиноко. Я скучаю по тебе.

– Позвонить можешь, но не выносить мозг расспросами, с кем я и где я.

– Хорошо. Постараюсь звонить реже.

– Надеюсь, в нашем браке ты всё же наберёшься мудрости и будешь себя вести так, как другие жёны.

– А как ведут себя другие жёны? Закрывают на всё глаза?

– Они уважают личностное пространство своих мужей.

– Самуил, ты узнал, что с машиной случилось?

– Да. Заводской брак. У меня на руках заключение эксперта. Ты не представляешь, что я сделаю с этой компанией. Тебе повезло, что это не случилось в самый первый раз, когда ты села за руль, потому что тогда ты бы разбила не только себя, но и свою подругу.

– Самуил, что с тобой? Ты же понимаешь, что сказал абсолютную глупость? Тебя зомбировали, что ли, или ты уже допился до белой горячки? С кем ты собрался судиться? Ты сошёл с ума? Заводской брак в такой компании невозможен. Мне просто обрезали тормоза. Меня хотели убить.

– Наташа, почему ты опять хочешь доказать, что умнее меня? Я же говорю, у меня на руках техническое заключение специалистов.

– Да таких технических заключений можно состряпать миллион! Я даже знаю, кто тебе его состряпал. Павел?

– При чём тут он?! Наташа, мне не нравится, что ты пытаешься лезть не в свое дело. Уж если ты вышла за меня замуж, веди себя подобающе. В твоей биографии тоже много тёмных пятен.

– Ты это к чему? Твои люди собрали на меня компромат? Да на меня и собирать нечего. Мне нечего скрывать.

– Я знаю. Ты отменно покуролесила в молодости. Когда я лежал в больнице, засветилась на всех каналах, заявляя, что ты – моя девушка. Ты уже тогда знала и всем заявляла, что мы поженимся.

– И что в этом криминального? Что удалось на меня нарыть? Ничего? Можно подумать, ты ангел небесный и в молодости не бедокурил. Не только в молодости, ты и сейчас черт знает что творишь.

– А твоя подруга Танька вообще мужик переделанный – Толик.

– И это удалось узнать... Я ещё раз спрашиваю: что тут криминального? Ты что, со мной развестись хочешь? К этому клонишь? Скажи, к этому?

Самуил бросил на меня испуганный взгляд и поспешно налил себе ещё виски.

– Ты с ума сошла? Я без тебя не могу.

– Тогда зачем ты меня заводишь? Мне нельзя нервничать. Я хочу, чтобы между нами всё было хорошо.

Самуил тут же осушил ещё одну порцию виски, сел со мной рядом и поцеловал мне руку.

– Наташа, я сам не знаю, что со мной происходит. В меня будто бесы вселились. Но я понимаю точно: ты мне нужна, без тебя мне будет ещё хуже. Без тебя жизнь не жизнь.

– Самуил, я хочу домой. Вернусь домой, и всё наладится. Я должна быть рядом с тобой.

– Тебе сейчас ещё нельзя домой. Ты должна полностью восстановиться.

– Я хочу, чтобы ты не наделал глупостей. Судиться с автомобильной компанией... Это же сумасшествие.

Самуил резко убрал мою руку, а в его глазах появилось столько ненависти, что мне стало не по себе. Он вдруг отвесил мне пощёчину.

– Послушай, – процедил Самуил сквозь зубы. – Если ещё хоть раз начнёшь учить меня жизни, я удавлю тебя собственными руками. Никакого развода я тебе не дам. Ты так засрала мне мозг, что я оформил отношения без брачного контракта. Мне проще положить тебя пожизненно в психушку и пичкать психотропами.

– Ты меня ударил? Да как ты посмел? – разрыдалась я в голос.

В этот момент у мужа словно что-то щёлкнуло в голове. Он бросился к бутылке, осушил её до самого дна и принялся просить у меня прощения.

– Прости, нервы... Это всё работа. Будь хорошей женой, и у нас никогда не будет проблем.

– Я и так хорошая жена. Ты просто ко мне придираешься. Никогда в жизни меня никто пальцем не трогал.

– Наташ, я же попросил прощения. В этом есть и твоя вина, ты доведёшь любого. Я тебе обещаю: ничего подобного больше не повторится.

– Ты меня любишь?

– Конечно, люблю. Если я с тобой, значит, так и есть. Ты простила меня?

– Пытаюсь.

– Я знаю, как искупить свою вину. Когда выйдешь из больницы, я подарю тебе новенький «Бентли». Тебе понравится, вот увидишь. Я подгоню его прямо к больнице и перевяжу цветными ленточками. А хочешь, обольём его шампанским? Скажи, теперь ты меня простила?

– Простила.

– Только ездить будешь с водителем. Садиться за руль самой я тебе не разрешу.

Когда Самуил уехал, я попыталась встать с кровати и, к счастью, у меня получилось, просто чувствовалась неимоверная слабость во всём теле. Подойдя к двери, я услышала голоса, мужской и женский.

– Когда у неё капельница?

– Завтра утром.

– Разбавь лекарство для капельницы вот этим раствором.

– Я не могу подставляться.

– Это не подстава. Тем более деньги, которые ты получишь, стоят того. У неё просто остановится сердце. Обычная сердечная недостаточность. Всё будет чисто. Никто ни о чём не догадается.

– А как же лекарство, которое придётся подмешать?

– Его не обнаружит ни одна экспертиза. Я же говорю, всё будет шито-крыто, без последствий. Она захочет спать. Закроет глаза и никогда их не откроет. Всё произойдёт очень быстро.

Мужской голос показался мне до боли знакомым. Я прильнула к дверной щели и попыталась разглядеть тех, кто чуть слышно разговаривал в небольшом закутке прямо перед палатой. Их было двое. Как я и думала, Павел и молоденькая медсестра. У меня началось сердцебиение, я тут же набрала по телефону Самуила, но он не брал трубку. Затем позвонила Таньке и попросила её срочно приехать.

Танька примчалась незамедлительно, но тут же пожаловалась, что её не пускают. Недолго думая, я вышла из своей палаты и столкнулась с сидящим на стуле новым охранником.

– Вы? – Он тут же встал со своего места.

– Да, я. Почему ко мне не пускают мою подругу?

– Но уже поздно для посещений, и у меня не было команды кого-то пускать.

– Я только сегодня общалась с мужем, и он пообещал, что никаких ограничений для моей подруги нет. Если её сейчас не пустят, я разнесу эту больницу к чёртовой матери.

– Я должен уточнить у руководства.

Набрав номер телефона Павла, охранник обрисовал ему ситуацию и протянул трубку мне.

– Наталья, как вы могли встать? Вам ни в коем случае нельзя ходить. Стоило мне ненадолго отъехать, сразу произошла нестандартная ситуация.

– Я лучше знаю, что мне можно, а чего нельзя, заботливый ты мой. Самуил сегодня пообещал, что ко мне будут пускать Таню. Почему, чёрт побери, её не пускают?! Я не могу до него дозвониться. Он, как всегда, запил. Но если дозвонюсь, я поставлю вопрос ребром, чтобы он тебя, сукиного сына, уволил!

– Наташа, стоит ли так ругаться? Вам нельзя нервничать. Хорошо, я дам команду пустить к вам вашу подругу. Но в следующий раз пусть она выбирает более раннее время. Уже слишком поздно для посещений. И недолго, ведь вы ещё очень слабы. Ложитесь в кровать. И поймите: мы делаем всё только для вашего блага, потому что полностью отвечаем за вашу безопасность.

Я отдала трубку охраннику и пошла в свою палату. Когда через несколько минут в неё вошла Танька, я, как всегда, бросилась к ней на шею и разревелась.

ГЛАВА 20

Закрыв двери как можно плотнее, я прошептала.

– Таня, меня хотят убить. Говорить Самуилу бесполезно. Он очень много пьёт и с каждым днём становится всё больше невменяемым. Мне надо каким-то образом выбраться из больницы.

Передав Таньке услышанный разговор, я вытерла слёзы. Таня села рядом со мной и потерла висок.

– Происходят кошмарные вещи. Пресса вопит, что ты мчалась на своём «Феррари» вдупель пьяная и влетела в грузовик.

– Что за бред? Я была совершенно трезвая. У меня брали анализы крови. В ней не было ни капли алкоголя. И это было утром.

– Я в курсе. Но ты же знаешь нашу прессу, им только дай почесать языками. Теперь ещё пишут, что на почве алкоголизма Самуил сошёл с ума. Мол, собрался судиться с безупречной автомобильной компанией. Хотя знаешь, всё это мелочи по сравнению с тем, что твоей жизни угрожает реальная опасность. Конечно, завтра ты можешь отказаться от капельницы, но ведь за этим обязательно последует что-то другое. Нужно достучаться до здравого смысла Самуила и открыть ему глаза на Павла.

– Он даже слышать об этом не хочет. Кричит, что я лезу куда не следует, учу жизни. А подслушанный разговор для него – не факт.

– Тогда попытаемся донести до него это вдвоём.

– Не знаю, насколько это возможно. Он пьёт. Не верит, что меня хотят убить. Когда я сказала ему, что хочу с ним развестись, он ударил меня и заявил, что никогда этого не допустит. Что он женился на мне без брачного контракта, и ему проще положить меня пожизненно в психушку и пичкать психотропными препаратами.

– Наташка, ну ты и вляпалась. Ладно, давай думать, как отсюда выбраться. – Танька бросилась к окну и с ужасом отметила, что на окне массивная решётка. – Вот чёрт!

– Сколько там охранников?

– Нереально. Один у палаты. Двое в коридоре. У входа ещё машина с охраной стоит. Забаррикадировали тебя капитально.

– Что же делать?

– Я знаю выход. У тебя есть кнопка вызова медсестры?

– Вот она. Прямо над кроватью.

– Нажимай.

Я нажала на кнопку и в недоумении посмотрела на Таньку.

– И что нам это даст? Хочешь сказать, она нам даст ключ от решётки на окне? Я не думаю, что она это сделает.

– Нет. Никакой ключ мы просить не будем. Ложись в кровать. Как только она зайдёт, скажи, что у тебя ухудшилось самочувствие.

Танька встала у стены и, как только открылась дверь и в палату вошла медсестра, та самая, что утром должна была поставить мне смертельную капельницу, со всей силы шандарахнула её по голове «уткой». Медсестра осела на пол, потеряв сознание.

– Тань, ты чего?

– Не переживай, не помрёт. Я просто вырубила её на время. Я же боевыми искусствами занималась и знаю, как это делается. Голову я ей не пробила. Всё в порядке. Хотя знаешь, за то, что она продалась, ей бы, по-хорошему, действительно следовало пробить башку. Сука конченая. Наташка, нам нельзя терять ни минуты. Меняйся с ней вещами. Ты наряжаешься в её униформу, а её переодеваем в твою одежду.

Танька достаточно оперативно раздела медсестру, помогла мне натянуть на неё мою ночную рубашку и халат. Уложив девушку на кровать, Танька взяла с тумбочки медицинский скотч и привязала её к кровати. Накрыв медсестру одеялом, мы пришли к выводу, что она очень даже похожа на меня, а я в медицинском халате вполне сойду за неё. Натянув колпак почти на глаза, я собрала волосы в пучок и нацепила её очки в солидной оправе.

– Выходим по одному, вдвоём будет подозрительно. Спустись на первый этаж, найди окно, где нет решётки, и выбирайся наружу. Я пойду следом за тобой. Жди меня справа в ста метрах от больницы, я подберу тебя на машине. Ничего не бойся, у тебя всё получится.

Я вышла из палаты на дрожащих ногах, прошла мимо охранника, который поинтересовался, что случилось.

– Всё в порядке. Просто занесла вечерние таблетки, – произнесла я писклявым голосом сестрички и пошла по коридору.

Спустившись на первый этаж, я зашла в комнату с надписью «Бельевая» и облегчённо вздохнула. На окне в «Бельевой» не было решётки, и его открыть не составило труда.

Выбравшись наружу, я сняла очки и колпак и побежала к месту, где меня должна была подобрать на машине Танька. Благо на улице уже было темно и я смогла укрыться за большим дубом, растущим недалеко от автобусной остановки.

Наконец мне посветила фарами Танькина машина. Я тут же залезла в автомобиль.

– Танька, а что дальше? – испуганно спросила я.

– Дальше едем к тебе домой и попробуем достучаться до здравого рассудка Самуила.

– А если он не включит здравый рассудок?

– Но ведь он твой муж, и ему должна быть дорога жизнь супруги. Зачем-то же он на тебе женился.

Танька взяла телефон и стала кому-то звонить.

– Нам повезло, – сообщила она, завершив разговор. – Твой муж сегодня принимает участие в одном светском мероприятии. Для нас подходит. Гораздо лучше разговаривать с ним на людях, чем в доме при его службе безопасности.

– А что за мероприятие?

– Презентация какого-то суперкрутого бренда.

– Сволочь он редкостная. У него жена после автомобильной аварии в больнице лежит, чудом осталась жива, а он по презентациям шляется.

– Ты ещё удивляешься?

– Уже нет. Привыкаю.

– А ты думала, он будет у твоей кровати сидеть и тебя выхаживать? Это же не ты, которая бегала к нему каждый день и заботилась о его желудке. У тебя изначально заинтересованности в нём было гораздо больше, чем у него.

– Тань, я не одета для презентации.

– Да брось ты. Какие тут наряды? На тебе и так лица нет. Под глазами чёрные круги, вся синяя.

– Если честно, я чувствую себя отвратительно.

– Представляю.

– Я сегодня первый день как встала. Вот уж действительно, жить захочешь – встанешь. Я что, пойду на презентацию в медицинском халате?

– А почему нет? Очень даже сексуально, если не считать синяк.

На мероприятие Танька провела меня через чёрный вход и посадила в одной из комнат.

– Сиди здесь. Я сейчас постараюсь его привести.

Когда через несколько минут она вернулась одна, я догадалась, что Самуил с ней идти не захотел.

– Он не пожелал со мной даже разговаривать. Пьяный в дрезину. Кстати, а откуда он знает, что я раньше мужиком была?

– Его служба безопасности нарыла.

– Вот скоты. Я к нему подошла, хотела поговорить, а он громогласно заявляет: «Уйди, Толик. Мне не до тебя».

После продолжительной паузы Танька не выдержала, и мы прыснули со смеху.

– Тань, ты только не переживай. Все же знают, что он пьяный, и понимают, что он напивается до чёртиков и не может отличить тётку от мужика.

– Само собой. Ему никто не поверит.

ГЛАВА 21

Когда я вошла в зал, со всех сторон послышался шёпот. Я взяла бокал шампанского и отправилась искать мужа. Как всегда, Самуил находился в окружении красивых длинноногих молодых девиц. За его спиной маячил Павел. При виде меня муж изменился в лице и побагровел от злости.

– Наташа? Как ты сюда попала?

– Самуил, я пришла с тобой поговорить.

Я посмотрела на окружающих его девиц так, что они тут же опустили глаза и поспешили удалиться.

– Ты должна лежать. Ты с ума сошла?

– Пожалуйста, не делай из меня сумасшедшую. Я в здравом уме и трезвом рассудке. Меня вновь хотели убить.

– Самуил, видимо, от пережитого стресса у вашей жены началась паранойя, – чуть слышно произнёс Павел.

Видимо, он рассчитывал, что я не услышу. Но я услышала.

– Не ведись на его слова, Самуил. Это и есть убийца. Ты можешь сто раз повторять, что все люди в твоём окружении проверены, но этот человек пытался убить меня несколько раз. Я сбежала из больницы, потому что завтра утром мне должны были поставить капельницу, из-за которой у меня бы произошла острая сердечная недостаточность. Меня бы завтра утром не было, понимаешь?

– Где доказательства? Ты опять подслушала разговор?

– Я опять подслушала разговор. Доказательство лежит в палате, привязанное скотчем к моей кровати.

– Это не доказательство.

– Самуил, нужно срочно вызвать «неотложку», – встрял в разговор Павел. – Ваша жена не в себе. Она потеряла рассудок и порочит вашу репутацию. Ей требуется лечение, и она должна находиться под наблюдением психиатров, – бурчал Павел. – Необходимо прекратить это посмешище.

В этот момент Самуил словно опомнился и велел ему заткнуться.

– Я что-то не пойму, кто здесь отдаёт приказы и указания, ты или я?! Кто на кого работает и кто кому платит? Тебе не кажется, что в последнее время мы поменялись местами? – взвился Самуил.

– Нет проблем, шеф. Я просто хотел как лучше. Я всего лишь забочусь о вашей безопасности и репутации.

– О своей репутации я позабочусь сам, а оберегать меня от моей собственной жены не нужно.

– Как скажете, шеф.

– У нас есть доказательства! – сзади послышался громкий голос Таньки.

Все оглянулись. Танька вела медсестру, одетую в мой халат и ночную рубашку. Увидев мой недоумевающий взгляд, она озорно мне подмигнула.

– Наташка, не удивляйся. Когда ты ушла в форме медсестры, я привела настоящую медсестру в чувство, заставила её показать, где находится ключ от решётки. Не поверишь, он лежал в прикроватной тумбочке. Мы открыли решётку, я потащила девушку за собой и, связав ей руки скотчем, положила её в багажник.

– Ну, ты даёшь, – только и смогла сказать я.

«Если бы я познакомилась с ней, когда она была мужчиной, то запросто могла бы в неё влюбиться», – подумала я.

По щекам медсестры потекли слёзы. Видимо, Танька провела с ней убедительную воспитательную работу. Со стороны даже казалось, что сестричка искренне раскаялась.

– Простите меня, пожалуйста, не знаю, как это получилось. Я не хотела сделать вам плохо... Мне очень симпатична ваша жена. Она мне слова плохого не сказала. Всегда такая вежливая, приветливая, интересуется моими делами. Просто у меня тяжёлая финансовая ситуация. Очень тяжёлая. Но мне кажется, я бы всё равно не смогла её убить...

– Ты сказала «убить»? – Самуил изменился в лице.

– Да, убить. Я должна была завтра утром убить вашу жену... Должна была поставить ей смертельную капельницу. А раствор для капельницы мне дал один человек.

– Какой человек?

– Он стоит за вашей спиной. Это начальник вашей службы безопасности. Его зовут Павел.

Не успела девушка назвать имя заказчика, как Павел достал пистолет.

– Ах ты, сука! – воскликнул он и выстрелил в медсестру.

А затем Павел направил пистолет на меня... Самуил бросился на мою защиту и получил несколько пуль. В зале начался переполох. Павел бросился бежать, но его тут же задержала охрана. За Самуилом примчалась реанимационная машина, я села с ним рядом и постоянно держала его за руку.

– Всё будет хорошо. Слышишь, всё будет хорошо.

На операционном столе у него остановилось сердце. Когда мне сообщили эту новость, я разрыдалась и, подойдя к окну, посмотрела на небо. С неба на меня смотрела бабка Антонина.

– Почему? – спросила я.

– Это лучший финал, который я могла для тебя придумать. У тебя бы с ним всё равно не было жизни. Сейчас ты осталась богатой вдовой и можешь жить так, как тебе захочется. Только не забывай: за приворот всегда идёт расплата, и здесь я тебе помочь не в силах.

На похоронах ко мне подошел Михаил, друг Самуила. Очень интересный мужчина, правда, женатый. Он окружил меня заботой и вниманием, помогая пережить сложные времена. После похорон я встретилась с нотариусом, который сообщил, что ещё при жизни Самуил составил завещание, по которому всё своё имущество отписал элитному эскорт-агентству, услугами которого пользовался всю свою сознательную жизнь. Мне же предназначался только новый «Бентли», который он успел купить и оформить на моё имя.

После оглашения завещания я впала в неописуемое состояние и не могла произнести ни единого слова. Самуил оставил все свои деньги шалавам, с которыми бурно проводил время. Наверное, это и есть моя расплата за приворот. Я вышла из кабинета нотариуса ни жива ни мертва, села в свой новенький «Бентли», поехала в особняк, собрала все свои вещи, которые успела приобрести в этом сомнительном браке и... отправилась в свою прошлую жизнь, где оказалось всё совсем не так уж и плохо, а даже тепло и уютно... В моей мастерской я могла рисовать с утра до вечера. Танька сутками уговаривала меня устроить пиар на смерти Самуила, ходить по различным ток-шоу и рассказывать, как мы жили в браке. Но я категорически это отвергла и с головой ушла в творчество.

Ко мне в мастерскую часто заезжал Михаил, делал комплименты, привозил приятные подарки и... возвращался к своей жене. Я смотрела ему вслед и думала, что он гораздо лучше Самуила, не так испорчен, развращён и, если разобраться, хороший во всех отношениях мужик. Если сорит деньгами, то красиво, в отличие от моего бывшего мужа. Но оставалась одна проблема: Михаил давно и надёжно женат.

Однажды я купила в ларьке какой-то бизнес-журнал с его фотографией на обложке. Я была очень зла на бабку Антонину. Мне казалось, она сделала всё специально. Взяла и надо мной посмеялась, наказала за мою алчность и желание жить красиво. Но потом, в глубине души, я её простила, ведь талантливым людям в этой жизни можно простить всё, а талантливее бабки Антонины я ещё никого не встречала.

Положив журнал в сумочку, я подумала о том, что чертовски хочу её увидеть и... заполучить этого парня с обложки. В общем, я поехала к ней на поклон...

ПОСЛЕСЛОВИЕ

Вот и закончилась последняя страничка моего романа. В глубине души я надеюсь, что роман вам очень понравился и вы получили удовольствие. Я искренне верю, что мои книги прибавляют вам уверенности в себе и помогают выжить и даже преуспеть в этом мире, а главное, вовремя повернуть фортуну к себе лицом. Ведь безвыходных ситуаций не бывает. Даже в самой пиковой ситуации всегда найдётся хоть один выход. Всё, что необходимо для счастья, находится внутри нас.

Даже в конце самого тёмного тоннеля всегда есть свет. Пусть слабый, но есть. Главное, его разглядеть и пойти ему навстречу. А для этого нужно смотреть на жизнь с оптимизмом и почаще поднимать глаза к звёздному небу.

На рабочем столе, как всегда, стопки ваших писем. Вы не представляете, как я люблю их получать! Стараюсь читать их в любую свободную минутку. Всё больше и больше жалею, что в сутках всего двадцать четыре часа. Мне хочется ответить на все-все письма, написать новый роман и переделать все свои многочисленные дела.

Я горжусь своим трудолюбием. Спокойно полежать на диване с пультом от телевизора я ещё успею, а сейчас у меня есть силы, чтобы вести активную и насыщенную жизнь. Останавливаться на достигнутом не в моих планах.

Меня никогда не интересовали светские мероприятия. Я слишком ценю своё время, чтобы бездарно его тратить. Мои цели совсем другие – я хочу реализовать предоставленные мне возможности. Если вкладываешь в свой труд душу и не боишься быть предельно искренней, результат озарится человеческим признанием.

Я получаю от любимой работы колоссальное удовольствие. Я – счастливый трудоголик, влюблённый в своё дело! Я погружаюсь в работу с головой, и словно крылья вырастают за спиной. Это помогает преодолевать все барьеры и открывать новые горизонты.

Люди хотят видеть во мне совершенство, и я, как могу, стараюсь соответствовать их идеалам, чтобы ни в коем случае не разочаровать. Приступая к очередному роману, я выкладываюсь по полной. Пишу, как последний роман в своей жизни. Мне хочется показать, на что я способна. Судьба дала мне карт-бланш, и я просто обязана его оправдать.

В ежедневной суете мы лишаем себя маленьких радостей и не замечаем мелочи, которые действительно делают нас счастливыми, – солнышко за окном, дождь, снег, радуга, от которой захватывает дух... Нужно ЖИТЬ и ВЕРИТЬ, что самое лучшее впереди. Если тяжело – надо только перетерпеть и подождать. Даже если закончилась любовь, поблагодарите её за то, что она была, ведь многие живут и не знают, что это за чувство.

Поблагодарите бывших любимых за совместные минуты радости и света. Поблагодарите их даже за то, чего не было. Но это обязательно будет, пусть с другими людьми... Спасибо за надежду... Спасибо за слёзы... Спасибо за мечты и за то, что они не сбылись. Это значит, они обязательно сбудутся, но уже у другого человека. Если бы жизнь не преподносила нам уроки, мы бы никогда не состоялись как ЛИЧНОСТИ.

Я с симпатией отношусь к женщинам, которые умеют отвечать поступком на поступок, а не молчанием на обиду. Превыше всего для них собственное ДОСТОИНСТВО. И даже если за душой ни гроша, они ведут себя так, будто за углом их ждёт розовый «Кадиллак» с личным шофёром. Они умеют пропускать любовь между пальцев и закрывать лицо от пощёчины. Они не краснеют, не смущаются и не обижаются. Свои когти и клыки прячут до поры до времени и применяют исключительно для самозащиты в чрезвычайных ситуациях. Если такая женщина улыбается, мужчине не стоит обольщаться: прежде чем подойти к ней поближе, нужно убедиться, что это не оскал.

Подобная женщина никогда не расплачивается с мужчиной постелью за ужин в дорогом ресторанане. Мужчина платит, дарит цветы, комплименты... Женщина принимает это как должное, ведь она тратит самое ценное – своё время. Выслушивает бредни о проблемах на работе и жалобы на жизнь. Время такой женщины очень дорого стоит.

Мне нравятся женщины-эгоистки. Влюблённые в себя и в жизнь. Они не гонятся за счастьем, потому что не откладывают жизнь на завтра. Они счастливы оттого, что ЖИВУТ. Смотрят утром на небо и говорят: «Как хорошо, что я живу!» Им интересна СЕГОДНЯШНЯЯ ЖИЗНЬ. Они не ждут, что настоящая жизнь начнётся когда-то...

Женщины эгоистки способны быть счастливыми не только рядом со своими избранниками, но и одни. А это дано далеко не всем. Они просыпаются по утрам с улыбкой и говорят сами себе: «Доброе утро, королева! Сегодня твой день!» Такой настрой на новый день всегда приносит удачу.

По утрам они пьют не кофе или свежевыжатый сок, а талую воду. Это несложно. Об этом нужно позаботиться заранее. С вечера нужно достать из морозилки замороженную воду. К утру она разморозится и станет талой. Стакан талой воды нужно выпить на голодный желудок с посылом себе здоровья, удачи и красоты. Талая вода питает организм энергией воды. А затем молитва, зарядка и макияж.

Такие женщины осознают, как им повезло родиться женщинами! Они выглядят на все сто даже когда выносят мусорное ведро. Умение таких женщин красиво раздеться – завораживает. Умение красиво одеться – привораживает. Уж они-то хорошо знают, что мужчины гораздо больше ценят то, что отдают, чем то, что получают. Именно поэтому они приучают мужчин тратить на них всё своё свободное время и деньги.

Эти женщины уверены, что они единственные и неповторимые и не комплексуют из-за нескольких лишних килограммов. Ведь в женщине главное не точёная фигурка, а отсутствие комплексов. Важно считать себя магнитом для мужчин, увидеть в себе красавицу. Нужно уметь бороться с зажатостью, излишней скромностью и страхом, что тебя обязательно бросят. Мужчины сбегают не от полных женщин, а от неуверенных в себе и внутренне зажатых.

И пусть женщин эгоисток называют суками или стервами, но ведь никто и никогда не задумывается, почему они такими стали...

Женщина – это кошечка, которая любому мужчине может устроить собачью жизнь.

Подобные женщины обладают настоящим магнетизмом и знают, как взять мужчин под каблук. Они носят туфли на высоких шпильках и бьют словом. В их крови шампанское, а в сердце война. Они умеют любить себя любыми: больными, здоровыми, красивыми... Любят танцевать тёмной ночью в свете автомобильных фар, под падающими хлопьями снега... Как бы ни била их судьба, они всегда чувствуют за своей спиной крылья и могут упорхнуть прямо из-под носа.

Я восхищаюсь женщинами, которые умеют делать наш мир ярче, Глядя на них, всё оживает. Они умеют ощущать запах цветов даже когда на улице бушует зима, а на их лицах отражается солнце даже в самую дождливую погоду. Их судьбы состоят из мгновений ЖИВОЙ ЖИЗНИ... Они умеют сочетать в себе игривость, недоступность, гордость и вседозволенность одновременно.

Такие разные и такие загадочные... ЖЕНЩИНЫ ДОЛЖНЫ БЫТЬ НАСТОЯЩИЕ! Они похищают мужские сердца и, если любят, эти сердца уже никто не спасёт. Им придётся пройти все круги добровольного ада. И не важно, что в основном эти женщины любят не мужчин, а свою любовь к ним. Главное, что бы они ни делали и куда бы ни шли, за ними тянется шлейф из разбитых мужских сердец. Мне хочется, чтобы, прочитав мои книги, вы могли с гордостью сказать, что вы – настоящая женщина! Вы – это утверждение судьбы, что всё ваши действия правильные!

Работа меня заводит и делает сильнее. Я рада, что после дикой усталости всегда могу улететь на море, ведь батарейка не может быть вечной. Моя жизнь сложилась таким образом, что мне уже с самого раннего детства пришлось быть сильной. Я никогда и никому не позволяла на себя давить. Единственный человек, которому я разрешала это делать, это я сама.

Я никогда не скрывала, что амбициозна. Здоровые амбиции помогают мне идти вперёд. Я очень требовательна к другим людям, потому что в первую очередь слишком требовательна к себе. Я обладаю жёсткой самодисциплиной, железной волей и, несмотря на женственность, стальным стержнем и сильным характером.

Я не просто пишу свои романы, но ловлю настоящий кайф от работы. Я смогла найти в себе струну, затронув которую смогла жить в полную силу.

Мне нравится быть сильной, сложной и амбициозной женщиной. Мои читатели стали для меня близкими друзьями. Они делают меня лучше. Я смогла побороть все свои страхи и сомнения, ведь жизнь слишком коротка, чтобы тратить её на огорчения.

Я не хочу снижать темп жизни. Пусть она оставалась бы такой же насыщенной. Я не умею перекладывать часть своей работы на плечи других. Я знаю, что все творческие люди настолько сильно выкладываются, что быстро сгорают, но я прошу Бога дать мне возможность гореть как можно дольше... Я уверена, мне есть что сказать этому миру.

Каждый новый день мы должны встречать для жизни, для новых встреч, для великих дел и перемен. Давайте вместе поблагодарим мир за голубое небо над головой, за солнце в наших сердцах, за воздух в нашей груди и жизнь в нашем теле. За то, что нам подарена возможность видеть этот прекрасный мир, и пусть это продлится подольше... Давайте учиться не жалеть ни об одном событии в своей жизни. Пусть в каждом просыпается талант притягивать только хороших людей, которые заряжают нас только положительной энергией.

В ваших письмах зачастую описана одна и та же боль: нелюбимая работа, депрессия, одиночество или мужчина, который относится с неуважением... В таких случаях рецепт один: нужно срочно менять работу и взгляды на мужчин. Если вы не нашли опору среди мужчин, то стоит поискать её в собственном сердце. Депрессия – это потеря воли.

Как правило, депрессия возникает у тех, кто пережил острый стресс или шок. Депрессия – очень серьёзная болезнь, и она требует медицинской помощи. Плохое настроение, удручающие мысли, тоска, дневная сонливость... Зачастую депрессивное состояние не соответствует объективной ситуации и возникает на фоне общего благополучия. Нужно быть осторожными, наши доктора любят закармливать пациентов антидепрессантами. Самостоятельный выход из депрессии может занять месяцы и годы. Депрессия излечима. Врачи успешно сочетают медикаментозное и психотерапевтическое лечение. Сказываются пережитые душевные травмы, психический стресс и внутренние конфликты. Всё это и ложится в основу депрессии.

Первым делом необходимо сменить работу. Нелюбимая работа загоняет в тупик. Занятие нелюбимым делом никогда не приводило ни к деньгам, ни к счастью, ни к успеху. Пусть вы будете зарабатывать меньше, зато получите искреннее удовольствие. Нелюбимая работа – это как спать, есть и жить с человеком, с которым противно просыпаться и стыдно выходить в люди. Вы не получаете ни радости, ни удовлетворения, поэтому необходимо ИЗМЕНИТЬ СВОЮ ЖИЗНЬ.

Многим моим читателям не хватает уверенности в себе. Они постоянно винят себя за свою нескладную жизнь, относятся к себе слишком самокритично, как к законченным неудачникам. Необходимо принять судьбоносное решение перестать винить себя за свою жизнь и пытаться её изменить. Все ваши препятствия – ЭТО ПОЛЕЗНЫЙ ОПЫТ для того, чтобы двигаться дальше. Вам нужно сделать выбор. ВЫБИРАЙТЕ УВЕРЕННОСТЬ. Поверьте, с уверенностью в завтрашнем дне жить намного проще.

Многим не везёт с мужчинами и работой по той причине, что им не везёт с собой. Как только вы почувствуете, как же вам повезло с тем, что у вас есть вы, в этой жизни моментально всё изменится. Ведь вы позабыли, что в этой жизни есть человек, которого вы можете сделать счастливым. ЭТО ВЫ САМИ. Вам необходимо развить в себе новое понимание самой себя.

Я ведь тоже не сразу стала уверенной. Просто всегда верила, что необходимо продолжать бороться. Нужно поверить в способность к действиям и преодолению препятствий, избавиться от саморазрушительного поведения. Многие наши действия направлены на уничтожение самих себя. Вы разрушаете себя, чтобы убрать свою душевную боль. Но это ПУТЬ В НИКУДА.

В этом мире есть тысячи людей, которым намного хуже, чем вам. Они болеют неизлечимыми болезнями, хоронят близких... Когда особенно тяжело на душе, постарайтесь вспомнить новогоднюю ёлку, первый снег, детский смех ребенка, тихий рассвет, вкус сочного яблока, летний дождь, ласковые руки мамы. Разве это не счастье? Разве этого мало, чтобы изменить себя и свою жизнь?

Многие женщины пишут, что их боятся мужчины. Это происходит зачастую оттого, что в вас нет жизни. Вы делаете вид, будто живёте, но на самом деле просто двигаетесь по инерции. Ведь, несмотря на трудности, жизнь удивительна.

Жизнь ваша изменится ровно настолько, насколько вы сами себя измените. Чем больше будете нравиться себе, тем быстрее привлечёте в свою жизнь мужчину, который оценит вас по достоинству... Мужчина хочет видеть рядом активную и целеустремлённую оптимистку. В любой момент можно подвести черту под вашей прежней жизнью и принять решение начать с чистого листа. Когда вы поменяете своё отношение к жизни, работу и обретёте уверенность в себе, вы научитесь ценить жизнь и её маленькие радости.

У каждого из нас есть масса возможностей для того, чтобы судьба сложилась благополучно и счастливо. Как бы ни было сложно, мы должны научиться брать на себя ответственность за свою жизнь. Начните с самого малого. Например, позвольте себе что-нибудь такое, в чём обычно себе отказывали.

Когда в моей жизни возникают проблемы и малоприятные ситуации, я вспоминаю детство и потрясающий запах маминых пирожков. Это было чудесное время. Я просыпалась от запаха пышных маминых пирожков с картошкой, доносящегося из кухни. Я нежилась в постели и думала о том, что сегодня воскресенье и не нужно идти в школу. Этот запах говорил, что меня любят, мной дорожат и обо мне беспокоятся. Спустя годы, когда я вспоминаю этот запах, мне становится тепло и спокойно. Я чувствую защищённость от внешнего мира и домашний уют.

Мне искренне хочется, чтобы мы не держались двумя руками за ощущения слабости и беспомощности. Заниженная самооценка и неуверенность в себе ещё никого не привела к положительным результатам. Никогда не критикуйте себя. Поверьте, есть масса людей, которые с удовольствием сделают это за вас. Постарайтесь освободиться от страха перед неудачами и ошибками. Освободитесь от прошлого.

Тратьте свою душу на настоящее. Это намного эффективнее, чем тратить её на прошлое. Не усложняйте и без того сложную жизнь. Переживая слишком бурно свои проблемы, мы сами подрываем своё здоровье. Никогда не поздно обновить свою жизнь. Поменяйте цвет волос, купите новую губную помаду, удивите тех, кого уже давно знаете.

Ни в коем случае не меняйте свою жизнь с понедельника. Меняйте её прямо сейчас! Постарайтесь стать счастливой не в следующем году, а именно сегодня. Просто примите свою жизнь и полюбите её такой, какая она есть. Постарайтесь с особым теплом отнестись к себе и к своим близким. Подумайте о том, что в жизни так много интересного и удивительного! Когда в последний раз вы радовались ласковому солнышку, пению птиц, запаху цветов и плывущим по небу облакам? Почему вы обделяете себя такими, пусть маленькими, но всё же радостями? Попробуйте улыбаться проходящим мимо вас людям. Попытайтесь быть с ними доброжелательными. Пожелайте добра даже вашим врагам и завистникам, ведь именно они делают вас сильнее.

Мы не задумываемся о том, что каждый прожитый нами день – это подарок жизни. А ведь чертовски приятно получать подарки, особенно такие!

Я не могу не сказать о том, что буду всегда признательна вам за письма, которые приходят в мой адрес. Для меня дорого каждое ваше письмо и каждое написанное вами слово.

Многие письма начинаются с одной и той же фразы: «Я очень одинока». И это несмотря на то, что каждый день все мы общаемся с большим количеством людей, смотрим телевизор, ездим в транспорте и читаем газеты. Одним словом, находимся в толпе и в то же время одиноки. Многие из нас живут в подавленном состоянии и забывают, что наше настроение зависит только от нас. Наше настроение ни в коем случае не должно зависеть от того, есть в нашей жизни мужчина или нет. Ведь мы полноценны сами по себе.

Мужчина хорошо чувствует женщину, которая боится остаться одна и чересчур зависима от него. Он обязательно начинает этим пользоваться: больше требовать и получать, ничего не отдавая взамен. А ещё позволяет себе некрасивые и неблаговидные поступки, понимая, что женщина и так всё стерпит. Никогда нельзя хвататься за мужчину, как утопающий за соломинку. Эта зависимость от мужчины держится на страхе одиночества.

Именно поэтому я призываю своих читателей не бояться одиночества. Не такое уж оно и страшное, как нам его преподносят. У страха глаза велики. Страх одиночества заставляет нас забывать о том, что мы – ЛИЧНОСТИ, терять самоуважение, всё прощать, угождать, закрывать глаза на многочисленные измены. От таких женщин либо уходят, либо живут с ними без уважения. Но мы ведь с вами достойны самого лучшего!

Любовь – это хорошо, но любовь без разума – это плохо. Мне хочется, чтобы все мы находили в себе силы вовремя прекращать неперспективные отношения. Я не знаю понятия «одинокая женщина». Не знаю и не хочу знать. Есть понятие «свободная женщина», и оно намного мне ближе. Женщина свободна от людских сплетен, критики, предрассудков, стереотипов и ограничений. Я очень хочу, чтобы мы никогда не жили своим прошлым и находили в себе силы его отпустить. Если живём прошлым, нам не хватает энергии для настоящего. Если живём будущим, начинаем путаться в своих мечтах и фантазиях. Поэтому нужно жить настоящим. Настоящая жизнь только ЗДЕСЬ и СЕЙЧАС. Я искренне надеюсь, что мы с вами сможем полюбить всё, что имеем, обретём внутреннюю лёгкость и вспомним о том, что у нас есть крылья, просто мы постоянно о них забываем.

Мне особенно приятно получать письма от женщин, которые счастливы в браке, ведь в наше время это уже почти редкость. Они пишут, что ощущают стабильность и надёжность. Счастливые семьи чаще всего бывают там, где финансовую основу составляют доходы мужчины, где мужья трудятся и делают всё возможное, чтобы семья ни в чём не нуждалась. Такие мужчины заслуживают уважения. Увы, на сегодняшний день мы уже не смотрим на своих мужчин как на добытчиков, и многим женщинам приходится тащить семейный воз на себе. Как часто мы хотим встретить мужчину, который соответствовал бы нашей духовной, физической и финансовой планке, но вместо этого нам приходится жить со своими мужчинами только потому, что на нашем горизонте нет никого более стоящего. Подобные мужчины вместо того, чтобы дотянуться до нашей планки, с маниакальным упорством опускают нас до своей.

Вы пишете мне, что, читая мои книги, становитесь смелее, мудрее и целеустремлённее. Я горжусь этим. Если мужчина разлюбил и хочет уйти, то ни одна женщина его не удержит. Бесполезно хвататься за соломинку и делать вид, будто ничего не происходит. Необходимо всегда оставаться личностью и не обрекать себя на жизнь с человеком, для которого вы стали пустым местом. Мужчина, который не любит, рано или поздно уйдёт. Он не стоит унижений и слёз. Дорогие мои, как бы ни было больно и тяжело, но время лечит. И не только лечит, но и расставляет всё по местам.

Нужно жить активной и полноценной жизнью. Свобода – это альтернатива несчастливому браку. Иногда мы не чувствуем одиночества после развода, потому что сполна «насладились» им в браке. Мы выходим замуж, чтобы избавиться от одиночества, и разводимся тоже для того, чтобы не чувствовать одиночества. Очень часто с мужьями мы бываем чересчур одинокими, забываем о себе и цепляемся за прошлое. У нас у всех есть право ЕЩЁ НА ОДНУ ЛЮБОВЬ.

Открываю конверт и достаю письмо от восемнадцатилетней Оленьки из Красноярска, которая обожает читать мои книги и говорит огромное человеческое спасибо за то, что я есть. Оленька, вы пишете, что меня читают везде и всюду. Вы не представляете, как приятно такое слышать.

Вы переживаете, что слишком молоды для моих книг. Оленька, вам уже восемнадцать, а ведь я получаю множество писем от тринадцатилетних и пятнадцатилетних девчонок, которые делятся со мной своими личными тайнами и рассказывают то, о чём никогда бы не рассказали родителям. Я искренне дорожу их доверием.

Вы попросили у меня фотографию, и я с удовольствием выслала вам открытку со своим изображением и, конечно же, автографом. Мне и самой приятно, что на вашем рабочем столе будет стоять фотография вашей любимой писательницы. В свою очередь, спасибо вам за то, что у меня есть вы.

А письмо Комаровой Леночки из посёлка Новки Владимирской области оставило приятный след в душе и принесло радость. Елена после прочтения моих книг начала смотреть на мир совсем другими глазами, стала более общительной, рискованной, жизнерадостной. Леночка, милая, я рада, что в вас произошли такие серьёзные изменения. Не зря я говорю своим читательницам: ничего не изменится вокруг нас, если мы не будем меняться сами. Как только что-то поменяется в нас самих, сразу изменится всё, что нас окружает.

Наш мир станет добрее, теплее и намного понятнее. Стоит улыбнуться идущим навстречу вам людям, и множество ответных улыбок вы получите в ответ. Я согласна, вокруг много людей, которые относятся к нам недружелюбно, но их негатив не должен разрушать нашу душу.

Мы не должны позволять им это сделать, ведь мы сильные и выше косых взглядов и малоприятных слов. Зачастую проблемы совсем не в тех, кто нас окружает. Они в нас самих и в нашем отношении к жизни. Главное, позитивный настрой и уверенность, что всё получится. Леночка, ведь я тоже стала такой, как сейчас, не сразу.

Чтобы изжить все свои комплексы, мне потребовалось много времени и сил. Было время, когда я считала себя некрасивой, неинтересной, эдакой серой мышкой. Страдала жуткой неуверенностью как по поводу внешности, так и собственной значимости. Постоянные сомнения разрушали мою жизнь и отравляли душу. Теперь всё это далеко позади, и я уже давно поняла, что уверенно жить проще. Намного проще.

Я уяснила, что моё счастье – внутри меня. Нужно просто относиться к жизни не с кучей претензий, а с благодарностью. Моя жизнь никогда не была лёгкой и безоблачной, но я всегда благодарю за каждый прожитый мною день, потому что никогда не известно, что принесёт тебе завтрашний.

И пусть я наделала кучу ошибок, которых в своё время можно было избежать, или хотя бы минимально облегчить трудности, которые выпали на мою долю, но я жила как умела. Часто сбивалась с пути, создавая себе многочисленные проблемы и трудности. Это мой жизненный опыт, и именно он позволил мне стать сильной и целеустремлённой. Когда-то мы все были слабыми, потому что быть сильными может научить нас только наша жизнь. Я искренне надеюсь, что эту силу придают вам мои книги.

Я хочу, чтобы мы научились благодарить жизнь за жизненные уроки. Леночка, а ещё мне приятно, что вы смогли встретить свою любовь, что не стали упускать свой шанс и надеяться на прихоти судьбы, а заговорили с понравившимся вам человеком сами. Вы большая умница, что не обращаете внимания на навязанные нам стереотипы и понимаете, что свою судьбу строим мы сами. Ведь если мы сильно постараемся, сможем самостоятельно написать сценарий собственной жизни.

Передавайте привет от меня вашему Сергею, берегите любовь и обязательно будьте счастливы. Одним словом, дайте себе установку на счастье, потому что оно не зависит от внешних факторов. Оно зависит от нас самих.

Открыв письмо читательницы из Казани Зили Сибгатуллиной, я увидела фотографию потрясающе красивой девушки с загадочным и задумчивым взглядом. Глядя на эту фотографию, я в который раз убеждаюсь: как же всё-таки красивы женщины. Я смогла убедиться в этом сама, не так давно побывав в сказочной Казани.

Зиля, ты пишешь, что сейчас в твоей душе пусто, твоё сердце свободно. Но ведь это совсем неплохо. Твоё сердце просто устало, ему требуется передышка. Оно устало от прежней любви и от прошлого, не самого лучшего любовного опыта. Если сейчас твоё сердечко не хочет петь, не нужно его заставлять это делать раньше времени.

Чтобы встретить новую любовь, тебе необходимо освободиться от прежних обид и ошибок. Мы все от страданий приходим к исцелению. Пойми, неудачу в твоих прошлых отношениях потерпела не ты, а тот, кто не оправдал твоих надежд и недостоин тебя. И пусть мы не можем изменить обстоятельства, в которых оказались, но ведь мы можем изменить своё отношение к этим обстоятельствам, и тогда, на удивление, нам будет намного легче жить. Пройдёт совсем немного времени, и твоя душа вновь захочет петь, тебе самой захочется осчастливить кого-то своим вниманием.

Самое главное, будь всегда активной, жизнерадостной, интересной. Сейчас ты не одинока, ты свободна, а значит, ты живёшь в мире безграничных возможностей. Будь готова к переменам, и они обязательно придут. Я всегда пишу о том, что если в нашем сердце нет любви, нужно научиться жить в её постоянном предчувствии.

Живи так, словно тот, кому бы тебе хотелось подарить свою любовь, уже рядом, почти на полпути к тебе. Просто он затерялся в жизненных неурядицах и передрягах, но очень спешит и надеется на эту встречу. Так позволь же ему успеть. Не позволяй ему видеть глаза уставшей и разочарованной в жизни девушки. Мужчинам вообще лучше не знать о нас слишком много... Пусть он увидит глаза уверенной и жизнерадостной девушки, с красивой улыбкой на лице и необъятной любовью к этому миру. Счастья тебе, дорогая, любви и душевного спокойствия, а оно зависит только от тебя самой.

Мне хочется поблагодарить пенсионерку, ветерана и просто замечательную женщину Эльзу Борисовну Леонову из славного города Магадана, которая не признаёт никаких авторов, кроме меня. Эльза Борисовна, низкий вам поклон и мои самые искренние пожелания здоровья и долгих лет жизни.

Дорогая моя читательница Дашенька из Новосибирска, я конечно же вышлю вам свой автограф. Мне было очень приятно читать ваше письмо с признанием, что при помощи моих книг вы стали сильно меняться. В вас стали просыпаться женское начало и самолюбие. После моих книг вы занялись собой, вспомнили свои желания и цели. У вас обязательно всё получится, иначе просто не может быть.

Нужно всего лишь дать установку на исполнение вашего желания. Если хотите похудеть, обязательно похудеете. У меня тоже подобная проблема. Хочется скинуть несколько килограммов, но они никак не хотят скидываться. Теперь я призвала на помощь силу воли, она – гарантия нужного результата.

Я буду ждать ваших снимков «до » и «после». Одним словом, до прочтения моих книг и после прочтения моих книг. Вы придумали замечательный слоган: «На книгах Юлии Шиловой худеют!» Знаете, Дашенька, я не призываю своих читательниц стремительно худеть, я просто убеждаю сделать это тех, кому некомфортно в своём весе. Если чувствую, что мне мешают несколько килограммов, я включаю силу воли и строжайшую дисциплину для того, чтобы их убрать.

Меняясь внешне, мы обязательно изменимся внутренне. Ведь самое главное – нравиться самой себе. Если будем нравиться сами себе, мы обязательно понравимся тем, кто находится рядом с нами. ГЛАВНОЕ, БЫТЬ УВЕРЕННОЙ В СЕБЕ, НЕ ПРИНОСИТЬ СВОЮ ЖИЗНЬ В ЖЕРТВУ И НЕ ЛЮБИТЬ МУЖЧИН СЛИШКОМ СИЛЬНО! Если будем соблюдать эти правила, никогда не услышим друг от друга печальных фраз: «Я отдала ему всё... Я пожертвовала ради него всем, а он это не оценил... Я положила на него всю свою молодость»...

Не нужно никому отдавать свою молодость и свою жизнь. Ваша молодость и ваша жизнь предназначены только для нас самих. Не стоит разбрасываться своими годами, ведь если разобраться, их не так много, как на первый взгляд кажется. Полностью растворившись в мужчине, мы теряем себя и становимся лишь пустой оболочкой без содержания.

Дорогая Дашенька, мне приятно, что вам очень симпатичны мои героини. Они действительно несгибаемы перед обстоятельствами, идут по жизни с гордо поднятой головой, потому что они до кончиков ногтей уверенные в себе ЖЕНЩИНЫ. Даже если на этом свете уже никто в нас не верит, то хотя бы одним человеком, кто в нас верит, должны быть мы сами. Этого достаточно для достижения тех целей, которые мы для себя поставили.

Дашенька, вы пишете, что тоже хотите покорить Москву, но вас терзают страх и сомнения. Страх и сомнения присутствуют у каждого из нас, но помимо этих не самых приятных качеств должна присутствовать безграничная вера в себя и в собственное провидение. Москва никому не даётся легко, выживают в ней сильнейшие.

Когда я поехала покорять столицу, очень сильно боялась, ведь у меня не было ни друзей, ни родственников, ни знакомых. Я боялась, но ни на минуту не сомневалась в себе. Я твёрдо верила, что ЖИВУ В МИРЕ БЕЗГРАНИЧНЫХ ВОЗМОЖ-

НОСТЕЙ, И ЭТОТ МИР ЛЕЖИТ У МОИХ НОГ. Бывало всякое... Разочарование, слёзы, коммуналки, одиночество... Победило желание жить и работать в любимом городе.

Дашенька, спасибо за ваше письмо и за то, что вы у меня есть, пусть совсем недавняя, но преданная и любимая поклонница. Я всегда буду ждать от вас весточки и надеюсь увидеть на фотографии улыбающуюся и жизнерадостную девушку.

Большое спасибо за письмо Танечке Гаврилюк из села Камень-Рыболов Приморского края. Танечка, я родилась и выросла недалеко от вас, в городе Артёме, но так было угодно Богу, что в своём родном городе я не нашла себе применения. Не всегда срабатывает поговорка: где родился, там и сгодился. Я всегда с теплотой вспоминаю о любимом Приморье, слушаю погоду и слежу за новостями. Знаете, а ведь я приезжала в ваше село к знакомым моих родителей на пасеку, и знаю, какие у вас необыкновенно красивые места.

Танечка, вы просите, чтобы все мои книги превратились в фильмы, но, к сожалению, у меня нет волшебной палочки. Мои книги обязательно экранизируют, уже пришло время. Просто мне очень хочется, чтобы экранизация была успешной. Поэтому я не тороплю события.

Меня потрясло письмо Наташеньки, которая ранее проживала в Крыму, а затем переехала в Москву, но сейчас, в силу сложившихся обстоятельств, уже второй раз отбывает наказание в исправительном учреждении.

Наташенька, мне приятно, что мои книги у вас в ходу и что они помогают вам отвлекаться от страшной реальности. Передавайте привет всем девушкам и женщинам, которые меня читают. Я вас всех очень люблю. Мы все в жизни допускаем ошибки, приходится за них жестоко расплачиваться. Держитесь. Всё плохое когда-нибудь заканчивается.

Наташенька, у вас осталось двое замечательных деток. Вы им нужны, вам нельзя падать духом. Вы мама, и на вас слишком большая ответственность. А что касается мужчины, который после вашего ареста дал задний ход... Что поделаешь, такое не редкость: в трудную минуту многие представители сильного пола так поступают. Нам, женщинам, пора относиться к этому философски. В этом мире всё относительно и всё, увы, непостоянно.

Наташа, милая, обязательно осуществите свою мечту работать в детском доме после того, как освободитесь. Конечно, с двумя судимостями нелегко найти место под солнцем, но вы должны сделать так, чтобы вам поверили. Главное, не поддаваться чувству безнадёжности. Мир нам не враг, наш враг – мы сами. Так постарайтесь сделать этот мир своим союзником.

Дорогая моя читательница Ангелина – оператор в электронном казино. Я получила твоё письмо, и мне очень приятно, что ты считаешь меня своей самой близкой и настоящей подругой. В тот день, когда у тебя всё было ужасно плохо, не самые лучшие мысли крутились в голове, ты лежала на полу, слушала медленную музыку и, приподняв голову, увидела, что с обложки одной из книг тебе улыбается девушка. Ею оказалась я.

Я искренне рада, что, взяв в руки мою книгу, тебе захотелось жить дальше, и не просто жить, а наслаждаться жизнью. Ангелина, спасибо тебе за такие слова. Сейчас ты в Москве, поэтому у тебя есть возможность увидеть меня на одной из встреч с моими читателями, которые проходят на книжных выставках и в книжных магазинах. О том, когда состоится подобная встреча, ты можешь узнать в колонке новостей на моём официальном сайте

Ангелина, милая, я знаю, что ты есть, и горжусь тем, что смогла вернуть тебе веру в жизнь. Спасибо тебе, моя хорошая, за добрые слова. Я всегда буду ждать от тебя весточки. Да хранит тебя Бог.

Огромный привет Дашеньке Тюриной из посёлка Снежного, Хабаровского края. Дашенька, я обязательно исполню вашу просьбу и вышлю вам открытку со своим изображением и автографом. Мне будет приятно это сделать, потому что я очень ценю и люблю своих читателей. Для меня это дорогие, родные и близкие люди.

Я не могу не поблагодарить свою семнадцатилетнюю читательницу Александру, работающую в библиотеке города Кропоткин Краснодарского края. Александра, спасибо за потрясающее стихотворение, которое вы обо мне сочинили. Оно вызвало у меня самые положительные эмоции.

Дорогая моя читательница Кристина из Казани, твой муж проспорил по поводу того, что я не отвечу на твоё письмо. Я уже выслала тебе свой автограф. Так что с него тебе шикарный букет роз. И пусть не жмётся, а ведёт тебя в ресторан.

Это нормально, что твоему мужу не нравятся мои книги. Они много кому не нравятся, я же не могу быть хорошей для всех. Главное, чтобы мои книги нравились тем, кто меня искренне любит. Мои книги очень сильно меняют женщин, и многие мужья стараются оградить своих жён от моего творчества. Передавай привет мужу и поцелуй за меня маленького сынишку. Жаль, что мы так с тобой и не увиделись и не поболтали как давние подруги. Зато мы часто встречаемся с тобой в моих книгах. Счастья тебе, любви и семейного благополучия, моя дорогая.

В письме, пришедшем из города Балашиха, Варвара Шептун спрашивает, почему у меня все героини такие идеальные и красивые, без недостатков. Варвара, у моих героинь полно недостатков, просто они все очень сильно себя любят, верят в свои красоту и неотразимость и заряжают этой верой других. Необязательно быть красивой, чтобы убедить всех в своей красоте. Нужно быть сильной и совершать смелые, красивые и сильные поступки.

Есть много обыкновенных девушек, имеющих внутренний магнетизм. Они умеют преподнести себя так, что у окружающих не остаётся сомнения в их неотразимости и красоте. Ведь умение себя правильно подать – целое искусство. Варвара, дорогая, спасибо за ваше письмо. Я уже выслала вам свой автограф.

Я бесконечно благодарна за письмо, пришедшее с Украины из города Глухова от шестидесятилетней Надежды Никифоровны Гавриленко. Надежда Никифоровна, не падайте духом. Я всегда мысленно с вами. Не могу не гордиться тем, что вы живёте моими книгами, что они заставляют вас отвлекаться от суровой действительности. Спасибо вам, милая моя женщина, за ваши дорогие слова. У вас есть дочь и внучка. Вам есть ради кого жить. Да хранит вас Бог. Мне приятно осознавать, что на Украине в городе Глухове есть женщина, которая меня искренне любит и живёт моими книгами.

Дорогая моя внимательная читательница Вера Дон из города Жуковского, я получила ваше письмо. Если у вас будут желание и силы, вы обязательно напишите мне историю вашей жизни. Думаю, я смогу вас понять. Душевную боль своих читателей я воспринимаю как свою и вместе с ними стараюсь найти выход из тупиковых ситуаций, потому что знаю: безвыходных ситуаций не бывает. Из всего можно найти выход, и даже не один. Я протягиваю вам руку надёжного друга и надеюсь, что вы ответите мне рукопожатием.

Дорогая Катенька из города Тольятти, я получила вашу забавную открытку и не могу вам не выразить любовь и благодарность за ваше внимание и любовь к моему творчеству. Ваша открытка теперь красуется на моём рабочем столе рядом с компьютером, она поднимает мне настроение.

Я очень благодарна за письмо моей юной читательнице Дашеньке из города Талицы. Дашенька, спасибо за твой рисунок. Я повесила его на стене своего кабинета. Дашенька, я полностью с тобой согласна: больно видеть, как на мясном рынке рядом с мясным ларьком лежат голодные, худые собаки, а в ларьке сидит жирный продавец в полушубке и уплетает бутерброды со сладким чаем. Ему жаль куска мяса или кости для голодного животного. Ты умница, что так сильно любишь животных и осуждаешь людей с чёрствым сердцем, которым нет дела до чужого горя. Дашенька, передавай от меня привет своим родителям, они вырастили славную дочь. Я искренне надеюсь, что у тебя обязательно сбудется всё, о чём ты мечтаешь, потому что у тебя доброе сердце и светлая душа.

Милая Валенька из посёлка Андрусовка Харьковской области, конечно же, у тебя уже прошел день рождения, но всё же прими от меня запоздалые поздравления. Свой автограф я тебе уже выслала.

Дорогая Юлия Зинченко, вы сейчас в Москве! По вашей просьбе я не публикую ваше письмо в своей книге, но всё же поражаюсь, сколько трудностей вам пришлось пережить и как несправедливо судьба испытывает вас на прочность. Я желаю вашей мамочке выздороветь, прийти в себя и порадовать вас своей улыбкой. И не говорите, что у вас пустота впереди. Юленька, всё не может быть постоянно плохо. Пусть вас не приняли родители вашего парня, а парень послушал своих родителей и отказался от своих чувств, предательски согласившись с ними, что вы не москвичка и у вас нет ни флага, ни родины. А ведь флаг и родина – дело наживное. Это просто не ваш парень, потому что ваш парень сумел бы убедить родителей, что вы та, кого он так долго искал.

Я, будучи провинциалкой, приехавшей из далёкого Приморья, тоже встретила свои трепетные чувства, надеясь на то, что они будут вечными. Когда мой молодой человек познакомил меня со своей мамой, проживающей в городе Тамбове, она приняла меня в штыки, посчитав хищницей, которая охотится за её добром и хочет отобрать у неё сына. Видимо, она считает Тамбов столицей нашей Родины, а свою малогабаритную квартиру – шикарным особняком, на который можно положить глаз. Сначала я хотела побороться за свои чувства, но быстро поняла, что он того не стоит. Я оставила своего молодого человека с матерью наедине охранять своё нажитое добро.

Я уже давным-давно живу в Москве и могу с уверенностью сказать: наши возможности не зависят от нашего географического положения. Я так и не вышла замуж за москвича, потому что никогда не искала выгоду. Я искала отношений. Всё, что имею, я заработала сама, без богатого мужа, любовника или покровителя. Если вы не москвичка, это не значит, что завтра ею не будете. Всё в наших руках. ВАШЕГО истинного молодого человека не будут интересовать ваши паспортные данные, социальный статус и жилищные условия.

Главное, не опускать руки, верить в завтрашний день и находить силы даже тогда, когда кажется, что их уже нет. Если вы решили навсегда остаться в Москве, не забывайте, что в столице можно достичь многого, но для этого нужно много работать. Москва – это город побед и разочарований.

Юленька, я искренне верю, у вас всё наладится. Не поддавайтесь чувству безнадёжности. Сдаться – не ваш выбор, вы сильная, и вы читаете мои книги. Мужество заложено в наших генах. Даже если жизнь наносит удар за ударом, не стоит позволять ей делать это бесконечно. Мы должны противостоять и относиться ко всем ударам как к необходимому жизненному уроку и обретать с ними всё большую силу. Я всегда мысленно с вами. Пишите, мне очень важно знать, что нового происходит в вашей нелёгкой жизни.

Дорогая моя постоянная читательница Оленька из Брестской области, спасибо за замечательное письмо, в котором ты уже сама сделала все выводы и хорошо понимаешь, что жизнь не стоит на месте, она продолжается, несмотря ни на что.

Я горжусь тем, что мои книги научили тебя быть сильной и даже смеяться сквозь слёзы. Не чувствуй себя виноватой перед своей мамой. Её больше нет. Будь она жива, никогда бы не разделила твоего чувства. Ты просто её люби светлой, чистой и искренней любовью. Она где-то там, наверху, старается оберегать тебя своими теплом и любовью. Она хочет, чтобы у тебя обязательно всё было хорошо, чтобы ты нашла своё счастье.

Когда на душе совсем тяжело, сходи в церковь, поставь свечку и помолись у иконы. Подумай, какой бы мама хотела тебя видеть. Конечно же, уверенной в себе, жизнерадостной, доброй, отзывчивой. Постарайся исполнить её желание. Мы часто не успеваем сказать своим близким, как сильно их любим. И я всегда напоминаю своим читателям, что нужно почаще говорить о своей любви тем, кто находится рядом с нами.

Оленька, сейчас ты совсем одна, в пустом доме, где всё напоминает о прошлом. И всё же ты не одинока. Вокруг тебя люди. Теперь о тебе узнали мои читатели и, может быть, кто-то из них захочет написать тебе письмо, и я с удовольствием его перешлю. Я уже вижу, как ты улыбаешься, и дружелюбно вытираю на твоём лице слезинки. Всё будет хорошо, вот увидишь. А то, что после смерти мамы ты оказалась не нужна своему отцу и он навсегда исчез из твоей жизни... Что ж... Такое бывает. Понимаешь, бывает... Увы, но в нашей стране многие отцы умеют дарить детей, но не умеют о них заботиться. Это одна из причин, почему в жизни нам надо полагаться только на себя, а не на находящегося рядом мужчину. Твоё письмо пропитано силой, ты обязательно всё выдержишь.

И напоследок мне хочется поблагодарить мою читательницу Клару из Алма-Атинской области. Клара, вы начали читать меня совсем недавно, но я искренне надеюсь, что теперь вы станете моей постоянной читательницей.

Я не написала ни вашу фамилию, ни ваш посёлок, чтобы ни в коем случае не навредить вам. Клара, милая, если вам понравилась одна моя книга, уверена, вам понравятся и другие мои произведения. Начните их читать и увидите, как поменяетесь сами.

В вашей ситуации лучший рецепт – чтение моих книг. Вы начнете обретать небывалую силу и желание изменить свою жизнь. У вас хорошая работа, огромный авторитет и новый дом, в котором не хватает только мужчины... Клара, милая, обязательно читайте мои книги. В них вы найдёте ответы на все свои вопросы. Вы всю жизнь жили для других людей и ни одного дня не посвятили себе любимой. Ещё не поздно. Ещё есть время вспомнить о себе.

Вам за тридцать, вы молоды и полны сил. Немедленно беритесь за свою личную жизнь. Принц никогда не постучит в двери вашего дома. Он просто не знает, что его там сильно ждут. Ему нужно дать понять, что ваше сердечко захотело петь и вы готовы к встрече с тем, кто растопит ваше заледенелое сердце. И ничего страшного, если встреча окажется недолгой. Примите её как маленькое любовное, авантюрное приключение, небольшую разминку перед хорошим прыжком.

Клара, вспомните о том, что вы желанная женщина, и пробудите в себе сексуальность. И пожалуйста, не позволяйте вашей маме не давать вам жить так, как вы хотите. Это ваша ЛИЧНАЯ ЖИЗНЬ, и только вам решать, как ею распорядиться.

В отношениях с мамой всё зависит только от вас. Тут нужно быть понастойчивее, потому что, ведь если мама и дальше не будет подпускать к вам парней, одиночество прочно поселится в вашем доме и вам уже не выпутаться из его сетей. Чересчур активное вмешательство вашей мамы в вашу жизнь не помогает, а разрушает её. Не позволяйте контролировать свою жизнь. Клара, вы молодчина, что сделали хорошую карьеру.

У вас всё идёт отлично, но настал момент подумать о личной жизни. Полюбите себя, поставьте себе целью выйти замуж и не забывайте, что отпущенным нам временем мы должны распоряжаться мудро. Женщины, которые активно ищут мужа, имеют намного больше шансов выйти замуж, чем те, кто считает это занятие ниже своего достоинства. И даже если ваши первые встречи будут не с тем, кто вам нужен, это нормально. Только благодаря личному жизненному опыту вы сможете найти себе достойного кандидата в мужья.

Вы сможете успешно совмещать карьеру с личной жизнью, если будете грамотно распределять своё время. И пожалуйста, не забывайте, что уверенным в себе мужчинам нравятся уверенные женщины. Клара, замечательно, что мы теперь с вами знаем о существовании друг друга. Я уверена, с чтением моих книг начнёт меняться ваша психология. И не стыдитесь желания выйти замуж, родить детей, а может, и ненадолго пуститься во все тяжкие... А почему бы и нет? Карьера отобрала у вас столько интересного и интригующего.

Для начала дайте себе установку на то, что счастье находится не где-то далеко, оно внутри вас. И не нужно идти на работу с опущенной головой.

Изящные туфельки, красивая осанка, гордо поднятая голова и ослепительная улыбка проходящему мимо вас мужчине – вот правильное поведение.

Убедите себя, что вы – самая лучшая, самая красивая, самая сексуальная и самая неповторимая. Полюбите сами себя, и вас обязательно полюбят другие. Пишите. Мне очень хочется верить в ваш позитивный настрой и желание изменить свою жизнь. Вы обязательно должны понять: не нужно ждать момента, когда вы станете счастливой, вы просто станьте, и всё. Мужчины так любят жизнерадостных женщин...

В следующем письме читательница, не буду называть её имени, но думаю, она обязательно себя узнает, описывает свою нелёгкую судьбу и убедительно просит меня купить ей трёхкомнатную квартиру. У неё есть муж, ребёнок, но нет просторного жилья, о котором она так долго мечтала. Письмо заканчивается так: «Дорогая Юлечка, надеюсь, что вы прочитаете это письмо, и уже через несколько месяцев наша семья будет жить в новой просторной трёхкомнатной квартире. Только, пожалуйста, когда будете её нам покупать, согласуйте со мной район...»

Естественно, это письмо полетело в мусорный ящик, за ним подобные письма. Я не знаю, как узко надо мыслить, чтобы писать такие письма, и чём люди руководствуются, когда их пишут. Милая женщина, у вас есть муж, а я вырастила своих детей одна. И почему вы решили, что я обладаю миллионами? Я не издаю книги. Я их пишу. Если вы думаете, что я богата, то глубоко ошибаетесь. Поэтому не тратьте конверты и чернила. Я не покупаю квартиры, дома, мебель и не оказываю спонсорскую помощь. И не пишите подобные письма другим известным людям. Поймите, вам никто не ответит и уж тем более не будет ничего покупать. Вы пишете свои письма в пустоту. Пожалейте как своё время, так и время тех, кто их читает.

Что касается критики и недовольства... Критика не принимается, подобные письма не читаются, и уж тем более на них никто не будет отвечать. Поэтому мой почтовый ящик – не самый лучший выход для сбрасывания собственной желчи.

Будьте внимательнее и нежнее к тем, кто вам дорог. Не скрывайте своих чувств и эмоций... НЕ СКУПИТЕСЬ НА ЛЮБОВЬ. Цените всех, кто хоть чуточку дорог вам, чтобы потом не о чем было жалеть. Берегите себя и своих близких. Помните, чем больше отдаёшь, тем больше получаешь. В любом из нас есть хоть капля доброты. Нужно только достучаться до закрытых сердец. Ведь именно из наших сердец исходит невидимый свет. Давайте согревать друг друга! Давайте не бояться сопереживать и дарить друг другу счастливые дни. Дарите людям счастье, и оно вернется к вам вдвойне. НЕ БОЙТЕСЬ ДЕЛАТЬ ДОБРО.

Мы должны научиться радоваться, что мы живы, здоровы, привлекательны и ходим по этой земле. Давайте вместе радоваться каждому дню. Какой бы он ни был, он наш, и мы должны прожить его и, по возможности, наполнить позитивом. Другого такого дня у нас с вами уже не будет. Давайте воспринимать каждый новый день как ШАНС изменить жизнь к лучшему!

Я стараюсь культивировать в себе только хорошие чувства, независимо от того, что происходит в моей жизни. Я пытаюсь сделать всё возможное, чтобы в этих чувствах не было негатива. И, конечно же, больше всего на свете я дорожу вашими посланиями.

Я по-прежнему жду ваших писем и с трепетом заглядываю в свой почтовый ящик.

ПИШИТЕ МНЕ НА НОВЫЙ АБОНЕНТСКИЙ ЯЩИК ПО АДРЕСУ:

143964 Московская область, г. Реутов, а/я 877. Для Юлии Шиловой.

Или по электронному адресу: yuliashilova00@gmail.com

Читая ваши прекрасные письма, я чувствую, что у меня за спиной словно вырастают крылья. Вот одно из них:

«Здравствуйте, Юлия! Меня зовут Лена, мне 23 года. Совсем недавно начала читать ваши книги, так как у нас маленький городок, то не всегда можно успеть купить их. Я прочитала пять книг, и вы завоевали мое сердце! Такая фантазия, такая логика и понимание! Ни одна книга не обходится без моих слез и переживаний. Знаете, вы изменили мою жизнь, хотя я так мало вас знаю. Раньше была какая-то полоса невезения: уволилась с работы, не было друзей, никакой личной жизни. В детстве, в четыре года, я стала плохо слышать после гриппа, из-за этого были проблемы в школе, я стала очень замкнутой. С девятнадцати лет стала выпивать.

Однажды всё изменилось. Благодаря вам, Юленька! Как-то мама принесла вашу книгу, и я поняла: вот что мне нужно. И я пропала. Вы стали моим любимым автором. Я даже начинаю сильно психовать, когда прихожу в магазин и не нахожу ваших книг.

Сейчас у меня есть все: работа, друзья, вроде и личная жизнь налаживается, перестала выпивать. Друзья понимают меня без слов. Вы очень обаятельная, чуткая, милая, я желаю вам только счастья. Пусть у вас будет всё хорошо! Спасибо вам за всё! Люблю, целую и обнимаю!

Ваша поклонница Елена».

Леночка, огромное вам спасибо за ваши прекрасные и дорогие сердцу слова. Я счастлива от того, что мои книги смогли изменить вашу жизнь. Я вас тоже очень и очень люблю!

Пишите мне свои истории, рассказывайте о своих проблемах, радостях, горестях и неудачах. Я всегда вас пойму и с удовольствием протяну вам руку дружбы! По вашей просьбе я изменю ваши имена и города и отвечу на ваши письма в конце своих книг.

Милые, дорогие, неповторимые, замечательные друзья, читатели и просто любимые люди, мне бывает жаль, когда я вижу, что на конверте вы забыли указать либо улицу, либо номер своего дома. Видимо, вы пишете на очень сильных эмоциях и не всегда проверяете, что написано на ваших конвертах.

Пожалуйста, будьте внимательны. Старайтесь подписывать конверты более понятным и разборчивым почерком. На моём рабочем столе, к сожалению, лежит целая стопка писем, где обратный адрес невозможно прочесть.

Некоторые посланные мною письма вернулись обратно из-за того, что адрес назначения неверный. Но ведь я пишу так, как разобрала ваш почерк. Мне грустно и жаль времени, а также жаль ваших пустых ожиданий. Поэтому на письма, где адрес отправителя, к сожалению, не смогу прочитать, я отвечать не буду, так как они всё равно возвращаются ко мне.

На некоторых конвертах прямо на обратном адресе стоит смазанный почтовый штемпель. Поэтому, на всякий случай, в конце своих писем не поленитесь ещё раз указать разборчиво свой почтовый адрес. Очень надеюсь на ваше понимание. И ещё, пожалуйста, пишите как можно более разборчивым почерком, а то у меня очень сильно устают глаза и после прочтения нескольких писем мне достаточно сложно переключиться на написание романа.

Если вы не хотите, чтобы я писала о вас в своих книгах, дайте мне знать, и я никогда ничего не сделаю против вашей воли. Просто так много схожих проблем и судеб... Хочется, чтобы хоть капелька вашей душевной боли нашла отклик в сердцах моих читателей, ведь за годы нашего с вами общения мы стали почти единой семьёй, где каждый может понять, помочь, простить, подсказать и поддержать. Мне так приятно осознавать, что почти в каждом уголке нашей необъятной родины, а также за её пределами, у меня есть близкие и по-настоящему родные люди. Теплота ваших писем воодушевляет меня на новые романы. Хочется жить, творить назло врагам и завистникам, а также на радость замечательным и добрым людям.

Я никогда не устану признаваться вам в любви и благодарности. В который раз убеждаюсь: меня читают САМЫЕ-САМЫЕ... Я протягиваю вам руку дружбы и искренне надеюсь, что мы будем проходить этот жизненный путь вместе. СПАСИБО вам, дорогие мои, за то, что ВЫ ЕСТЬ. Ради вас я живу, творю, не думаю о плохом и иду только вперёд. Вы мой тыл, моя любовь, моя надежда и моя вера.

Заходите на мой официальный сайт

www.юлия-шилова.рф.

На этом сайте я с огромным удовольствием общаюсь со своими поклонниками. Если вы ещё не с нами, обязательно присоединяйтесь. Мы очень ждём. На форуме моего сайта мы делимся своими радостями, горестями, переживаниями и поддерживаем друг друга. МЫ СЕМЬЯ. Там собрались самые красивые, самые прекрасные и просто потрясающие люди, от которых исходят свет и тепло. Приходите! Не пожалеете! Я буду ждать.

Дорогие мои, любимые и бесценные читатели, пишите мне свои истории, делитесь со мной своим счастьем. Мне важно знать, какое у вас настроение, как обстоят дела в школе, институте, на работе. Как вам живётся, о чём думается и мечтается. Я искренне вас люблю и надеюсь, что наша дружба будет долгой, честной и преданной.

В этой жизни ничего не бывает просто так. Каждый новый день – это шанс, что именно сегодня суждено сбыться мечте. Дорогие, будьте внимательны и снисходительны друг к другу! Прощайте друг другу обиды! Цените людей, которые с вами рядом и дороги вам! И помните: в жизни всегда наступает необратимый момент, когда сказанного и сделанного не воротишь... Любите друг друга!

Я ЛЮБЛЮ ВАС ВСЕХ! Всех, кто любит меня и ненавидит, завидует мне, раздражается оттого, что я есть, и искренне радуется за меня... Просто знайте об этом.

До встречи в следующих книгах.

Любящий вас автор, Юлия Шилова

ОТВЕТЫ НА ПИСЬМА

1

ЗДРАВСТВУЙТЕ, ДОРОГАЯ ЮЛЕНЬКА! НЕ ПЕРЕСТАЮ ВОСХИЩАТЬСЯ ВАШИМ ТВОРЧЕСТВОМ! ВЫ ОЧЕНЬ МУДРАЯ ЖЕНЩИНА И ВО МНОГОМ ПОМОГАЕТЕ НАШИМ БОЛЬНЫМ ДУШАМ! ВЫ МЕНЯ, НАВЕРНОЕ, НЕ ПОМНИТЕ, Я ПИСАЛА ВАМ ОЧЕНЬ ДАВНО ПРО СВОЮ БЕЗУМНУЮ ЛЮБОВЬ. БЛАГОДАРЯ ВАМ Я ПОНЯЛА, ЧТО ЖИЗНЬ ПРЕКРАСНА И БЕЗ МОЕГО ИЗБРАННИКА.

ПОМНИТЕ, МОЙ ПАРЕНЬ СИДИТ В ТЮРЬМЕ, И Я БОЯЛАСЬ, ЧТО, КОГДА ОН ОСВОБОДИТСЯ, НЕ ПОВЕРИТ, ЧТО Я ЕГО ЖДАЛА? ОН ОСВОБОДИЛСЯ, И Я ПОНЯЛА, ЧТО У МЕНЯ НЕТ К НЕМУ НИКАКИХ ЧУВСТВ. ОН РАЗБИЛ НАШУ ЛЮБОВЬ, И ЕЁ УЖЕ НЕ СКЛЕИШЬ.

ОН ОСВОБОДИЛСЯ СОВСЕМ ДРУГИМ ЧЕЛОВЕКОМ – ЧЕРСТВЫМ, ОЗЛОБЛЕННЫМ НА ВЕСЬ МИР, А ВЕДЬ РАНЬШЕ БЫЛ ОЧЕНЬ ДОБРЫМ И ЧУТКИМ. У МЕНЯ ОТКРЫЛИСЬ НА НЕГО ГЛА-

ЗА. ЖАЛЬ, ЧТО ЭТО ПРОИЗОШЛО ТОЛЬКО СЕЙЧАС. Я ПОТРАТИЛА НА НЕГО ПЯТЬ ЛЕТ ЖИЗНИ. Я ПОЧТИ ДВА ГОДА ЖДАЛА ЕГО ИЗ МЕСТ НЕ СТОЛЬ ОТДАЛЕННЫХ. А МОГЛА БЫ ХОДИТЬ КУДА МНЕ ВЗДУМАЕТСЯ, ЗНАКОМИТЬСЯ С ПАРНЯМИ И ЖИТЬ В СВОЁ УДОВОЛЬСТВИЕ. А Я ЖИЛА ТОЛЬКО ИМ, В ГОЛОВЕ МОЕЙ БЫЛ ТОЛЬКО ОН. НО Я СЧАСТЛИВА, ЧТО НАКОНЕЦ ПРОШЛА МОЯ ЗАВИСИМАЯ, БЕЗУМНАЯ ЛЮБОВЬ. МНЕ СТАЛО ЛЕГКО, БУДТО КАМЕНЬ С ДУШИ УПАЛ.

СЕЙЧАС ВСЁ ОЧЕНЬ ИЗМЕНИЛОСЬ! У МЕНЯ ПОВЫСИЛАСЬ САМООЦЕНКА И ПОЯВИЛАСЬ ТОЛПА ПОКЛОННИКОВ! Я ПОНЯЛА, ЧТО НИКОГДА БОЛЬШЕ НЕ БУДУ ТАК САМООТВЕРЖЕННО ЛЮБИТЬ, ВЕДЬ ЭТОГО НИКТО НЕ ОЦЕНИЛ. СЕЙЧАС ЗА МНОЙ УХАЖИВАЕТ МОЛОДОЙ ЧЕЛОВЕК, ЕМУ 29 ЛЕТ. НО И С НИМ, Я БЫ СКАЗАЛА, НЕ ВСЕ ГЛАДКО. ДЕЛО В ТОМ, ЧТО ОН ЕЩЁ НЕ РАЗВЕЛСЯ С ЖЕНОЙ, НО ЖИВЁТ ОТДЕЛЬНО. У НЕГО ПОЛУТОРАГОДОВАЛЫЙ МАЛЫШ. ОНИ ПРОЖИЛИ С ЖЕНОЙ ШЕСТЬ ЛЕТ И ПОЖЕНИЛИСЬ, КОГДА ПОЯВИЛСЯ РЕБЕНОК.

СЕЙЧАС ОН УШЁЛ ИЗ СЕМЬИ, НО РАЗВОДА НЕ БЫЛО. ГОВОРИТ, ЛЮБОВЬ ПРОШЛА. МЕНЯ ЭТО НАСТОРАЖИВАЕТ, НЕ ХОЧУ СНОВА СТРАДАТЬ. НО ОН МНЕ ОЧЕНЬ СИЛЬНО НРАВИТСЯ. ДОРОГАЯ ЮЛЕНЬКА, ПОДСКАЖИТЕ, КАК МНЕ СЕБЯ ВЕСТИ В ЭТОЙ СИТУАЦИИ. Я ВАМ ИСКРЕННЕ БЛАГОДАРНА ЗА ТО, ЧТО ВЫ ПОМОГЛИ МНЕ ИЗБАВИТЬСЯ ОТ НЕНУЖНОЙ ЛЮБВИ И ПОДНЯЛИ

МОЮ САМООЦЕНКУ. Я ВАС ОЧЕНЬ ЛЮБЛЮ И ВОСХИЩАЮСЬ ВАМИ.

ПРЕДАННАЯ ВАША ЧИТАТЕЛЬНИЦА,

НАТАЛЬЯ, 23 г.

Наташенька, я очень рада, что смогла помочь вам в ваших предыдущих отношениях. Что касается вашей новой любви, мне кажется, вам нужно просто отпустить ситуацию. Не торопитесь. Всё разрешится само собой. Дайте возможность вашему молодому человеку оформить развод. По тому, как долго он будет это делать, станет понятно, окончательно он ушёл из семьи или это просто очередная ссора. Нам с вами очень сложно понять, что у него в голове, но то, что он оставил совсем маленького малыша, характеризует его не с самой лучшей стороны. Что значит «любовь прошла»? А ответственность за семью? А малыш? Шесть лет жил с женщиной в гражданском браке, всё было хорошо. Родился ребенок, и прошла любовь? Может, просто убежал от трудностей, не захотев разделить их со своей женой?

Вполне возможно, что в семье вашего молодого человека случился кризис после семи лет брака. И не важно, что свои отношения с женой он зарегистрировал только когда родился малыш. Он жил с ней до этого шесть долгих лет. Кризис мог начаться и раньше, потому что цифра семь – условная. Кризис заключается в том, что супруги отдаляются друг от друга. Пропасть может быть настолько глубокой, что супругов уже ничего не связывает, и их взаимоотношения перестают представлять ценность. Один из супругов может найти радости и вне семьи. Это может быть физическая измена вследствие однообразия сексуальной жизни или духовная измена. Как раз в этот момент ваш молодой человек и встретил вас. В такие моменты в семье становятся частыми ссоры, сексуальные контакты слишком редкими...

Существует четыре кризиса семейных отношений.

Первый кризис выпадает на семейные отношения после первого года брачной жизни. Хотя семейную пару в этот период отличает чрезмерный оптимизм, у неё вполне может случиться кризис по причине разочарования, которое часто наступает после начала совместного проживания.

Второй кризис наблюдается в семейных отношениях через два или три года брака. Если принять во внимание, что после первого года семейной жизни страсть начинает угасать, супруги сталкиваются с семейной рутиной. С другой стороны, именно в этот период женщина может начать сомневаться, соответствует ли избранник её ожиданиям и в состоянии ли он сделать её счастливой.

Третий кризис семейных отношений связан с рождением первого ребенка. Внезапно вместо двух в семье становится три человека. И пока жена и муж примеряют на себя роли матери и отца соответственно, в их отношениях неизбежно наступает отчуждение. Я думаю, именно это произошло в семье вашего избранника. Конечно, третий кризис может коснуться семейных отношений раньше предыдущего, если пара начинает свою брачную жизнь в период уже имеющейся беременности.

Четвертый кризис наступает в семейных отношениях значительно позже, когда роли между супругами давно разделены, и связан больше с личным кризисом идентичности либо одного, либо обоих супругов. Если раньше считалось, что подобный кризис семейных отношений случается через семь лет брака, то сегодня эксперты убеждены, что самому серьезному кризису семейные отношения подвергаются через десять или одиннадцать лет брачной жизни.

При желании семью всегда можно сохранить, поговорить с партнером о сложившейся ситуации. Но, увы, женщины очень часто выбирают политику страуса, надеясь, что кризис в их семейных отношениях пройдет сам по себе, если они будут молчать – притворяясь, что ничего страшного в их доме не происходит. Это большая ошибка! Молчание не только загоняет все проблемы вглубь, но и умножает их число. Некоторые в этот момент отдыхают друг от друга. Эта ситуация также может быть применима к вашему избраннику. Не зря психологи говорят: даже самым любящим людям необходимо один месяц в году проводить порознь.

Очень часто отношения заканчиваются с рождением ребёнка, и мужчина уходит из семьи, когда ребёнку исполняется всего год или полтора. Рождение ребенка – огромный стресс для семьи. С рождением ребенка жизнь меняется кардинально. Увы, чаще всего уходят от маленьких детей из семьи слабые мужчины. Столкнулись с первыми трудностями, и наутёк. Ведь женился ваш любимый не по залёту, а до этого прожил со своей женой шесть лет, и вполне, возможно, счастливых...

У меня много знакомых семей, теперь уже бывших, где инициатором рождения ребенка были именно мужчины. Уж так хотели, так хотели, чего только не обещали, лишь бы малыш появился на свет. И что? Оказалось, беременная жена – не такой уж подарок, а малыш – не игрушка, которой можно немного поиграть и задвинуть в уголок. Бурного секса нет, былой страсти нет, покоя нет, расходов много, а удовольствия никакого. Многие мужчины в мечтах о детях витают в облаках: «Вот родится сын, буду с ним на футбол ходить и на рыбалку ездить». Одним словом, никаких забот, сразу удовольствие. А то, что до того момента, как ребенок дорастет до походов на рыбалку, придется выдержать ночные крики, недосыпы, детские болячки, постоянную возню с памперсами, кормлениями, прогулками, хождением в детский сад, школу, мужчины упускают из виду. Обычно мужчины не выдерживают ответственности, на женщин ложится больший груз, появляются конфликты. Муж пытается из дома улизнуть, чтобы не помогать с дитём.

Рождение ребенка – важнейший тест на прочность брака. Очень многие не готовы поступиться своими привычками. Отсюда – взаимные упреки, усталость, раздражительность. Привычная схема отношений нарушена, и всё теперь вертится вокруг одного – ребенка. Кто-то воспринимает это нормально, приспосабливается быстро и поддерживает своего спутника, а кто-то начинает обижаться, что теперь не он главный, с ним не считаются и ему надо себя ломать. Чаще всего это мужчина.

Женщина загибается от усталости, денег на няню нет, времени свободного нет, ребенок забирает всё, отношения между мужем и женой превращаются в соседские, любовь, даже если была, пылится в уголке за ненадобностью, ведь главное теперь – ребёнок.

Наташенька, вы пишете, что не хотите больше страданий. Так не страдайте, не бросайтесь в омут с головой. Не любите слишком сильно и самоотверженно. Никто не может дать гарантий. Просто не торопите ситуацию. Пусть всё идёт, как шло. Ваш любимый оформит развод, а вы старайтесь побольше и получше его узнать. А время всё расставит по своим местам. И пожалуйста, не забывайте: мир полон мужчин, и в нём есть достойные.

Любящий вас автор, Юлия Шилова.

2

ЗДРАВСТВУЙТЕ, ДОРОГАЯ ЮЛИЯ! ЗОВУТ МЕНЯ НИКА, МНЕ 19 ЛЕТ. ОЧЕНЬ ДОЛГО ДУМАЛА, ПРЕЖДЕ ЧЕМ НАПИСАТЬ ВАМ ПИСЬМО. И ВОТ НАКОНЕЦ РЕШИЛАСЬ. ЧИТАЮ ВАШИ КНИГИ НА ПРОТЯЖЕНИИ ЧЕТЫРЕХ ЛЕТ. ДАЖЕ ПЕРЕЧИТЫ-

ВАЮ НЕКОТОРЫЕ, ВЕДЬ ВСЕ ОНИ – ЧАСТЬ МЕНЯ, И ДЛЯ МЕНЯ ОЧЕНЬ ВАЖНО ВАШЕ ТВОРЧЕСТВО, ЧТОБЫ ЖИТЬ.

В НАШ ГОРОД РЕДКО ПОСТАВЛЯЮТ ВАШИ КНИГИ В КНИЖНЫЕ МАГАЗИНЫ, НО Я НЕ ПЕРЕСТАЮ ИСКАТЬ ИХ. ИНОГДА БЕРУ У БАБУШКИ (ОНА ВАША ПОКЛОННИЦА), И У НЕЁ ИМЕЮТСЯ ВАШИ КНИГИ.

ХОЧУ РАССКАЗАТЬ ВАМ ИСТОРИЮ, КОТОРУЮ НЕ РАССКАЗЫВАЛА НИКОМУ, ДАЖЕ МАМЕ. 5 ЯНВАРЯ 2012 ГОДА Я ПОЗНАКОМИЛАСЬ В СОЦИАЛЬНОЙ СЕТИ С ЧЕЛОВЕКОМ, КОТОРЫЙ И ПО СЕЙ ДЕНЬ НЕ ПОКИДАЕТ МОИ МЫСЛИ. ЭТИМ ЧЕЛОВЕКОМ ОКАЗАЛАСЬ ДЕВУШКА – ТАТЬЯНА. ОНА ВЛЮБИЛАСЬ В МЕНЯ, А ПОТОМ И Я В НЕЁ. САМА ОТ СЕБЯ НЕ ОЖИДАЛА ПОДОБНОГО.

СНАЧАЛА ВСЁ БЫЛО ХОРОШО, НО ПОТОМ В ОТНОШЕНИЯХ НАЧАЛИСЬ ССОРЫ И РАЗБОРКИ. Я ВСЁ ОСТРО ПЕРЕЖИВАЛА, У МЕНЯ БЫЛИ ТРИ ПОПЫТКИ СУИЦИДА. ПОТОМ Я ЛЕЖАЛА В НЕВРОЛОГИЧЕСКОМ ОТДЕЛЕНИИ, БЫЛО НЕРВНОЕ ИСТОЩЕНИЕ.

В СЕМЬЕ ИЗ-ЗА МОЕЙ ОРИЕНТАЦИИ НАЧАЛИСЬ ПРОБЛЕМЫ, ОТЕЦ СТАЛ БИТЬ МЕНЯ, А МАМА ДАЖЕ НЕ ЗАСТУПАЛАСЬ, НАОБОРОТ, ЗАЩИЩАЛА ЕГО. Я УШЛА ИЗ ДОМА К БАБУШКЕ, ТАК КАК БЫЛО ПРОСТО НЕКУДА И НЕ К КОМУ БЫЛО ОБРАТИТЬСЯ. МНЕ БЫЛО ТАК ОБИДНО И ТАК БОЛЬНО. Я ЭТОГО НЕ ЗАБЫЛА И ДО СИХ ПОР НЕНАВИЖУ ОТЦА. НЕ ПЕРЕДАТЬ СЛОВАМИ, ЧТО ЭТО ЗА ЧЕЛОВЕК.

В ТАКИЕ ПЕРИОДЫ ЖИЗНИ Я НЕ РАССТАЮСЬ С ВАШИМИ КНИГАМИ. ОНИ ПОМОГАЮТ МНЕ ЖИТЬ И МЫСЛИТЬ ПО-НОВОМУ, ЧЕМУ-ТО УЧИТЬСЯ.

УМА НЕ ПРИЛОЖУ, ЧТО ДЕЛАТЬ С ТАТЬЯНОЙ? ТОЛЬКО ВСЁ С НЕЙ УЛЕГЛОСЬ, И ОТНОШЕНИЯ НАЧАЛИ НАЛАЖИВАТЬСЯ, КАК Я ПОНЯЛА, ЧТО ЕЁ УЖЕ НЕ ЛЮБЛЮ, ПЕРЕБОЛЕЛА. ВОСПОМИНАНИЯ ТРАВЯТ ДУШУ. СКАЗАТЬ ЕЙ О ТОМ, ЧТО УЖЕ НЕ ЛЮБЛЮ, – СТРАШНО.

НАДЕЮСЬ НА ВАШ СОВЕТ. СПАСИБО БОЛЬШОЕ! С ЛЮБОВЬЮ,

НИКА.

Ника, спасибо за ваше письмо. Я так понимаю, что проблема – ваша ориентация, остальное менее важно. Если вы разлюбили Татьяну, скорее всего, вы её и не любили вовсе. Это было увлечение. Я не вижу ничего страшного, если вы скажете Татьяне, что больше не хотите с ней отношений. Нужно просто набраться мужества. Теория честности по отношению к близким людям ещё никому не помешала.

Всё зависит от степени ваших отношений. Чем вы дольше и серьезнее встречались, тем мягче и внимательнее должны быть. Девушке будет больно, будьте готовы к этому. Не обнадёживайте её, ведь ей будет нужно встретить другого человека и построить другие отношения. Жить во лжи долго не получится. Ей будет гораздо больнее видеть ваше отношение к ней. Всегда ощущаешь, когда чувства остыли. Всё это можно пережить. Татьяна должна вас понять. Просто постарайтесь сделать это как можно мягче. Скажите ей о том, как она вам дорога, но при этом вы бы хотели остаться друзьями.

Что касается вашей ориентации, такое часто бывает с девушками. По своей природе люди бисексуальны, и я не удивлюсь, если следующей вашей любовью будет не девушка, а молодой человек. У меня есть читательницы, которые встречались и даже жили с представительницами своего пола, думали, что это любовь, а сейчас счастливо живут с мужем. Ведь если разобраться, мы влюбляемся не в пол, а в душу. Возможно, вы находитесь в поисках себя. Вы молодая, гормональный фон ещё нестабильный, эмоции захлёстывают. Гормональные всплески могут быть такой силы, что их можно путать с влюблённостью или даже любовью. Может, это обычные метания молодости. Главное, не думать, будто с вами что-то не так.

И даже если вы поймёте, что парни вас не интересуют, не воспринимайте свою нетрадиционную ориентацию как приговор. Если родители не хотят вас понять и принять такой, какая вы есть, живите у бабушки. Ваша бабушка гораздо мудрее ваших родителей. Я поняла, что вам с ней комфортно и она не пытается вас переделать. Сложно противостоять общественному мнению, но наши близкие на то и близкие, чтобы нас понимать и защищать от негатива. Каждый из нас должен иметь свободу выбора.

Очень часто, когда родители узнают, что их ребёнок не такой, как все, они впадают в шок. Это понятно, любая мать или отец, узнав о том, что их ребёнок нестандартной ориентации, достаточно тяжело это переживают. Первая реакция – желание вылечить ребёнка. Родительская мудрость заключается в том, что необходимо принять своего ребёнка таким, какой он есть.

В вашем письме меня очень задела совсем не ваша ориентация и любовь к девушке, а ваше отношение к собственной жизни. Милая моя девочка, почему вы не любите жизнь? Почему вы так с собой поступаете? Три попытки суицида... Нервное истощение... За что вы так себя не любите? Люди умирают от страшных болезней, лежат годами на больничных койках и мечтают хоть немного продлить жизнь... Хоть на несколько дней... А вы молодая, здоровая, красивая, так играете со своей жизнью и совершенно не цените то, что вам дано... Да ни одна девушка или парень не стоят того, чтобы добровольно уйти из жизни. Ника, девочка моя, не гневите Бога!

Я понимаю, попытки самоубийства вы совершали от отчаяния и от желания привлечь к себе внимание. Я искренне надеюсь, что в больнице с вами поработали психотерапевты и помогли вернуть веру в себя. Ника, хорошая моя, пора НАЧИНАТЬ ЖИТЬ, а не выживать. Радоваться, любить, достигать, а не вести бесконечную борьбу за выживание. Жизнь всегда улыбается тем, кто умеет ею наслаждаться.

Забудьте все горькие обиды, простите родителей, девушку, с которой не удалось сохранить любовь, и полюбите себя такую, какая вы есть. Поймите, уныние – страшный грех, ему нет оправдания. Обязательно полюбите жизнь, и вам воздастся! У вас никогда не должны заканчиваться силы для того, чтобы ЖИТЬ, ведь жизнь – это наслаждение. Учитесь жить в удовольствие. Это такое счастье – встретить ещё один рассвет и ещё один закат... Услышать ещё один дождь... Увидеть ещё один снег...

Ника, учитесь прощать. Простите своих родителей, боль, которую они вам доставили словами или поступками. Я понимаю, вам их сложно простить, но прощение нужно вам самой, чтобы ощутить облегчение в сердце. Простите себя за то, что не стали тем человеком, которым они хотели вас видеть и не оправдали их надежд. Вы стали тем, кем стали. Примите этот факт как данность. Когда научитесь прощать себя и других, вам будет легче научиться любить жизнь. Начинайте каждое утро с благодарности и прощения.

Ника, милая, не требуйте ничего от жизни, а просто её любите... Любите за то, что она есть и она сейчас с вами, даже несмотря на то, что вы с ней так поступали. Встречайте каждый свой новый день с улыбкой. Не ждите от жизни милости. Просто любите её, и всё. Вот увидите, она обязательно ответит вам взаимностью. Учитесь достойно принимать любые удары судьбы, вставать с колен и, УЛЫБАЯСЬ, ЖИТЬ ДАЛЬШЕ. Цените настоящее. Живите ЗДЕСЬ и СЕЙЧАС. ПОЛЮБИТЕ ЖИЗНЬ, ПОКА НЕ ПОЗДНО. СПЕШИТЕ ЖИТЬ. Жизнь так скоротечна, часы идут...

Она совсем не так длинна, как кажется. Я верю, вы сможете, у вас всё получится.

Любящий вас автор, Юлия Шилова.

3

ЗДРАВСТВУЙТЕ, ДОРОГАЯ, ГОРЯЧО ЛЮБИМАЯ ЮЛИЯ! ПИШУ ВАМ УЖЕ ВТОРОЕ ПИСЬМО. ПЕРВОЕ ОТПРАВИЛА НА СТАРЫЙ АДРЕС, К СОЖАЛЕНИЮ, ЕЩЁ НЕ ЗНАЛА НОВОГО. ВАШИМ ТВОРЧЕСТВОМ УВЛЕКЛАСЬ НЕДАВНО, НО СЕРЬЁЗНО. НАВЕРНОЕ, СКАЖУ ВАМ ТО, ЧТО ГОВОРЯТ МНОГИЕ, НО ЭТИ СЛОВА ИСКРЕННИЕ И ОТ ВСЕГО СЕРДЦА. ЮЛИЯ, ВЫ ПОТРЯСАЮЩАЯ ЖЕНЩИНА, ДОСТОЙНАЯ ВСЕОБЩЕГО ВОСХИЩЕНИЯ. ВЫ ЗАМЕЧАТЕЛЬНЫЙ ЧЕЛОВЕК, КОТОРЫЙ ГОТОВ ПРОТЯНУТЬ РУКУ ТОМУ, КТО В ЭТОМ НУЖДАЕТСЯ. СВОИМИ СЛОВАМИ, МЫСЛЯМИ, ИЗЛОЖЕННЫМИ В КНИГАХ, ВЫ ДАЁТЕ ЛЮДЯМ ВЕРУ, НАДЕЖДУ И, ЗНАЕТЕ, ЛЮБОВЬ! ЧИТАЯ ВАШИ РОМАНЫ, ХОЧЕТСЯ ДЕЙСТВИТЕЛЬНО ЖИТЬ.

ВЫ В СВОИХ РОМАНАХ УЧИТЕ: ЕСЛИ СУДЬБА СИЛЬНО БЬЁТ, НАДО ВСТАТЬ С КОЛЕН И ИДТИ ДАЛЬШЕ! ВАШИ ГЕРОИНИ ТАКИЕ СИЛЬНЫЕ ЖЕНЩИНЫ, ТАКИЕ ИСКРЕННИЕ И НАСТОЯЩИЕ! ОЧЕНЬ ХОЧУ БЫТЬ ПОХОЖЕЙ НА НИХ! РОКОВОЙ, НЕОРДИНАРНОЙ, ЯРКОЙ, ЦЕЛЕУСТРЕМЛЕННОЙ, ЖИЗНЕРАДОСТНОЙ! ПОЧЕМУ-ТО МНЕ КАЖЕТСЯ, СВОИХ ГЕРОИНЬ ВЫ ОТЧАСТИ ДЕЛАЕТЕ ПОХОЖИМИ НА СЕБЯ. Я ВАС ПОЛЮБИЛА,

ПОТОМУ ЧТО ВЫ ЗНАЕТЕ ТОЛК В ЖИЗНИ! Я ВАС ОЦЕНИЛА КАК ПОДРУГУ И НАСТАВНИЦУ!

ЗОВУТ МЕНЯ АЛЕКСАНДРА, МНЕ 21 ГОД. Я УЖЕ УСПЕЛА КОЕ-ЧТО ПОВИДАТЬ В ЖИЗНИ. ОЧЕНЬ СИЛЬНО, КАК И ЛЮБОЙ РЕБЁНОК, ЛЮБИЛА СВОИХ РОДИТЕЛЕЙ. В СЕМЬ ЛЕТ ОНИ ОТПРАВИЛИ МЕНЯ В ШКОЛУ И НАЧАЛИ СПИВАТЬСЯ. ДОМА ПОСТОЯННО ДРУЗЬЯ, МОРЕ ВЫПИВКИ И СОВСЕМ НЕЧЕГО КУШАТЬ. УХОДИЛА ИЗ ДОМА К БАБУШКЕ И ДЕДУШКЕ.

А ЗАТЕМ ОНИ УМЕРЛИ. ПЕРВАЯ ДЕТСКАЯ, ТЯЖЕЛО ПЕРЕНЕСЁННАЯ ПОТЕРЯ. В 12 ЛЕТ ОПЕРАЦИЯ НА СЕРДЦЕ. ВРОЖДЕННЫЙ ПОРОК, В РЕАНИМАЦИИ ДВА РАЗА ОТКАЗЫВАЛО СЕРДЦЕ. МНЕ ПОСТАВИЛИ КАКОЙ-ТО АППАРАТ, ЗА СЧЕТ КОТОРОГО И РАБОТАЕТ МОЁ СЕРДЦЕ. НА ГРУДИ ОПЕРАЦИОННЫЙ ШРАМ НА ВСЮ ЖИЗНЬ. ПОСЛЕ ОПЕРАЦИИ МЕНЯ ЗАБРАЛИ К СЕБЕ РОДНОЙ ДЯДЯ И ЕГО ЖЕНА.

КОГДА МНЕ БЫЛО 15 ЛЕТ, УМЕР МОЙ ОТЕЦ. МНЕ БЫЛО ТАК БОЛЬНО. ЖИВЯ У ТЕТКИ, Я БЫЛА ЧЕМ-ТО ВРОДЕ ПРИСЛУГИ И УБОРЩИЦЫ. ТЕТКА ОКАЗАЛАСЬ ТИРАНШЕЙ. СКОЛЬКО УНИЖЕНИЙ Я ПЕРЕЖИЛА, СКОЛЬКО СЛЕЗ В ПОДУШКУ ВЫПЛАКАЛА.

В 18 ЛЕТ Я НЕ ВЫДЕРЖАЛА И СБЕЖАЛА ИЗ ИХ ДОМА. ОНА ХОТЕЛА ЗАСТАВИТЬ МЕНЯ ПЕРЕПИСАТЬ МОЮ КВАРТИРУ, ОСТАВШУЮСЯ ОТ РОДИТЕЛЕЙ, НА ЕЁ НЕСОВЕРШЕННОЛЕТНЕГО СЫНА. Я ПЕРЕЕХАЛА К ДРУГОЙ ТЁТКЕ И ПРОЖИЛА С НЕЙ ПОЛГОДА. ЗАКОНЧИЛА ОДИННАДЦАТЫЙ

КЛАСС. ЕЕ МУЖ СТАЛ ВОЗМУЩАТЬСЯ, ПРИШЛОСЬ ОПЯТЬ ПЕРЕЕХАТЬ. НА ЭТОТ РАЗ К СЕБЕ НА КВАРТИРУ. НЕ БЫЛО НИ ОБОЕВ НА СТЕНАХ, НИ ШТОР НА ОКНАХ, НИ ХОЛОДИЛЬНИКА, НИ КРУЖКИ, НИ ТАРЕЛКИ. СОВСЕМ НИЧЕГО. ПОШЛА РАБОТАТЬ. МАЛЕНЬКИМИ ШАЖОЧКАМИ НАЧАЛА ОБУСТРАИВАТЬ СВОЕ СКРОМНОЕ ЖИЛИЩЕ БЕЗ ЧЬЕЙ-ЛИБО ПОМОЩИ. НЕ СПИЛАСЬ, НЕ СТАЛА НАРКОМАНКОЙ, НЕ ПОШЛА НА ПАНЕЛЬ. Я ГОРДА СОБОЙ!

ПОЯВИЛИСЬ ОТНОШЕНИЯ С МОЛОДЫМ ЧЕЛОВЕКОМ. ОН БЫЛ МОИМ ПЕРВЫМ МУЖЧИНОЙ. МНЕ КАЗАЛОСЬ, ОН ИДЕАЛЕН. ВСЁ БЫЛО ОТЛИЧНО. НО ЧЕРЕЗ ПОЛГОДА НАШИХ ОТНОШЕНИЙ ОН НАПИСАЛ МНЕ SMS, В КОТОРОМ СООБЩИЛ, ЧТО НАШЕЛ ДРУГУЮ. МЫ РАССТАЛИСЬ, И МНЕ БЫЛО ОПЯТЬ ОЧЕНЬ БОЛЬНО!

ПОТОМ ПОЯВИЛСЯ ДРУГОЙ МОЛОДОЙ ЧЕЛОВЕК, ОПЯТЬ УВЛЕКЛАСЬ. И ЧЕРЕЗ ТРИ МЕСЯЦА Я УЗНАЛА, ЧТО ОН ВЕРНУЛСЯ К СВОЕЙ БЫВШЕЙ ДЕВУШКЕ, А МЕНЯ ИСПОЛЬЗОВАЛ И ПРИДЕРЖИВАЛ КАК ЗАПАСНОЙ ВАРИАНТ. Я БЫЛА В УЖАСЕ, КОГДА УЗНАЛА ЭТО. КАК ЖЕ БОЛЬНО! СТОЛЬКО БОЛИ И ПОТЕРЬ БЫЛО! НЕ ПРЕДСТАВЛЯЮ, КАК Я ЭТО ВСЁ ПЕРЕЖИЛА.

Я НЕ ЗЛЮСЬ НА ТЕХ, КТО ПРИНЕС МНЕ СТРАДАНИЯ. ПРОСТО Я УСТАЛА. РАЗВЕ Я ЗАСЛУЖИВАЮ ТАКОЕ ОТНОШЕНИЕ К СЕБЕ? ПОЧЕМУ ТАК ПРОИСХОДИТ? СТАЛА БОЯТЬСЯ ВЕРИТЬ ЛЮДЯМ. САМА ПО СЕБЕ Я НАИВНАЯ И ДОВЕРЧИВАЯ. МНЕ ПРОТИВНО ВРАТЬ И БЫТЬ ПОДЛОЙ. НО ПОЧЕМУ

ОТНОШЕНИЯ С МОЛОДЫМИ ЛЮДЬМИ НЕ ЛАДЯТСЯ? Я БЫЛА ТАКОЙ ИСКРЕННЕЙ.

ЧТО ТВОРИТСЯ С МОЛОДЫМИ ЛЮДЬМИ И С МИРОМ ВООБЩЕ? КУДА ДЕЛИСЬ ЧЕСТНОСТЬ, ОТКРЫТОСТЬ, БЕСКОРЫСТИЕ И ЛЮБОВЬ? ТАК ХОЧЕТСЯ ПРИЖАТЬСЯ К МАМИНОЙ ГРУДИ И РАССКАЗАТЬ ЕЙ ОБО ВСЁМ. НО НЕТ НИ МАМЫ (Я НЕ ВИДЕЛА ЕЕ С ШЕСТНАДЦАТИ ЛЕТ), НИ ПОДРУГИ. НИКОГО! НЕТ РОДНОГО ЧЕЛОВЕКА, НЕТ МУЖЧИНЫ – «СТЕНЫ», ЗА КОТОРОЙ МОГЛА БЫ УКРЫТЬСЯ. НИКОГО НЕТ. ПОЛНОЕ ОДИНОЧЕСТВО!

НО ОЧЕНЬ ХОЧЕТСЯ ЖИТЬ. БУДУ И Я СЧАСТЛИВА И ЛЮБИМА! ПРАВДА, ЮЛИЯ? ВЕДЬ КАЖДЫЙ ЧЕЛОВЕК ДОСТОИН СЧАСТЬЯ. ЭТО ВСЕЛЯЕТ МНЕ НАДЕЖДУ! ВЕРУ! И ВАМ ОГРОМНОЕ ЗА ЭТО СПАСИБО! ЭТО ВЫ МНЕ ТАК ПОМОГЛИ МОРАЛЬНО! ВЫ ВСЕЛИЛИ В МЕНЯ НАДЕЖДУ!

С ОГРОМНЫМ УВАЖЕНИЕМ И ПОЧТЕНИЕМ,

АЛЕКСАНДРА.

Александра, милая, прочитала ваше письмо и ощутила вашу боль. Милая моя девочка, вы такая молодая и такая сильная. Такая колоссальная сила духа! Да хранит вас Бог! Я горжусь тем, что меня читают такие девушки, как вы. Сашенька, дорогой мой человек, всё в вашей жизни будет хорошо. Появится рядом надёжный мужчина, крепкий тыл и семья. Главное, не опускать руки, верить и ждать.

Никогда не забывайте о законе притяжения. Он ведь действительно работает. Будем притягивать к себе только позитивное. Думайте о хорошем. Даже если жизнь припёрла вас к стенке, не сдавайтесь. Измените что-нибудь в себе или обстоятельствах. Если не можете изменить ситуацию, которая на сегодняшний день сложилась, измените своё отношение к ней. Дерзайте, учитесь, ищите новую работу, приобретайте новую специальность, заведите новые увлечения, знакомьтесь, кружите голову мужчинам, живите интересной и насыщенной жизнью. Смело переступайте через свои сомнения и страхи. Ваша жизнь будет ярче, краше и радостнее.

Сашенька, женская психика очень гибкая. Даже если теряем всё на свете, мы редко теряем самих себя. Мы все хотим быть слабыми и укрыться за сильной мужской спиной от людской молвы и сильного ветра. Но, увы, таких «спин» сегодня почти не существует, и нам приходится рассчитывать только на себя. Главное, не впадать в отчаяние. Нет ни одной депрессии, которая со временем бы не прошла. И пусть сейчас всё вокруг черным-черно, но ведь наша жизнь циклична. Сейчас всё чёрное, но пройдёт время, и всё вокруг окрасится в яркие цвета. Самое главное – верить, что всё пройдёт. Если есть возможность, хоть ненадолго смените обстановку, куда-нибудь поезжайте, отвлекитесь. Герман Гессе говорил: «Отчаяние Бог нам посылает не для того, чтобы умертвить нас. Он посылает его нам для того, чтобы пробудить новую жизнь».

Мы сами пишем сценарий собственной жизни, и порой ошибаемся. И это нормально. Без ошибок у нас бы не было необходимого жизненного опыта.

Если вы посчитали, что ваш сценарий написан неудачно, то скомкайте листы с непонравившимся сценарием. Выкиньте его в мусорную корзину и начинайте писать новый. КОГДА ВАМ ОЧЕНЬ ХОЛОДНО И ОДИНОКО, ОБЯЗАТЕЛЬНО ПОДНИМИТЕ ГОЛОВУ, И ВЫ УВИДИТЕ СОЛНЕЧНЫЙ СВЕТ.

Александра, хорошая моя, редкий человек может похвастаться тем, что его жизнь безоблачна и беззаботна. Большинство из нас прожили нелёгкую жизнь с огромным грузом проблем и различных трудностей. Но всё же все мы жили так, как умели. Жизнь даёт нам столько испытаний, сколько мы в состоянии вынести. И как бы ни было больно, но наше прошлое – прекрасная основа, чтобы начать заново себя возрождать. Всё, что у вас есть, – это ценный опыт. Несмотря ни на что, постарайтесь сказать СПАСИБО своей жизни за уроки, которые она вам преподнесла. Благодаря им вы стали сильнее.

Постарайтесь освободиться от негативного жизненного опыта и простить всех, кто причинил вам хоть какую-то боль. Поверьте в себя и свои возможности. Попытайтесь создать себе счастливое будущее. Убедите себя в том, что ВСЁ ХОРОШЕЕ ТОЛЬКО НАЧИНАЕТСЯ. Все наши несчастья в нас самих, счастье тоже. Жизнь не где-то, она ЗДЕСЬ И СЕЙЧАС. Подруги и мужчины приходят и уходят. Постарайтесь отнестись к этому философски.

Научитесь уважать своё прошлое и попробуйте переписать историю своей жизни. Не откладывайте новый сценарий в долгий ящик. Вы СИЛЬНАЯ, у вас ВСЁ ПОЛУЧИТСЯ! Просто рассмейтесь, неудачам назло, вооружитесь вашим самым главным оружием – улыбкой и идите по жизни смеясь. В жизни можно научиться всему. Если сильно захотите, станете счастливой, потому что счастье находится в нас самих. Нужно лишь обрести гармонию в душе и с окружающим миром.

Если хотите справиться со своими страхами, представьте, что мир – это театр и в этом театре вам дали роль роковой красавицы. Интересная роль, правда? Так попробуйте её сыграть, и вы увидите, как мир начнёт подыгрывать вам. Играя, вы сможете найти свой образ и сделать его естественным. После того, как вы перестанете играть, у вас сохранятся привычки, повадки, суждения, которые вам помогут и придадут уверенности.

Попробуйте жить и не обращать внимания на то, что способно испортить вам жизнь. Это сложно, но этому нужно научиться. Я попробовала, и у меня получилось. Значит, получится и у вас. Поверьте в себя, вера научит вас уверенности в себе. Уверенным женщинам в этой жизни живётся легче, потому что они свободны и независимы, как внутренне, так и внешне. Научитесь правильно себя подавать, найдите собственный стиль, умело пользуйтесь достоинствами своей внешности, прячьте свои недостатки.

Позвольте себе быть сексуальной, яркой, не такой, как все. Полюбите себя и не бойтесь этого чувства. Перестаньте сомневаться в себе, ведь вы у себя одна-единственная. Замечайте всё только хорошее и старайтесь не видеть плохое. Общайтесь только с приятными людьми и старайтесь избегать общения с теми, кто вам неприятен. Почаще общайтесь с оптимистами – это общение будет накапливать в вас положительные и созидательные эмоции.

Разрешите себе быть красивой, счастливой и успешной. Постоянно меняйтесь, чтобы всегда быть интересной. Если вы будете интересны себе, обязательно станете интересны окружающим. Всё зависит от вашего внутреннего настроя и желания. У вас должна быть внутренняя установка на изменения в себе, сильнейшая вера в себя и тяжелейшая ежедневная работа по оттачиванию своего нового образа.

Старайтесь жить как можно более насыщенно, найдите работу, которая приносит как моральное, так и материальное удовлетворение. И помните: вам не надо стыдиться своего желания быть лучшей. Оно естественно. Вы должны быть женщиной, которая сумеет преодолеть любые препятствия.

Обязательно возьмите свою фотографию, где вы выглядите лучше всего, и поставьте её на самое видное место. Научитесь наслаждать собственным образом и принимать себя такой, какая вы есть. Когда смотритесь в зеркало, восхищайтесь своим отражением, ведь зеркало теперь ваш союзник и вы должны с ним дружить. А ЕГО вы обязательно встретите. Даже не сомневайтесь. Я верю, что если вы ЕГО встретите, то не упустите своего счастья.

Нужно запрограммировать себя на счастье, и тогда обязательно всё получится. ОН уже где-то недалеко, на полпути к вам. Просто не может вас найти, так же, как и вы ЕГО... ЕМУ нужно немного помочь, и ваша долгожданная встреча произойдёт.

ДАЖЕ САМАЯ ЧЁРНАЯ ПОЛОСА ОДНАЖДЫ МОЖЕТ СТАТЬ ВЗЛЁТНОЙ. Александра, милая, пишите. Я вас очень люблю и искренне верю: ВСЁ БУДЕТ ХОРОШО.

Любящий вас автор, Юлия Шилова.

4

ЗДРАВСТВУЙТЕ, ГОРЯЧО ЛЮБИМАЯ ЮЛЕНЬКА! ПИШЕТ ВАМ РУКОВОДИТЕЛЬ ВАШЕГО ОФИЦИАЛЬНОГО ФАН-КЛУБА ИЗ БЕЛАРУСИ. ПИШУ ВАМ С ЖЕЛАНИЕМ ПОПРОСИТЬ СОВЕТА. ЗОВУТ МЕНЯ ИРИНА, МНЕ 24 ГОДА. В ЭТОМ ГОДУ ЗАКОНЧИЛА КОЛЛЕДЖ ПО СПЕЦИАЛЬНОСТИ «УЧИТЕЛЬ АНГЛИЙСКОГО ЯЗЫКА» И СРАЗУ ПОСТУПИЛА В ОЧЕНЬ ПРЕСТИЖНЫЙ МИНСКИЙ УНИВЕРСИТЕТ (МГЛУ) ПРОДОЛЖАТЬ ОБУЧЕНИЕ ПО СПЕЦИАЛЬНОСТИ. У МЕНЯ ЕСТЬ МУЖ И МАЛЕНЬКАЯ ДОЧЕНЬКА ЛИЗОНЬКА. Я ОЧЕНЬ ИХ ЛЮБЛЮ. НО ИНОГДА МНЕ КАЖЕТСЯ, Я И НЕ ЧЕЛОВЕК ВОВСЕ.

ВО-ПЕРВЫХ, МОЙ МУЖ ЛЮБИТЕЛЬ ПО ВЕЧЕРАМ ПОЙТИ ВЫПИТЬ С ДРУЗЬЯМИ. МЕНЯ ЭТО РАЗДРАЖАЕТ ДО УЖАСА. Я УВЕРЕНА, ОН МНЕ НЕ ИЗМЕНЯЕТ, НО ЕГО ОБРАЗ ЖИЗНИ НЕ ВНУШАЕТ

МНЕ ДОВЕРИЯ. ТАСКАЕТСЯ ДО НОЧИ НЕИЗВЕСТНО ГДЕ, А Я НЕ МОГУ УСНУТЬ, ПОКА ОН НЕ ПРИДЁТ. В ИТОГЕ ЗАСЫПАЮ ПОД УТРО. ДОЧКА ТОЖЕ ПЛОХО СПИТ ПО НОЧАМ И ВСТАЁТ РАНО. ИТОГ – ХРОНИЧЕСКИЙ НЕДОСЫП И МЕШКИ ПОД ГЛАЗАМИ, БЛЕДНЫЙ ЦВЕТ ЛИЦА И ТАК ДАЛЕЕ.

МУЖ ПОСТОЯННО УПРЕКАЕТ МЕНЯ, ОН ПОСТОЯННО ЧЕМ-ТО НЕДОВОЛЕН. НЕ ТАК УБРАЛА, НЕ ТО ПРИГОТОВИЛА, НЕ ПОСТИРАЛА. Я НЕ РАБЫНЯ ЕМУ, НЕ СЛУЖАНКА, Я В ПЕРВУЮ ОЧЕРЕДЬ ДЕВУШКА! ЮЛЕНЬКА, МНЕ ТАК ОБИДНО! ТЕМ БОЛЕЕ, ОН МНЕ ВООБЩЕ НЕ ПОМОГАЕТ.

ДАЛЬШЕ – БОЛЬШЕ. ОН НЕ РАЗРЕШАЕТ МНЕ ПОЛЬЗОВАТЬСЯ ИНТЕРНЕТОМ, НЕ РАЗРЕШАЕТ ЧИТАТЬ ТВОИ КНИГИ. ЧТОБЫ КУПИТЬ ТВОЮ КНИГУ, ПРИХОДИТСЯ ОБМАННЫМ ПУТЕМ ПРОСИТЬ У НЕГО ДЕНЬГИ, ТАК КАК ДЕНЕГ ОН МНЕ ВООБЩЕ НЕ ДАЁТ. ДЕЛО В ТОМ, ЧТО ОН РАБОТАЕТ НА ЗОНЕ, И МНОГИЕ ЗАКЛЮЧЁННЫЕ ЧИТАЮТ ИСКЛЮЧИТЕЛЬНО КЛАССИКУ. ВОТ И ОН НАСЛУШАЛСЯ ИХ И УЧИТ МЕНЯ. Я ЕМУ ГОВОРЮ, ЧТО ТВОИ КНИГИ НИКОГДА НЕ БРОШУ ЧИТАТЬ, ЧТО БЫ ОН НИ ГОВОРИЛ. У МЕНЯ СКЛАДЫВАЕТСЯ ВПЕЧАТЛЕНИЕ, ЧТО Я ДЕЙСТВИТЕЛЬНО РАБЫНЯ И НЕ ИМЕЮ СВОЕГО МНЕНИЯ.

Я НЕ ЗНАЮ, КАК ИЗМЕНИТЬ СИТУАЦИЮ И СВОЮ ЖИЗНЬ. НО НЕСМОТРЯ НИ НА ЧТО, Я ЧУВСТВУЮ, ЧТО ЛЮБЛЮ ЕГО. ХОТЯ И НЕ ЗНАЮ ПОЧЕМУ. НЕ МОГУ БЕЗ НЕГО. ИНОГДА ОН СТАНОВИТСЯ ДОБРЫМ И ГОВОРИТ, ЧТО СТАЛ ЖЕСТОКИМ И ЗЛЫМ ИЗ-ЗА РАБОТЫ НА ЗОНЕ. ТЕР-

ПЕТЬ ЭТО ИЛИ НЕТ, Я НЕ ЗНАЮ. НО МНЕ СТАЛО НЕКОМФОРТНО ЖИТЬ С НИМ. Я НЕ ЧУВСТВУЮ СЕБЯ СВОБОДНЫМ ЧЕЛОВЕКОМ, ОН МЕНЯ ТЯГОТИТ. ЭТО ПОСТОЯННОЕ ДАВЛЕНИЕ. ЮЛЕНЬКА, ПОМОГИ, ДАЙ СОВЕТ!

БЕРЕГИ СЕБЯ, ТЫ ОЧЕНЬ НУЖНА НАМ. ВСЕГДА ТВОЯ ПОКЛОННИЦА,

ИРИНА.

Ирина, милая, огромное спасибо за письмо. Очень приятно осознавать, что в Беларуси у меня есть фан-клуб и что вы им руководите. Огромное вам за это спасибо. Я тронута.

Что касается вашей ситуации, вы выбрали не самый лучший тип мужчины для семейной жизни. Мужчина с деспотичным характером. Вариант «не выходить за такого замуж» отпадает. Вы за него уже вышли и родили ему ребёнка. Вы любите этого человека. Муж – домашний тиран – тяжёлая ноша для женщины. Он пытается установить тотальный контроль буквально над всем. В сферу его контроля может попасть всё что угодно: одежда, пища, телефонные звонки... И даже попали мои книги... Потому что я пишу о таких, как он, и учу наших женщин, как справляться с подобными типами. Одним словом, рассказываю, что это за фрукт, с чем его едят и стоит ли его вообще есть. А если стала есть, то как не отравиться.

Малейший выход из-под контроля мужа-деспота приводит его в ярость. Он слишком болезненно воспринимает любое неповиновение, ведь он категоричен и его совершенно не интересует ваше мнение. Его главная цель – самоутвердиться за ваш счёт.

НЕВОЗМОЖНО ПЕРЕДЕЛАТЬ ТИРАНА. Его нужно либо воспринимать таким, как он есть, либо разводиться. Увы, третьего не дано. Некоторые женщины приспосабливаются, подчиняются и каждый день рассказывают мужу, какой он замечательный. Одним словом, для собственного спокойствия и безопасности поют дифирамбы. Но я бы не сказала, что у них спокойная и счастливая жизнь. Порой она просто невыносима. Лучшие годы уходят на подчинение тирану, на то, чтобы всё время не перечить, изворачиваться и улавливать любые нотки в голосе.

С таким мужчиной невозможно взращивать любовь к себе и иметь адекватную оценку происходящего. Он умело манипулирует женщиной. Он эгоист, который получает удовольствие от подчинения и страданий, не думая о том, что каждый волен поступать так, как хочется, и иметь возможность чувствовать себя счастливым человеком.

Ирина, скажу честно, я пробовала жить с подобным типом, но не смогла. Он слишком меня задавил и хотел спрятать от внешнего мира для своего личного пользования. Тогда я поняла, что моё счастье – свобода. И ушла. Я не могу жить без своего мнения и хочу сама нести ответственность за свои поступки. Человек сутками выносил мне мозг и морально уничтожал. У меня не было желания годы напролёт терпеть его претензии и издевательства. Каждый новый день с этим человеком – это разрушающая капля. Она разрушала меня как личность, как человека, как женщину. Чем больше этих разрушений, тем потом сложнее собрать себя. Я нашла в себе силы вытащить себя из глубокой и чёрной ямы. Слава богу, тогда у меня хватило ума понять: неправильно всё, и это неправильное я смогла от себя отрезать.

Ирина, я ни в коем случае не подталкиваю вас к разводу. Просто делайте выводы. Список возможных причин для недовольства вашего мужа будет бесконечным, потому что такого человека никогда и ничего не будет устраивать полностью. Ему всё будет не так. В любом случае вы всегда можете возмутиться и попробовать отстоять своё право на мнение, но это ни к чему хорошему не приведёт. Скандалы и недовольства будут постоянно понижать вашу самооценку. Вам будут внушать, что вы все делаете не так, что если муж вас оставит, вы никому не будете нужны. И в один далеко не прекрасный момент вы начинаете верить: то, что он говорит, – правда. На попытки поговорить он будет вам отвечать, что он всего лишь хочет вам добра, чтобы вы избавились от недостатков и стали лучше.

Причины терроризирования семьи мужчиной могут быть разными. Как правило, они кроются в его детстве. Возможно, ему не хватало родительской любви или над ним издевались в школе. Но важно ли это в данном случае? Ведь даже если вы будете знать причину, это вряд ли поможет вам изменить ситуацию. Вы вправе оставить всё как есть и терпеть издевательства дальше, чтобы ни в коем случае не злить мужа, но за несколько лет такой совместной жизни вы превратитесь в безвольное существо.

Вы также можете начать бороться с мужем за своё личностное пространство, показывая ему, что вы тоже личность, отвечая на каждый выпад, отстаивая своё мнение и свою точку зрения. В результате вы потратите время на бесполезные споры и ссоры, которые вряд ли к чему-то приведут, ведь доказать что-либо домашнему тирану невозможно. Обычная трата времени и нервов.

И всё же не спускайте тирану с рук малейшее неуважение к вам. Помните, вы – личность, достойная уважения, и никто не имеет права посягать на вашу свободу. Вы не обязаны мириться с невыносимым характером тирана, принимая его точку зрения как единственно верную. Мужья-тираны не понимают убеждений и нормального человеческого языка. Обида существенно снижает вашу самооценку, негативно влияет на психику. Никогда не идите у тирана на поводу и не прерывайте связей с родственниками, потому как именно родственники окажут вам неоценимую помощь, смогут выслушать вас и понять как никто другой.

Очень тяжело терпеть в семье ежедневный моральный прессинг. Можно, конечно, с ним побороться, но результата не будет. Ваша задача не дать ему окончательно сломать вас как личность. Кстати, расставаться с такими мужчинами очень и очень непросто, так как домашние тираны считают своих близким кем-то наподобие рабов, которые всегда должны быть рядом и с радостью подчиняться.

Ирина, милая, я всегда выступаю за сохранение семьи, но в вашем случае нужно хорошенько подумать, нужна ли вам такая семья... Не позволяйте ущемлять ваши права, поборитесь. И если видите, что борьба приводит к отрицательному результату, хорошенько подумайте, стоит ли жить под таким эмоциональным гнётом. Имея подобного мужа, вы как бы перекладываете на него ответственность за свою жизнь. Ответственность за свою жизнь и свои отношения вы должны принять на себя сами. Вы должны принять и понять, что сами выбрали себе в мужья тирана. Вы должны понять, что хотите получить от этой жизни: уважение к себе, хорошие отношения в семье и ответственность за свою жизнь или же безответственность, но с мужем и со всеми вытекающими последствиями: унижениями, придирками и страданиями.

Что именно вы хотите: быть полноценной личностью или жить в болезненной зависимости от человека, который всё больше станет ущемлять ваши права. А наступит момент, когда вы поймёте, что бесправны. Хотите ли вы всю жизнь быть служанкой, на которой срывают все свои неудачи и комплексы? Наступит момент, когда вам придётся взглянуть правде в глаза. Это ли форма женского счастья? Все ваши усилия души будут направлены на поддержание себя, чтобы вас окончательно не разрушили. И никакого личностного роста...

Чем конфликтовать с домашним тираном, лучше вспомнить о чувстве собственного достоинства и повышать свою самооценку, ведь с подобными типами связываются женщины, которые забывают о любви к себе. Не нужно бороться за свободу и независимость, качать права и обижаться – во всех этих случаях вы продолжаете быть жертвой. Постарайтесь от него внутренне «отцепиться» – ничего не ожидать и не реагировать на провокации. Представьте, как бы вы реагировали, если бы так себя вел посторонний человек, которому вы ничего не должны? Так вот, мужу-тирану вы тоже ничего не должны. Да, в отношениях есть некоторая взаимная ответственность, но его манипуляции вашим чувством вины – это не отношения, а игра. На личностные отношения этот человек не способен.

Когда выходите из игры, вы лишаете его необходимой для жизни «подпитки» – и ему станет очень плохо. В состоянии «ломки» он начнет беситься и способен на очень некрасивые поступки. Будьте предельно осторожны! Когда устойчивая связь тиран – жертва распадается, часто оказывается, что, кроме болезненной игры, людей ничего и не связывало. Вероятно, он пойдет искать другую жертву. Мужчина-тиран неизлечим. Он никогда не признает себя тираном и лечиться не будет. Да это и не лечится. С ним, по его мнению, всегда всё в порядке. Жертва ещё может начать работать над собой, так как страдает, а тиран всегда считает, что в его поведении виноваты все, кроме него. Эта болезнь сильнее человека, и он сам от себя не зависит.

Ирина, дорогая моя, вы должны для себя чётко понять: хорошо в вашей семье не будет хотя бы потому, что это не нужно вашему мужу. Он испытывает чудовищную потребность властвовать и доминировать. Как бы вы ни делали хорошо, он будет изводить вас придирками и унижениями. Это даёт ему удовлетворение. В дальнейшем он может применить силу. А раз он приходит домой под утро и ведёт разгульный образ жизни, то какое ему дело до ваших переживаний? Он вообще не считает, что они у вас должны быть, ведь вы любезно постелили свою жизнь ему под ноги.

Ирина, милая, я дала вам всего лишь пищу для размышлений. Решение, как выйти из данной ситуации, зависит только от вас. Я буду уважать любое ваше решение. Обязательно пишите. Да хранит вас Бог.

Любящий вас автор, Юлия Шилова.

5

ЗДРАВСТВУЙТЕ, ЮЛИЯ! МЕНЯ ЗОВУТ МАРИЯ, МНЕ 22 ГОДА. Я ДАВНЯЯ ПОКЛОННИЦА ВАШИХ ПРОИЗВЕДЕНИЙ И ОЧЕНЬ БЫ ХОТЕЛА ПОХОДИТЬ НА ВАШИХ ГЕРОИНЬ, ОНИ ТАКИЕ МУЖЕСТВЕННЫЕ И РЕШИТЕЛЬНЫЕ, ВСЕГДА ЗНАЮТ СЕБЕ ЦЕНУ. НО Я ПИШУ ВАМ, ЧТОБЫ ПОДЕЛИТЬСЯ СВОИМИ ПЕРЕЖИВАНИЯМИ И СПРОСИТЬ СОВЕТА.

В МОЕЙ ЖИЗНИ ПРОИЗОШЛО УЖАСНОЕ ГОРЕ. В 18 ЛЕТ Я ПОЗНАКОМИЛАСЬ С ЧЕЛОВЕКОМ

СТАРШЕ МЕНЯ НА 13 ЛЕТ. ЗОВУТ ЕГО КОНСТАНТИН, ЕМУ 31 ГОД. МЫ НАЧАЛИ ВСТРЕЧАТЬСЯ, А ЧЕРЕЗ МЕСЯЦ Я ПЕРЕЕХАЛА К НЕМУ. ПРОЖИЛИ МЫ С НИМ ДВА ГОДА. ЗА ЭТО ВРЕМЯ ОН МНОГО РАЗ ПОДНИМАЛ НА МЕНЯ РУКУ. ПЕРВЫЙ РАЗ, КОГДА ЭТО ПРОИЗОШЛО, Я СРАЗУ ХОТЕЛА ОТ НЕГО УЙТИ, НО ОН НЕ ОТПУСКАЛ И КАЖДЫЙ РАЗ ПРОСИЛ ПРОЩЕНИЯ. И ЭТО ПРОДОЛЖАЛОСЬ ДО ТЕХ ПОР, ПОКА Я НЕ ОКАЗАЛАСЬ В БОЛЬНИЦЕ С ПЕРЕЛОМАМИ.

ОН ПРЕКРАСНО ЗНАЛ ОБ ЭТОМ, ВИДЕЛ, КАК МЕНЯ УВОЗИЛИ В БОЛЬНИЦУ. НО, ВОЗМОЖНО, НЕ ЗАХОТЕЛ УЗНАТЬ, В КАКОЙ БОЛЬНИЦЕ Я ЛЕЖУ, И НИ РАЗУ КО МНЕ НЕ ПРИЕХАЛ. С ТЕХ ПОР ПРОШЛО ПОЛГОДА. ПЕРВОЕ ВРЕМЯ ОН МНЕ ЗВОНИЛ, НО, ЕСТЕСТВЕННО, Я НЕ ХОТЕЛА ДАЖЕ СЛЫШАТЬ ОБ ЭТОМ ИЗВЕРГЕ ПОСЛЕ ТОГО, ЧТО ОН СДЕЛАЛ. НО В ПОСЛЕДНЕЕ ВРЕМЯ МЫ СНОВА СТАЛИ СОЗВАНИВАТЬСЯ И НЕСКОЛЬКО РАЗ ВСТРЕТИЛИСЬ. ОН ГОВОРИТ, ЧТО ЛЮБИТ МЕНЯ, И ПРОСИТ ВЕРНУТЬСЯ ЖИТЬ С НИМ.

МОЯ МАМА КАТЕГОРИЧЕСКИ ПРОТИВ ТОГО, ЧТОБЫ Я С НИМ ВСТРЕЧАЛАСЬ. ОНА ГОВОРИТ, ТАКИХ ЛЮДЕЙ ПРОЩАТЬ НЕЛЬЗЯ. В ГЛУБИНЕ ДУШИ Я С НЕЙ СОГЛАСНА. НО МЕНЯ КАК МАГНИТОМ ТЯНЕТ К ЭТОМУ ЧЕЛОВЕКУ. ПОЖАЛУЙСТА, ПОМОГИТЕ МНЕ В ЭТИХ ОТНОШЕНИЯХ. Я СОВЕРШЕННО НЕ ПОНИМАЮ, ЧТО ДЕЛАТЬ ДАЛЬШЕ.

С ГЛУБОКИМ УВАЖЕНИЕМ,

МАРИЯ.

Мария, милая, спасибо за ваш крик души. Прочитала ваше письмо и содрогнулась. Я чётко занимаю позицию вашей мамы. Люди с жизненным опытом знают, что говорят. Нет! Нет! Нет! Не убивайте ни себя, ни возможно, будущих детей. Я вообще не понимаю, как получилось, что после произошедшего этого подонка не посадили в тюрьму... Почему к вам в больницу не пришла полиция и не завела уголовное дело? Переломы... В голове не укладывается...

Мария, милая моя девочка, вы должны чётко для себя понять: бить и любить – несовместимые вещи. Это осознание собственной несостоятельности. Кулак – это признак слабости, так зачем нужен такой силач? Если любимый ударил один раз, то он ударит второй и третий. Если ваш любимый переступил эту непозволительную грань, он не остановится. Помимо ревности найдётся ещё сотня причин, и он вновь поднимет на вас руку, только в дальнейшем страдать будете не только вы, но и ваши дети.

Настоящий мужчина может ударить только словом, потому что он в состоянии себя контролировать и знает, что близких нужно любить и беречь. Разве можно поднять руку на слабую девушку, да ещё такую прекрасную? Разве это любовь? Это эгоизм. Ни алкоголь, ни ревность, ни другие обстоятельства не позволили ему потерять над собой контроль и опуститься до подобной низости. Если мужчина зол, он ударит рукой о бетонную стену, но у него даже мысль не возникнет, что можно ударить любимую.

«Бьёт – значит любит» – это бред для мазохистов. Бить и любить – несовместимые вещи. Это унижаться и унижать. Это не любовь. САМОУВАЖЕНИЕ ДОРОЖЕ. И даже если вы считаете, что это любовь, не слишком ли она жестока и не слишком ли большую цену вам придётся платить впоследствии?

В браке хочется мира и душевного спокойствия. Вы уверены, что любимый способен вам это дать? У вас одна жизнь, так стоит ли рисковать? Такое отношение к женщине непозволительно. Ударить может только подлец. Готовы ли вы разделить свою судьбу с морально-слабой личностью, которая не умеет контролировать свои слова и поступки?

Даже если не дадите повод для ревности, ваш любимый найдёт к чему придраться, и причина может быть самая ничтожная. Да и как можно не давать поводов для ревности, если внутри каждой женщины заложено желание нравится мужчинам?

Поступки этого подонка говорят об аномалии его личности. Ему нужна постоянная бурная эмоциональная разрядка. Идеальный выход для разрядки – нанести вам удар. НИ ОДНА ЖЕНЩИНА НИ ПРИ КАКИХ ОБСТОЯТЕЛЬСТВАХ НЕ ДОЛЖНА ЗАБЫВАТЬ О ЧУВСТВЕ СОБСТВЕННОГО ДОСТОИНСТВА, ПРАВЕ НА СОБСТВЕННОЕ МНЕНИЕ И ОПРЕДЕЛЁННЫЕ ТРЕБОВАНИЯ. ЛЮБИТЕ И УВАЖАЙТЕ СЕБЯ, И ВАС ПОЛЮБЯТ ДРУГИЕ. ЕДИНСТВЕННЫЙ СПОСОБ СПАСТИСЬ ОТ ПОДОБНОГО МУЖЧИНЫ – ЭТО РАЗРЫВ. ПОМНИТЕ: ДАЖЕ САМОЙ

ГОРЯЧЕЙ СТРАСТИ НЕ ПОМЕШАЕТ ХОЛОДНЫЙ РАССУДОК

Мария, милая, не бойтесь потерять этого мужчину, в противном случае вы потеряете себя. И помните: деспотизм – это диагноз, который с годами будет только усиливаться. Не предавайте себя! ВЫ У СЕБЯ ОДНА! Не забывайте, пожалуйста, слова Цицерона: «Нельзя любить ни того, кого ты боишься, ни того, кто тебя боится». То, как ведёт себя ваш мужчина, удел ущербных людей. Крайне ограниченных и примитивных. Я даже не сомневаюсь, что он психически нездоров. Поэтому, милая Мария, пожалейте себя. Кроме вас это сделать некому.

Вам необходимо кардинально изменить свою жизнь. Постоянные обиды и унижения негативно влияют на вашу самооценку. Ваше желание вернуться к извергу говорит само за себя. Вы уже и так слишком долгое время приносили себя в жертву. Пришло время подумать о собственных интересах. Не вы нуждаетесь в этом мужчине, а он нуждается в вас.

Этот психически нездоровый человек полон комплексов, и вы для него – постоянная возможность для проявления собственной силы. Унижая и критикуя вас, он самоутверждается. ЕСЛИ ПСИХОЛОГИЧЕСКОЕ НАСИЛИЕ МОЖЕТ ПРИВЕСТИ В КЛИНИКУ НЕВРОЗОВ И ИЗРЕДКА К САМОУБИЙСТВУ, ТО ФИЗИЧЕСКОЕ МОЖЕТ ПРИВЕСТИ К ИНВАЛИДНОСТИ И ЗАЧАСТУЮ К СМЕРТИ. УЖЕ ДАВНО ИЗВЕСТНО, ЧТО В НАШЕМ МИРЕ КАЖДЫЕ СОРОК МИНУТ ОТ

НАСИЛИЯ ГИБНЕТ ЖЕНЩИНА. Не приведи Господь, но однажды ваш мужчина может забить вас до смерти. И будет уже поздно что-то менять. Поменять всё можно только сейчас. Себя, свою самооценку, своё окружение, мужчину...

Мария, дорогая моя, ни один мужчина на свете не стоит страданий. Нельзя приносить в жертву свою жизнь, свои интересы, своё время. В отношениях вы должны получать столько же, сколько отдаёте. Быть одной гораздо лучше, чем быть с мужчиной, с которым были вы. Если вы сможете резко, по-живому, порвать эти бесперспективные отношения, то обязательно встретите достойного мужчину и будете гордиться, что смогли вырваться из этого ада. Только не забывайте: чтобы ЧТО-ТО НАЧАЛОСЬ, НЕОБХОДИМО, ЧТОБЫ ЧТО-ТО ЗАКОНЧИЛОСЬ. Я уверена, в вашей жизни обязательно встретится человек, который искренне вас полюбит. Только, пожалуйста, не наступайте на те же грабли.

Пожалейте себя, ведь ваш бывший совершенно вас не жалеет. Ну где он найдёт девушку, над которой можно самоутверждаться и издеваться? Которую можно бить до смерти, а она даже не напишет заявление в полицию? Такую ему больше не найти, а ведь нужна ему именно такая.

Вы приносите в жертву свою молодость, свои силы, своё здоровье, свои эмоции. ПОМНИТЕ: НИ ОДИН МУЖЧИНА НА СВЕТЕ НЕ СТОИТ ТОГО, ЧТОБЫ РАДИ НЕГО ЖЕРТВОВАТЬ СВОЕЙ ЖИЗНЬЮ.

Ещё не поздно вернуть самоуважение. Настало время менять свою жизнь. Вы стали полностью зависимы и боитесь любых перемен. Если не потеряете мужчину, с которым жили раньше, и вновь с ним сойдётесь, навсегда потеряете себя. Вместо нормальной, полноценной жизни у вас будет безрадостное существование. Поймите вы, наконец, ОН НИКОГДА НЕ ИЗМЕНИТСЯ. Ничего не изменится. Всё будет только хуже. Если вы с ним ещё раз сойдётесь, вас полностью подавят и растопчут. Деспотизм – это диагноз, и с годами он будет только усиливаться. Не предавайте себя. Принимайте решение, гоните его прочь и уходите в другую жизнь. Нужно всего лишь захотеть её изменить, а выход всегда найдётся.

Вам встретился человек, который за счёт вас решал свои внутренние проблемы. Вам встретился больной человек, потому что мужчина садист и деспот – это диагноз. Вы слишком долго его терпели. Своими терпением и любовью сами развязывали ему руки. Вам нужно было порвать с ним после первого удара. С таким человеком невозможно жить, у таких людей неустойчивая психика и слишком частые колебания настроения. Он привык самоутверждаться за счёт более слабых и создавать постоянную конфликтную обстановку.

Вы встретили ущербного человека, и судьба в очередной раз испытала вас на прочность. Он хотел ощущать безграничную власть над вами, видеть ваши глаза, полные страха, полностью подавить вашу волю и испытывать от этого удовлетворение. Говорят, чтобы найти что-то стоящее, надо покопаться в мусоре. Увы, в жизни так получается, что мы полностью отдаёмся новому чувству, растворяемся в любимом человеке и не оцениваем того, кого любим, или просто закрываем глаза на его многочисленные недостатки.

Вы слишком идеализировали своего мужчину. Иллюзии, которые вы питали, улетучились, как дым, после того, как вы стали с ним жить. Вы приняли своего любимого не за того, кто он есть на самом деле, но в этом нет вашей вины. Вы просто любили и отдавали всю себя без остатка. Как говорится, любовь слепа. Пройдёт время, боль отступит на второй план, и вы сможете посмотреть на мир уже объективно.

Если сойдётесь с этим мужчиной вновь и выйдете за него замуж, что получат ваши будущие дети? Как они смогут уважать, ценить и любить маму, которая сама себя не уважает? Почему они должны испытывать боль и страх, которые испытали вы? Побои, раскаяние, заглаживание вины... Всё будет циклично и постоянно повторяться. В момент раскаяния вы ему верите, что он не такой плохой, что это была случайность, что у него слишком взрывной характер. Оправдывая его поступки, вы, сами того не подозревая, попадаете к нему в зависимость. ПЕРВЫЕ ПОБОИ НИКОГДА НЕ БЫВАЮТ ПОСЛЕДНИМИ. Слабыми нас делают мысли.

Мария, хорошая моя, СДЕЛАЙТЕ ПЕРВЫЙ ШАГ К НОРМАЛЬНОЙ ЖИЗНИ. Хорошей жизни у вас с ним не будет, поэтому лучше не обрекайте себя на вечное мучение. МУЖЧИНА, ОДНАЖДЫ УДАРИВШИЙ ЖЕНЩИНУ, НАВСЕГДА УБИЛ В СЕБЕ МУЖЧИНУ.

Милая Мария, мне хочется пожелать вам мужества, стойкости и здравого рассудка. Помните: душевный покой женщины – гарантия душевного здоровья её будущих детей. Иногда между мужчиной и женщиной бывают отношения, которых лучше бы не было вовсе. Вы ещё слишком молоды, чтобы бояться одиночества. Если решитесь поменять свою жизнь, увидите, что вам обязательно встретится мужчина, с которым вы сможете стать уверенной, спокойной и бесконечно счастливой. Удачи вам и спокойной жизни!

Научитесь жить без НЕГО. От этого вы станете счастливее и сильнее. Пусть Господь убережёт вас. Вы достойны лучшей жизни и лучшей судьбы. СИЛЬНЫЙ ОБИЖАЕТ СЛАБОГО. ПОКА ТЫ ПОЗВОЛЯЕШЬ СЕБЯ ОБИЖАТЬ, ТЫ СЛАБАЯ, А КОГДА СПОСОБНА БОРОТЬСЯ С ОБИДЧИКОМ, ТЫ СИЛЬНАЯ. ПОЗВОЛЯЯ ГРУБОЕ ОБРАЩЕНИЕ С СОБОЙ, МЫ ПОКАЗЫВАЕМ, КАК НИЗКО СЕБЯ ЦЕНИМ. Просто сказка закончилась, а принц оказался подлецом, не достойным вашего внимания. Это жизненный урок, и вы должны принять его с мудростью, а значит, не должны возвращаться в эти чудовищные и ущербные отношения. Я искренне надеюсь, что смогла достучаться до вас.

Любящий вас автор, Юлия Шилова.

6

ЗДРАВСТВУЙТЕ, ВСЕМИ ЛЮБИМАЯ И УВАЖАЕМАЯ ЮЛИЯ! ЧИТАЮ ВСЕ ВАШИ КНИГИ И НЕ МОГУ ОТОРВАТЬСЯ, ДАЖЕ НОЧАМИ ПЕРЕСТАЛА СПАТЬ. ДОЛГО ВАМ НЕ РЕШАЛАСЬ НАПИСАТЬ, НО ВСЕ ЖЕ РЕШИЛАСЬ. МЕНЯ ЗОВУТ ЕЛЕНА, МНЕ 20 ЛЕТ. У МЕНЯ К ВАМ ОГРОМНАЯ ПРОСЬБА. ПОМОГИТЕ МНЕ, ИНАЧЕ Я СОЙДУ С УМА. МНЕ НЕ К КОМУ БОЛЬШЕ ОБРАТИТЬСЯ.

Я ЖИВУ САМОСТОЯТЕЛЬНО С ШЕСТНАДЦАТИ ЛЕТ, У МЕНЯ СВОЯ КВАРТИРА. Я ПРИВЫКЛА К САМОСТОЯТЕЛЬНОЙ ЖИЗНИ. КОГДА ОКОНЧИЛА ШКОЛУ, ПОЗНАКОМИЛАСЬ С ПАРНЕМ, И МЫ НАЧАЛИ ВСТРЕЧАТЬСЯ. Я ВЛЮБИЛАСЬ В НЕГО. ОН ОЧЕНЬ КРАСИВО ЗА МНОЙ УХАЖИВАЛ. Я РОСЛА В БОГАТОЙ СЕМЬЕ, И У МЕНЯ ВСЕГДА ВСЁ БЫЛО. У МАКСИМА НАОБОРОТ. МАМА У НЕГО УМЕРЛА, КОГДА ЕМУ БЫЛО 18 ЛЕТ. ОТЕЦ У НЕГО ТОЖЕ РАНО УМЕР. ДО МЕНЯ ОН ЖИЛ С ДЕВУШКОЙ ДВА ГОДА. ТАК ВОТ, МЫ НАЧАЛИ ВСТРЕЧАТЬСЯ, И СПУСТЯ ДВА МЕСЯЦА НАШИХ ОТНОШЕНИЙ ОН МНЕ ИЗМЕНИЛ. МНЕ ТАК БЫЛО БОЛЬНО, А ЕМУ СТЫДНО, ОН ДАЖЕ МНЕ В ГЛАЗА БОЯЛСЯ СМОТРЕТЬ.

ОН УМОЛЯЛ НА КОЛЕНЯХ, ЧТОБЫ Я ПРОСТИЛА. ДОВЕРИЕ У МЕНЯ К НЕМУ СРАЗУ ПРОПАЛО. ОН ПОСТОЯННО ОБРАЩАЛ ВНИМАНИЕ НА ДРУГИХ ДЕВУШЕК. ИЗ-ЗА ЭТОГО У НАС БЫЛИ ЧАСТЫЕ ССОРЫ. МЫ НАЧАЛИ ЖИТЬ ВМЕСТЕ И ЭТИМ СДЕЛАЛИ СЕБЕ ЕЩЁ ХУЖЕ.

ОН НАЧАЛ ПРОВОДИТЬ МНОГО ВРЕМЕНИ С РОДСТВЕННИКАМИ. ОСТАВАЛСЯ НОЧЕВАТЬ У НИХ. А Я СИДЕЛА ДОМА И ЖДАЛА ЕГО. ГОТОВИЛА ЕДУ, УБИРАЛА, СТИРАЛА. И ЕМУ ЭТО НРАВИЛОСЬ. ВЕДЬ ВСЁ ЭТО ВХОДИЛО В МОИ «ОБЯЗАННОСТИ». ПОТОМ У НАС НА ЭТОЙ ПОЧВЕ НАЧАЛИСЬ СКАНДАЛЫ, В НАШИ ОТНОШЕНИЯ НАЧАЛА ЛЕЗТЬ ЕГО БАБУШКА И НАСТРАИВАТЬ ЕГО ПРОТИВ МЕНЯ. МЫ ГОД ПРОЖИЛИ ВМЕСТЕ, А ОДНАЖДЫ ОН ПРИШЕЛ И СКАЗАЛ, ЧТО МЫ РАССТАЕМСЯ, ЧТО ОН РАЗЛЮБИЛ МЕНЯ И НЕ ХОЧЕТ БЫТЬ СО МНОЙ.

МЫ РАССТАЛИСЬ. А Я ВСЁ НЕ МОГУ ЕГО ЗАБЫТЬ. ОН ПОСТОЯННО МНЕ СНИТСЯ, И ВО СНЕ МЫ ВМЕСТЕ. ЧТО ЭТО ЗНАЧИТ? А Я ВЕДЬ ЕГО ЛЮБИЛА И ХОТЕЛА БЫТЬ С НИМ. ПРОЩАЛА, КОГДА ОН НА МЕНЯ РУКУ ПОДНИМАЛ. ОН РАДИ МЕНЯ ПИТЬ БРОСИЛ. А ВДРУГ Я ТАКОГО УЖЕ НЕ ВСТРЕЧУ? ВЕДЬ В НАШЕ ВРЕМЯ С НОРМАЛЬНЫМИ ПАРНЯМИ НАПРЯЖЁНКА.

ЮЛЕНЬКА, КАК МНЕ СПРАВИТЬСЯ С ЭТОЙ БОЛЬЮ? ПОСТОЯННО МУЧАЮТ ВОСПОМИНАНИЯ, КАК ХОРОШО НАМ ВМЕСТЕ БЫЛО. КАК МНЕ ЖИТЬ ДАЛЬШЕ? СПАСИБО ЗА ТО, ЧТО ВЫ ЕСТЬ.

С УВАЖЕНИЕМ,

ЕЛЕНА.

Леночка, милая, спасибо за ваш крик души! Согласна, в наше время с нормальными парнями напряжёнка, но ведь вы хотели связать свою жизнь с ненормальным... Зачем тратить время, силы и средства на человека, который вас не любит и не хочет общаться с вами? О чём можно говорить, если он изначально вас не уважал и поднимал на вас руку? Как можно строить будущее с подобным человеком?

Леночка, что делать, если мужчина ушёл? Расправить плечи, легко и непринужденно, с высоко поднятой головой пойти за новой НАСТОЯЩЕЙ ЛЮБОВЬЮ и не гневить Бога. Реальные боль и безысходность – это совсем не расставание с мужчиной. Пока вы сами себя не вытащите из этого состояния и НЕ ЗАХОТИТЕ ЖИТЬ, вам никто не поможет.

У каждой женщины есть мужчина, из-за которого было пролито много слёз, казалось, жизнь закончилась. Но вскоре прошлое вспоминается с улыбкой, отходит на задний план. Наши бывшие становятся действительно бывшими. Вспоминая о них, мы думаем: где же были мои глаза и какой же дурой я была, когда с ним связалась, пролив столько слёз и испытав столько горя? Нам становится смешно от былых чувств и воспоминаний, словно это были не мы. Это ЖИЗНЕННЫЙ ОПЫТ, который делает нас мудрее, надо принять его с благодарностью. Придёт время, и вы поймёте, как правильно поступили, что расстались с тем, кто не оценил вас по достоинству.

Вы должны поработать над собой, закрыть эту страницу через силу и боль, ведь потом придёт новая любовь. Я очень хорошо понимаю ваше нынешнее состояние, но как бы ни было тяжело, вы должны отрезать этого человека от себя. Просто вычеркнуть из жизни. Я понимаю, как вам обидно за то, что никогда уже не будет того, что было. Обидно за потерянное время, за чувства, которых не оценили. Даже загнав боль на самое дно души, от неё очень трудно избавиться.

Леночка, чтобы начать работать над собой, вы должны чётко осознать, что находитесь в психологической зависимости от другого человека. Простите своего бывшего, как бы ни было тяжело. Только через прощение можно прийти к исцелению. Он ни в чём не виноват и ничего вам не должен. Он изменил вам ещё на начальной стадии отношений, в букетно-конфетный период. Чего можно ждать от него в дальнейшем? Вы сами пишете, что он всегда поглядывал на других девушек. Значит, изначально не остановил свой выбор на вас. Мы всегда расплачиваемся за иллюзии душевной болью. ЧТОБЫ НЕ ИСПЫТЫВАТЬ РАЗОЧАРОВАНИЙ, НЕ НУЖНО ОЖИДАТЬ ОТ ЛЮДЕЙ ТОГО, ЧТО ОНИ БУДУТ ПОСТУПАТЬ ТАК, КАК ВАМ ХОЧЕТСЯ. Ответственность за ваши переживания лежит только на нас самих. Только избавившись от старой привязанности, можно открыть своё сердце для новой любви.

Возможно, ваш бывший – неплохой человек, просто он был с вами тем, кем вы позволили ему быть. Правда, тот факт, что он поднимал на вас руку, не вызывает уважения. Он просто НЕ ВАШ. Важно перестать жалеть себя и винить того, кто от вас ушёл. Вы должны найти в себе силы принять действительность такой, какая она есть.

Леночка, дорогой мой человек, несмотря на душевную боль, ЖИЗНЬ ПРОДОЛЖАЕТСЯ. Какой бы она ни была, вы должны быть ей благодарны. Ни в коем случае не допускайте мысли: «Меня больше никто не полюбит», «Я всегда буду в одиночестве», «Лучше моего бывшего у меня никого не будет», «Расставание произошло исключительно по моей вине». Эти мысли не соответствуют действительности. В противном случае они загонят вас в ловушку депрессии и безнадёжности.

Прекратите терзать себя воспоминаниями о том, как вам было хорошо вместе. Спрячьте все совместные фотографии. Живите сегодняшним днём, а в сегодняшнем дне вашего близкого нет. И прекратите тешить себя надеждой. Человек принял решение уйти, и он ушёл, а вам остаётся принять и уважать его выбор. Вы должны его отпустить и не искать ответы на те вопросы, на которые вы всё равно не найдёте ответа. Да и ответы на эти вопросы уже, по большому счёту, не имеют значения. Из вашей жизни исчез источник, который генерировал ваши эмоции. Отнеситесь философски к тому, что ваш партнёр вас оставил. Поймите, в жизни без вашего бывшего есть масса преимуществ.

Леночка, вы должны понять, что от того, что тебя бросили, не умирают. Нужно заглушить боль, а значит, надо найти стимул к важным жизненным переменам. Не пытайтесь копаться в прошлом и размышлять над причинами, почему ваш бывший так поступил с вами. Не анализируйте ситуацию, почему именно это произошло. Это путь в никуда. Мы анализируем ситуацию в надежде повлиять на партнёра. Нам кажется, если узнаем причины его поведения, сможем на это повлиять. Нельзя изменить другого человека и заставить его делать то, что вам нужно. Можно изменить только себя. Вместо угнетающих мыслей попытайтесь сосредоточиться на себе.

Сейчас вам очень важно отвлечься. Смените имидж, придумайте себе новое хобби, уйдите с головой в работу. РАСПРОЩАЙТЕСЬ С ПРОШЛЫМ И НАЧНИТЕ НОВЫЙ ЖИЗНЕНННЫЙ ЭТАП. Если есть возможность, отправьтесь в путешествие. Пусть на несколько дней. Вам необходимо сменить обстановку и обрести как можно больше ярких и позитивных эмоций. А ещё лучше, помогайте тем, кому хуже вас. Одна моя подруга после расставания с любимым человеком стала волонтёром, ездит по детским домам. Она нашла своё предназначение в помощи другим, и это великое и благое дело... Добрые дела окрыляют.

Подойдите к зеркалу, посмотрите на своё отражение и скажите, что вы любите себя, хотите быть счастливой. Если вы действительно любите себя, то только вы будете хозяйкой своих чувств, а не молодой человек, разбивший вам сердце. Скажите самой себе, что в этой ситуации вы не собираетесь быть жертвой. Поймите, ваш бывший – далеко не единственный, при желании вы всегда можете найти себе лучше. ТО, ЧТО ВЫ ВСТРЕТИТЕ КО-

ГО-ТО ЛУЧШЕ, ПРОСТО НЕИЗБЕЖНО. И тот, кого вы встретите, не разобьёт вам сердце.

Постарайтесь извлечь себя из пучины страданий и жалости. Самое лучшее лекарство – это новые эмоции и новые чувства. Для вас они будут как летний ливень, который смоет всё старое. Проще говоря, он смоет изжившие себя отношения и наполнит жизнь новыми красками. Уверена, ещё более яркими. Вы должны дать возможность войти в свою жизнь новым чувствам. И никогда не забывайте о том, что мы все пришли в этот мир, чтобы быть счастливыми! НИКТО НЕ ОТНИМАЛ У ВАС ПРАВА ЕЩЁ НА ОДНУ ЛЮБОВЬ...

Любящий вас автор, Юлия Шилова.

7

ЗДРАВСТВУЙТЕ, МОЯ ДОРОГАЯ, МИЛАЯ, ЛЮБИМАЯ ЮЛЕНЬКА! МЕНЯ ЗОВУТ ЭЛЬЗА. ВАШИ КНИГИ НАЧАЛА ЧИТАТЬ НА РАБОТЕ, Я РАБОТАЮ ПРОДАВЦОМ. МОЯ РАБОТА ПОЗВОЛЯЕТ МНЕ НАСЛАЖДАТЬСЯ ВАШИМИ КНИГАМИ. СПАСИБО ДЕВОЧКАМ КНИЖНОГО ОТДЕЛА, ДАЮТ МНЕ ПОЧИТАТЬ. КАК ТОЛЬКО ОТКРЫВАЮ КНИГУ, МЕНЯ УЖЕ НЕТ В РЕАЛЬНОЙ ЖИЗНИ, Я ПОЛНОСТЬЮ РАСТВОРЯЮСЬ В КНИГАХ. ВМЕСТЕ С ГЕРОЯМИ ПЛАЧУ, СМЕЮСЬ И ЛЮБЛЮ.

ЮЛЕЧКА, РОДНАЯ, КАК МНЕ ХОЧЕТСЯ, ЧТОБЫ ВЫ ВЫПУСТИЛИ МАЛЕНЬКУЮ КАРМАННУЮ КНИЖЕЧКУ С ВАШИМИ МЫСЛЯМИ И ВЫСКА-

ЗЫВАНИЯМИ ОБО ВСЁМ. ЭТО БЫЛО БЫ СУПЕР! ЭТА КНИЖЕЧКА БЫЛА БЫ ДЛЯ МЕНЯ КАК ВТОРАЯ БИБЛИЯ.

Я ВАС ОБОЖАЮ ЗА ОГОНЬ В ВАШИХ КРАСИВЫХ ГЛАЗАХ, ЗА ВАШУ ДОБРОТУ, СИЛУ И ОТЗЫВЧИВОСТЬ! СПАСИБО ВАМ ЗА ВАШИ КНИГИ!

НЕМНОГО О СЕБЕ. ДЕТСТВО МОЁ НЕ БЫЛО СЧАСТЛИВЫМ, НЕ ПОМНЮ НИЧЕГО ЯРКОГО, ВОЛШЕБНОГО. ГДЕ МЫ ТОЛЬКО НЕ ЖИЛИ: В УЗБЕКИСТАНЕ, В КАЗАХСТАНЕ, НА УРАЛЕ, ОСЕЛИ ТОЛЬКО НА СЕВЕРЕ. БЫЛИ НЕБОГАТЫ, НЕ БЫЛО У МЕНЯ ОДЕЖДЫ ХОРОШЕЙ, ПОЭТОМУ ДРАЗНИЛИ МЕНЯ В ШКОЛЕ, ИЗДЕВАЛИСЬ. ПОТОМ ПОСТУПИЛА В МЕДИЦИНСКОЕ УЧИЛИЩЕ. ТОЛЬКО ТАМ У МЕНЯ ПОЯВИЛАСЬ ПОДРУГА. ОНА УЧИЛА МЕНЯ БЫТЬ УВЕРЕННОЙ В СЕБЕ. НО, ВИДНО, ТАК И НЕ ПОЛУЧИЛОСЬ ИЗ МЕНЯ ХОРОШЕЙ УЧЕНИЦЫ.

Я УЧИЛАСЬ НА ВТОРОМ КУРСЕ, НА ВЫХОДНЫЕ ПОЕХАЛА ДОМОЙ К МАМЕ. К НАМ ПРИШЛА ЕЁ ПОДРУГА С СЫНОМ. МНЕ ОЧЕНЬ ТЯЖЕЛО ПИСАТЬ ЭТО, НО ОН МЕНЯ ИЗНАСИЛОВАЛ. ЧЕРЕЗ НЕКОТОРОЕ ВРЕМЯ Я ПОНЯЛА, ЧТО БЕРЕМЕННА. МНЕ ТОГДА БЫЛО ТОЛЬКО 16 ЛЕТ. Я НИЧЕГО НЕ СКАЗАЛА МАМЕ И СДЕЛАЛА АБОРТ. ПОТОМ БЫЛИ ПОСЛЕДСТВИЯ (КРОВОТЕЧЕНИЕ). МЫ С МАМОЙ НИКОГДА НЕ ГОВОРИЛИ НА ЖЕНСКИЕ ТЕМЫ. МОЖЕТ, МАМА СТЕСНЯЛАСЬ, МОЖЕТ, НЕ ТО ВОСПИТАНИЕ, НО Я ВСЁ УЗНАВАЛА ОТ ЧУЖИХ. ПОТОМ МАМА УЗНАЛА ПРО ИЗНАСИЛОВАНИЕ. ПОМНЮ, ОНА ПЛАКАЛА. НО ОНА ПРОСТИЛА МЕНЯ ЗА ТО, ЧТО Я СКРЫВАЛА. А Я ПРОСТИЛА

ЭТОГО ГАДА. ТЕПЕРЬ У МЕНЯ НИКОГДА НЕ БУДЕТ ДЕТЕЙ.

Я БЫЛА ДВА РАЗА ЗАМУЖЕМ, НЕУДАЧНО. МНЕ УДАЛИЛИ ТРУБЫ, И С ЭТИМ Я ТЕПЕРЬ ЖИВУ. МОЯ МАМА УМЕРЛА, ОТЕЦ ПРОДАЛ КВАРТИРУ, ЖЕНИЛСЯ, ВЫГНАЛ МЕНЯ НА УЛИЦУ. СЕЙЧАС Я РАБОТАЮ НЕ МЕДСЕСТРОЙ, А ПРОДАВЩИЦЕЙ. МНЕ НЕ НА ЧТО ЖИТЬ. ДВА ГОДА СУДЕБНЫХ РАЗБИРАТЕЛЬСТВ, В РЕЗУЛЬТАТЕ Я ОСТАЛАСЬ НИ С ЧЕМ. СНИМАЮ ЖИЛЬЁ. ТЯЖЕЛО. А ЧТО ДЕЛАТЬ? ДЕРЖУСЬ ДО ПОСЛЕДНЕГО. ВОСЕМЬ МЕСЯЦЕВ РАБОТАЮ БЕЗ ВЫХОДНЫХ, УСТАЛА, НИГДЕ НЕ БЫВАЮ.

ЮЛЕНЬКА, НЕ ЗНАЮ, ЧТО МНЕ ДЕЛАТЬ? УЖЕ СЕМЬ МЕСЯЦЕВ ЖДУ ОДНОГО ЧЕЛОВЕКА, ОН СИДИТ В ТЮРЬМЕ. ПОЗНАКОМИЛАСЬ ЧЕРЕЗ ЕГО БРАТА ПО ТЕЛЕФОНУ. ПОСЫЛКИ, БАНДЕРОЛИ, РАЗГОВОРЫ ПО ТЕЛЕФОНУ В НОЧНОЕ ВРЕМЯ. ЧТО ДАЛЬШЕ БУДЕТ, ПОСМОТРИМ. У МЕНЯ НИКОГО НЕТ ВООБЩЕ. ТОЛЬКО ОН. СПАСИБО ЕМУ ЗА ПОДДЕРЖКУ И ПОНИМАНИЕ. МОЖЕТ, ОН МЕНЯ БРОСИТ, КОГДА ВЫЙДЕТ (Я ОБ ЭТОМ ПОКА НЕ ХОЧУ ДУМАТЬ), НО ОН СОГРЕВАЕТ МОЁ БЕДНОЕ, ИССТРАДАВШЕЕСЯ СЕРДЦЕ И ИМЕЕТ НА МЕНЯ ВИДЫ. ТОЛЬКО Я НИКОГДА НЕ СМОГУ БЫТЬ МАТЕРЬЮ, НИКОГДА. И МНЕ НИКОГДА НЕ СЛЫШАТЬ ЗВОНКИЙ ДЕТСКИЙ СМЕХ И НЕ ВИДЕТЬ МАЛЕНЬКИХ КАРАПУЗОВ. УВЕРЕНА, Я БЫЛА БЫ ОЧЕНЬ ХОРОШЕЙ МАТЕРЬЮ. Я ОЧЕНЬ ЛЮБЛЮ ДЕТЕЙ.

С УВАЖЕНИЕМ,

ЭЛЬЗА.

Эльза, милая, меня очень тронуло ваше письмо. Огромное вам спасибо за столь тёплые строки о моём творчестве. Очень вам за это признательна.

Да, у вас нелёгкая судьба, но даже с ней вы должны научиться жить. Больно, страшно, горько, но жизнь продолжается. Удалили маточные трубы, но есть руки, ноги, голова и сердце... Поверьте, на этом свете живут тысячи людей, у которых дела обстоят гораздо хуже, чем у вас, и при этом они живут, борются и даже радуются жизни.

Знаете, есть притча о кресте. «Один человек считал, что Господь дал ему слишком тяжёлый крест, не по силам, и у него чересчур тяжёлая судьба. И обратился он к Господу Богу с просьбой: “Спаситель, мой крест слишком тяжел, и я не могу его нести. У всех людей, которых я знаю, кресты гораздо легче. Не мог бы ты заменить мой крест на более легкий? Я устал от ежедневных трудностей”. И сказал Бог: “Хорошо, я приглашаю тебя в мое хранилище крестов. Выбери тот, который тебе самому понравится”. Пришел человек в хранилище и стал подбирать себе крест. Он примерял на себя все кресты, и все ему казались слишком тяжелыми. Тут заметил он у самого выхода крест, который показался ему легче других, и сказал Господу: “Позволь мне взять этот. Мне кажется, он самый лёгкий”. И Бог ответил: “Так это и есть твой собственный крест, который ты оставил в дверях, чтобы примерить остальные”. После этого он больше не просил у Господа крест полегче».

Милая моя Эльза, ваша ошибка в том, что вы пустили свою жизнь на самотёк и опустили руки. У вас одна жизнь, и какой она складывается и будет дальше, зависит только от вас. Разве можно так с собой поступать? Почему вы позволили обстоятельствам раздавить себя? Куда подевалась ваша внутренняя сила? То, что у вас удалили маточные трубы, – не смертный приговор и не приговор, что вы не можете иметь детей. Можете, но только при помощи ЭКО. Да, это дорогостоящая процедура, но на неё можно заработать. В конце концов, малыша можно усыновить. Никогда не нужно прекращать бороться за счастье материнства. Нельзя ставить крест на личной жизни и хоронить надежды на счастливое материнство.

ЭКО – это современная методика, позволяющая решить проблемы бесплодия. Что это за процедура, знают практически все, даже те женщины, которые не имеют проблем с естественным зачатием. По сути данная процедура представляет собой зачатие в пробирке, то есть вне женского организма. ЭКО – это перенос оплодотворенных яйцеклеток в полость матки через ее шейку, то есть процесс не предусматривает прохождение яйцеклетки через маточные трубы. А значит, процедура может помочь тем женщинам, у которых есть проблемы с проходимостью маточных труб или трубы отсутствуют. ЭКО может быть рекомендовано любой женщине, которой поставлен диагноз «бесплодие». Современные технологии и уровень развития медицины позволяют совершать оплодотворение с минимальными утратами. Чем моложе женщина, тем больше у нее шансов на беременность.

Эльза, милая, бесплодие – не приговор. Это всего лишь диагноз. В мире насчитывается несколько миллионов детей, зачатых при помощи экстракорпорального оплодотворения. По данным исследований, ЭКО-дети и малыши, зачатые естественным путем, не имеют между собой отличий. Именно это оплодотворение дает надежду отчаявшимся стать матерями женщинам выносить и родить здорового ребенка. Так родила свою малышку моя подруга, а ведь у неё тоже нет маточных труб, но было огромное желание испытать счастье материнства. И не побоюсь заметить, что она родила свою малышку без мужа. Разведясь с мужем, она решила, что жизнь продолжается, и повторила себя в своём ребёнке. Её путь к рождению малышки оказался долгим и нелёгким, но ей помогла вера, ведь она не отчаивалась и отдавала себе отчёт в том, что уныние – большой грех. Она работала сутки напролёт, без выходных и праздников, чтобы накопить деньги на процедуру и услышать заветное «МАМА».

Не нужно трагично смотреть на ситуацию. Можно сделать всё возможное и родить ребёнка, а не коротать жизнь в одиночестве. Для уныния нет оснований. Прежде чем ставить на себе крест, поверьте в чудо медицины. Да, это рискованно, но это не пустой риск, а риск, оправданный материнским инстинктом.

Дорогая моя Эльза, вы столько пережили, значит, вы сильный человек. В вашей жизни наступил момент, когда необходимо взять жизнь в свои руки. Вы должны научиться засыпать с надеждой на завтрашний день. КАЖДЫЙ ДЕНЬ, КОТОРЫЙ МЫ ПРОЖИЛИ, – ЭТО УПУЩЕННАЯ ВОЗМОЖНОСТЬ. Поймите, не человек, сидящий в тюрьме, а только вы можете сделать себя счастливой. Что значит – он может бросить вас в любой момент? Да это он должен бояться, что вы можете его бросить. Вы будто поменялись местами. Вы за решёткой, а он на воле... Перед вами вся жизнь и миллион возможностей устроить её так, как вы хотите. К чему посылки, бандероли для человека, с которым вы познакомились по телефону, и я уверена, ни разу в жизни не видели? Многие заключенные специально заводят переписку с одинокими женщинами, надеясь на эти самые посылки. Иногда письма пишет один человек для всей камеры. Потратьте лучше ваши деньги на себя или копите на предстоящее ЭКО и рождение малыша. Ваше бедное сердце можете согреть только вы сами. Мужчины не любят женщин-жертв. Я не хочу плохо говорить о вашем знакомом, но будьте бдительны, возможно, он просто пользуется вами для своей определённой выгоды.

Что вы вообще знаете об этом человеке? Я имею в виду не с его слов про то, что там сидят почти все невиновные. Эти люди пишут слезливые письма и морочат женщинам голову. Очень часто, после того как выходят из мест лишения свободы, они действительно живут какой-то короткий срок с теми, кто посылал им бандероли и преданно ждал, а потом уходят к другим, потому что психология женщин-жертв им слишком понятна и они всегда будут ассоциироваться с тюрьмой. Вам необходимо связаться с администрацией исправительного заведения и навести справки об этом человеке, чтобы обладать информацией не только с его слов. Зачастую женщинам идут навстречу. И не стоит забывать, что на зоне люди лучше не становятся.

Моя хорошая знакомая по работе ездит в колонию каждый месяц: оформлять заявления от желающих заключить брак. Некоторые женятся по несколько раз. Причем там же, в колонии, первый брак, через год второй, третий. Иногда раньше, чем через год, опять вызывают нотариуса. У всех практически по нескольку невест по переписке. Заключенные закидывают удочки всем с предложением пожениться. Из тех, кто соглашается, уже выбирают тех, кто живет в этом же городе, где колония, или рядом, чтобы чаще ездили на свидания с передачами.

Всем, кого угораздило влюбиться в уголовника, могу посоветовать одно: не ведитесь на громкие слова о любви и преданности, они вылетают из их уст очень часто, но искренними бывают очень редко. Думайте головой прежде всего, хотя бы на время отключайте сердечко, которое порой бывает ослеплено любовью и красивыми словами. Вас зацепило, что он смог вас понять и принять, оказывает поддержку? Он поймал вас на вашей слабости и проблеме, а взамен получил деньги, посылки и бандероли. Обычно эти люди очень хорошие психологи, и женщины с разбитым сердцем, как у вас, именно то, что им нужно.

Эльза, хорошая моя, я ни в коем случае вас не осуждаю. Я очень прониклась к вам и хочу, чтобы всё было хорошо. Но если вы читаете мои книги, значит, вы моя родная душа. Мы находимся с вами на одной волне, и моя прямая обязанность вас предупредить. Я согласна, уродов и на свободе хватает. Они могут быть и с образованием, и из хороших семей, и с прекрасной работой, только их жёнам не спится, в подушку рыдают...

Я не защищаю тех, кто на зоне! Там полно наркоманов, насильников, мошенников, но и нормальные тоже есть, как и на свободе. Единственное, что хочу этим женщинам посоветовать – присмотритесь и прислушайтесь к человеку, которого любите. Они часто прокалываются в своих афёрах, словах и поведении. Ещё неизвестно, будет ли он лечить ваше израненное сердце и дальше, если вы прекратите оказывать ему материальную помощь. Ваши отношения – кот в мешке. Вы ему материальную помощь, а он вам психотерапию. Получается, вы платите за лечение своего израненного сердца. Ему сейчас нечего терять, потому что изменений в жизни никаких. Неизвестно, как он себя поведёт, когда выйдет из тюрьмы.

Эльза, милая, я ни в коем случае вас не отговариваю. Просто хочу, чтобы вы посмотрели на вещи реально и были предельно осторожны. Вы и так пережили много горя и разочарований. Милая моя девочка, нормальный человек, туда попавший, денег просить не будет.

Очень часто девушки жалеют своих «любимых» и пополняют баланс их телефона. Некоторые посылают бандероли. Третьи привозят посылки. Их просто используют. Дай бог, чтобы в вашем случае было не так, но кто предупреждён, тот вооружён. Можно встретить и тех, кто нашел свое счастье с заключенными, познакомившись с ними по телефону. Однако кто даст гарантию, что все подобные знакомства заканчиваются благополучным финалом?

Сейчас самое время подумать о себе. Милая моя девочка, научитесь получать удовольствие от собственной жизни. ТЕМНО ВСЕГДА ПЕРЕД РАССВЕТОМ. Главное, дождаться рассвета. Не держитесь за прошлое. Простите всех, кто в нём был, и отпустите его. Прошлое – это обуза на ваших плечах. Скиньте её. Живите ЗДЕСЬ и СЕЙЧАС. Подойдите к зеркалу, посмотрите на своё отражение и подумайте, как сильно вы себя любите. МЫ ВСЕ ПРИШЛИ В ЭТОТ МИР, ЧТОБЫ БЫТЬ СЧАСТЛИВЫМИ. Любите свою жизнь. Очень неплохой метод взять ситуацию в свои руки – это изложить, что вас мучает, на бумаге, а потом ее спалить. Вы сразу почувствуете облегчение в душе.

Вместо посылки для сидящего в тюрьме фактически незнакомого человека (всё, что вы о нём знаете, это только с его слов), устройте себе подарок. Купите то, что давно хотели. Постарайтесь вычеркнуть из жизни понятие «трудная ситуация».

Преобразовывайте всё в позитив, в исполнение ваших стремлений и желаний. Да хранит вас Бог. Обязательно пишите.

Любящий вас автор, Юлия Шилова.

8

ЗДРАВСТВУЙТЕ, ЮЛИЯ! Я ДАВНЯЯ ПОКЛОННИЦА ВАШЕГО ТАЛАНТА. КАЖДАЯ ВАША КНИГА ПРИКОВЫВАЕТ К СЕБЕ, ЗАВОРАЖИВАЕТ И ОЧАРОВЫВАЕТ. ВАШИ КНИГИ ДЛЯ МЕНЯ КАК НАРКОТИК, БЕЗ НИХ Я НЕ ПРЕДСТАВЛЯЮ СВОЮ ЖИЗНЬ. ВАШИ КНИГИ УЧАТ ЖЕНЩИНУ БЫТЬ ЖЕНЩИНОЙ С БОЛЬШОЙ БУКВЫ. ВСЕ ВАШИ ГЕРОИНИ ОБЛАДАЮТ НЕОБЫКНОВЕННЫМ ШАРМОМ, ОГРОМНОЙ СИЛОЙ ВОЛИ И НЕКОТОРОЙ ДОЛЕЙ СТЕРВОЗНОСТИ, БЕЗ КОТОРОЙ В ЭТОЙ ЖИЗНИ НЕ ОБОЙТИСЬ. Я ИСКРЕННЕ ВОСХИЩАЮСЬ ВАМИ И КАК ЖЕНЩИНОЙ, И КАК ПРЕКРАСНОЙ ПИСАТЕЛЬНИЦЕЙ. А ТАКЖЕ, ЧИТАЯ ВАШИ КНИГИ, НЕЛЬЗЯ НЕ ОБРАТИТЬ ВНИМАНИЯ НА РУБРИКУ «ОТВЕТЫ НА ПИСЬМА». ЭТО О МНОГОМ ГОВОРИТ. МНОГИЕ РАССКАЗЫВАЮТ О СЕБЕ И СВОЕЙ ЖИЗНИ, И ЕЩЁ РАЗ УБЕЖДАЕШЬСЯ, ЧТО У КАЖДОГО ЧЕЛОВЕКА ЕСТЬ СВОЯ ИСТОРИЯ И СВОЙ «СКЕЛЕТ В ШКАФУ».

ОПЫТ, КОТОРЫЙ ЧЕРПАЕШЬ ИЗ ВАШИХ КНИГ, – БЕСЦЕНЕН. НЕВОЛЬНО ЗАДУМЫВАЕШЬСЯ, А ЧЕГО Я В ЭТОЙ ЖИЗНИ ДОБИЛАСЬ И ЧЕГО МОГЛА БЫ ДОБИТЬСЯ, ЕСЛИ БЫ ВСЕ

СЛОЖИЛОСЬ ПО-ДРУГОМУ? СЕЙЧАС Я ЖИВУ В ГРАЖДАНСКОМ БРАКЕ СО СВОИМ ПАРНЕМ, ДО ЭТОГО МЫ ВСТРЕЧАЛИСЬ ДВА ГОДА.

МНЕ 20 ЛЕТ, ЕМУ 23 ГОДА. Я ОЧЕНЬ ХОЧУ СВАДЬБУ, А ОН ВСЁ ГОВОРИТ, ЧТО НУЖНО СНАЧАЛА НАКОПИТЬ ДЕНЕГ. ДАЖЕ ЕСЛИ ОТМЕЧАТЬ СВАДЬБУ БУДЕМ ДОМА, ОН ГОВОРИТ, ЧТОБЫ Я КОПИЛА НА НЕЁ ДЕНЬГИ. ПРИ ВСЁМ ПРИ ЭТОМ ОН НЕ ЖАДНЫЙ. Я СЕЙЧАС УЧУСЬ ПОСЛЕДНИЙ ГОД В ИНСТИТУТЕ, ОСТАЛОСЬ ДОУЧИТЬСЯ ВСЕГО ТРИ МЕСЯЦА, СДАТЬ ЭКЗАМЕНЫ И ПОЛУЧИТЬ ДИПЛОМ. Я РАБОТАЮ ПО ВОСКРЕСЕНЬЯМ И ПОЛУЧАЮ НЕМНОГО ДЕНЕГ. И ОН, ВИДИМО, ХОЧЕТ, ЧТОБЫ НАШИ ФИНАНСОВЫЕ ЗАТРАТЫ НА СВАДЬБУ БЫЛИ ОДИНАКОВЫМИ. МНЕ ХОТЕЛОСЬ БЫ СВАДЬБУ УЖЕ ЭТИМ ЛЕТОМ. НАДЕЮСЬ, ВСЁ ТАК И ПОЛУЧИТСЯ.

ЮЛЕНЬКА, И САМОЕ ИНТЕРЕСНОЕ, ЧТО КОЛЬЦА МЫ КУПИЛИ УЖЕ ПОЛГОДА НАЗАД, ЕЩЁ ЛЕТОМ. НО ПОТОМ МЫ С НИМ КРУПНО ПОССОРИЛИСЬ. ВОЗМОЖНО, ПОЭТОМУ ОН ИЗМЕНИЛ СВОЁ МНЕНИЕ И ТЯНЕТ СО СВАДЬБОЙ. Я УЖЕ НЕ ЗНАЮ, ЧТО ДУМАТЬ. НАДЕЮСЬ, МОИ ЖЕЛАНИЯ НАСЧЁТ СВАДЬБЫ СБУДУТСЯ, ДЕЛО ТОЛЬКО ВО ВРЕМЕНИ.

НО МНОГИЕ ГОВОРЯТ, ЧТО ЛУЧШЕ ЖИТЬ ГРАЖДАНСКИМ БРАКОМ. ПОСЛЕ СВАДЬБЫ ЛЮДИ НАЧИНАЮТ ЧАЩЕ ССОРИТЬСЯ И ВЫЯСНЯТЬ ОТНОШЕНИЯ. ВОТ И БОЮСЬ, ВДРУГ НАШИ ОТНОШЕНИЯ ПОСЛЕ СВАДЬБЫ ИСПОРТЯТСЯ? МЫ ОБА БУДЕМ ЧУВСТВОВАТЬ ТЯ-

ЖЕСТЬ БРАКА. ЧТОБЫ ВЫ НЕ ДУМАЛИ, ЧТО Я СОМНЕВАЮСЬ В НЁМ ИЛИ В СЕБЕ, ЭТО НЕ ТАК. МЫ ОЧЕНЬ ЛЮБИМ ДРУГ ДРУГА И ХОТИМ ПРОЖИТЬ ВМЕСТЕ ВСЮ ЖИЗНЬ, ИМЕТЬ ДЕТЕЙ И ТАК ДАЛЕЕ. ПРОВЕРКУ ОТНОШЕНИЙ МЫ УЖЕ ПРОШЛИ, И НЕ ОДИН РАЗ, – У НАС БЫЛИ И РАЗЛУКИ, И РЕВНОСТЬ, И ВСЕ-ТАКИ МЫ ОСТАЛИСЬ ВМЕСТЕ.

С МОЕЙ СТОРОНЫ Я БУДУ ЧУВСТВОВАТЬ СЕБЯ ГОРАЗДО УВЕРЕННЕЕ В СТАТУСЕ ЖЕНЫ, И КО МНЕ БОЛЬШЕ НЕ БУДЕТ ВОПРОСОВ ОТ РОДСТВЕННИКОВ, ПОЧЕМУ МЫ ЕЩЁ НЕ ЖЕНАТЫ, А ЖИВЁМ ВМЕСТЕ. Я ДУМАЮ, ПОСЛЕ СВАДЬБЫ ОТНОШЕНИЕ К НАМ, КАК К ПАРЕ, У МНОГИХ ИЗМЕНИТСЯ. НАС БУДУТ СЧИТАТЬ ПОЛНОЦЕННОЙ МОЛОДОЙ СЕМЬЁЙ.

И ВСЁ-ТАКИ ХОТЕЛОСЬ БЫ УЗНАТЬ ВАШЕ МНЕНИЕ: ЖИТЬ С ЛЮБИМЫМ ЛУЧШЕ ГРАЖДАНСКИМ БРАКОМ ИЛИ СО ШТАМПОМ В ПАСПОРТЕ? И КАК ЭТОТ ШТАМП ПОВЛИЯЕТ НА ОТНОШЕНИЯ ДВОИХ?

С УВАЖЕНИЕМ,

ИРИНА.

Ирина, милая, большое спасибо за ваше письмо и за то, что вы так сильно любите мои книги. Буду стараться не разочаровать вас и дальше. В вашем случае вам не нужно сомневаться. Конечно, вам нужна свадьба и официальная регистрация брака. Ведь вы молоды, вам рожать деток, и у вас всё только начинается. И вы, и ваши будущие детки должны быть защищены.

Когда люди живут в гражданском браке, зачастую они руководствуются целью сохранить свободу. Дети, рождённые в гражданском браке, социально не защищены. Ирина, официальный брак для вас – это прежде всего ответственность и уверенность в завтрашнем дне. Только в нём вы сможете осознать всю значимость семейных ценностей. В гражданском браке каждый может уйти в любой момент. Официальный брак предусматривает наличие правил и обязанностей, а также социальных гарантий. Редкая девушка не мечтает в белоснежном платье под марш Мендельсона сказать заветное: «Да!»

Официальный брак – это своеобразная гарантия. Большинство незамужних женщин не вступят в отношения с женатым мужчиной. Гражданский брак на любовниц не действует, несмотря на то, что сейчас он очень популярен. Очень часто в гражданский брак вступают мужчины и женщины, которые уже побывали в официальном браке, но совместная жизнь, к сожалению, не сложилась. Получив печальный опыт семейных отношений, они уже хорошо подумают, стоит ли оформлять отношения, чтобы не наступить на одни и те же грабли. Они хотят проверить свои чувства, узнать друг друга в быту. Если что не понравилось, разбежались. Чаще всего партнёры просто не доверяют друг другу полностью и считают подобные отношения проверкой чувств. Проверяют надёжность друг друга.

Бытует мнение, что гражданский брак держит мужчину в тонусе, а официальный расслабляет. Мужчина понимает, что со штампом в паспорте женщина от него никуда не денется. Любовь как бы сажают в клетку на цепь, и она не может жить по искусственным законам, придуманным людьми. Отсюда и суждение о том, что штамп в паспорте хоронит любовь. Все в один голос говорят, мол, там, где начинаются требования и быт, появляются раздражение и сопротивление. Я не согласна. Любовь либо есть, либо её нет.

Нежелание вступать в брак – это возможность избежать лишней ответственности. Официальный брак всё же более стабилен. Конечно, нет гарантии, что это навсегда. В этой жизни вообще никто ни от чего не застрахован и не может давать гарантии, но всё же в гражданском браке человеку хлопнуть дверью гораздо проще. В любой момент можно уйти и не вернуться.

Люди меняются, меняются их характеры. Чтобы было ощущение настоящей семьи, важны семейные ценности. Двоих что-то должно удерживать вместе. Они должны куда-то двигаться. В гражданском браке нет такой ответственности, как в официальном. Когда двое ставят штамп в паспорте, они как бы программируют себя на долгие и стабильные отношения. Очень часто гражданский брак обречён, несмотря на силу чувств и на то, сколько люди прожили вместе. Большинство мужчин, живущих в гражданском браке, считают себя холостяками. Удивительно, но при этом женщины, живущие в гражданском браке, считают себя замужними.

Что касается моего личного мнения, то я, в силу своего возраста, совершенно спокойно отношусь к гражданскому браку. Официальный брак нужен в молодости. И я очень счастлива, что моя дочь официально оформила отношения со своим молодым человеком и теперь они муж и жена.

Одна моя читательница прожила в гражданском браке больше десяти лет. Жила хорошо, но потом случилось непредвиденное. Так называемый муж выставил её из дома, потому что нашёл себе новую пассию. Юридически брошенная женщина никак не защищена и не имеет никаких прав. Все эти годы она считала, что наступит момент и любимый обязательно на ней женится. Просто всё время обстоятельства складывались так, что ему некогда или он не может... Все эти годы она панически боялась, что её бросят, как могла доказывала свои чувства и преданность, подавляя недоверие к любимому. Не было ни ощущения семьи, ни уверенности в будущем. Какой-то самообман. Отношения не развивались, а стояли на месте. Любимый словно отступал и наводил мосты для побега, намекая на то, что никому ничем не обязан.

Сейчас, прокручивая в голове проведённые вместе годы, она пришла к мнению, что, почувствовав, что мужчина всяческим способом уходит от вопроса женитьбы, она ушла бы ещё на первом году проживания, а не верила в чудо долгие десять лет. Причём, пустив в дом новую жену, он тут же зарегистрировал свои отношения. Значит, у той девушки хватило мудрости приручить того, кто совсем недавно был противником брака. Получается, всё зависит от женщины. Если мужчина действительно нашёл женщину по душе, его ничто не остановит и он не побоится отдаться ей целиком. Одним словом, он не побоится БЫТЬ МУЖИКОМ.

Любая молодая девушка хочет иметь детей, рождённых в законном браке, и это нормальное желание. Кому угодно надоест ждать годами предложение руки и сердца. Одним словом, в любом браке есть свои плюсы и минусы. Если молодые хотят проверить свои чувства и пожить гражданским браком, не вижу ничего плохого. Главное, чтобы он был недолгий и не перерос в затяжное сожительство. Важно, чтобы двое не спекулировали на чувствах и желании вместе жить, которое ограничивалось желанием иметь одного постоянного сексуального партнёра, и не более того, чтобы двое не боялись дальнейшей ответственности. Законный брак – это естественное продолжение начатых отношений. Это не только штамп в паспорте. Это что-то большее. ЭТО СЕМЬЯ. Семья – всегда стимул. Стимул двигаться вперёд, добиваться цели...

Любая модель брака зависит от двух конкретных людей. Любящим друг друга людям всё-таки стоит думать не только о душе и личных взаимоотношениях, но и о тех правилах игры, которые установило государство. Это не хорошо и не плохо. Это данность, с которой приходится считаться. Нужно думать о себе и о будущих детях.

Иногда штамп в паспорте оказывается небесполезным. Очень часто мужчины пользуются всеми благами, манипулируя конфетой «а то я на тебе не женюсь», и женщина старается изо всех сил, чтобы не потерять и удержать. Брак якобы нужен женщине, а мужчина – этакий приз. Нужно уметь уважать себя настолько, чтобы закончить отношения, в которых тобой манипулируют. Если много раз сказано: «Я не готов для брака» или «Штамп ничего не значит», если пара не согласовала через год, два, три: мы или расписываемся и рожаем детей, или нет смысла тратить время друг друга... Любая надежда должна на чем-то основываться. Если парень дает пустые надежды – он манипулятор и просто забирает время и силы. Можно вкладывать много и не получать отдачи.

Моя читательница прожила в гражданском браке пять лет, но так и не дождалась заветного предложения. Шли годы, она хотела замуж. Её спутник старательно избегал разговоров на эту тему. Все обещал подумать. Пять лет думал. Девушка решила, что не настолько она плоха, чтобы сидеть и ждать далеко не принца с призрачными перспективами семейной жизни. Она ушла. Не дождалась. Эта ситуация её просто убивала, разговоры о свадьбе, ребенке и кошке отвергались. Конфликты возникали только потому, что девушка ощущала себя человеком временным, не годящимся для серьезных законных отношений.

Своим уходом она хотела дать понять своему спутнику, что пришло время серьезных решений, ей больше ждать невмоготу. Девушка думала, если молодой человек любит, обязательно остановит ее и вернет. Но не остановил и не вернул. Нет, он хотел, чтобы она вернулась, но только на прежних условиях.

В скором времени она встретила человека, который посчитал за счастье жениться на такой девушке. Серьезность и надежность второй половинки очень и очень много значит. Жить в свое удовольствие можно и с любимой женой. Главный вопрос – почему люди боятся официально зарегистрировать семейные отношения, одним словом, взять на себя ответственность? Ответ однозначен: неуверенность в партнёре. Очень часто из так называемого гражданского брака девушки выходят с «голой попой», разрушенной психикой и чувством полного саморазрушения.

Многие почитатели гражданского брака могут попасть в ситуацию, когда мужа или жену не пускают в больницу, потому что они не близкие родственники. По документам-то они никто друг другу. То, что в современном мире называется гражданским браком, церковь называет блудным сожительством. Православная церковь признает два вида брака: гражданский брак – это брак, зарегистрированный в органах гражданского состояния (ЗАГС); церковный брак – брак, который совершается через таинство венчания. Важно принять для себя решение, тот ли это человек, с которым вы готовы прожить всю жизнь, разделяя радости и скорби. И если решение будет положительным и между вами существует взаимная любовь, придайте своим отношениям законные основания.

Я уважаю гражданский брак, но он должен быть развивающимся и не растягиваться на долгие годы. Штамп в паспорте в подсознании – большая ответственность перед вашим союзом. Это как бы официальное ваше заявление перед обществом, ведь мы всё-таки в обществе живём, а не в лесу, что вы пара, у вас серьёзно, большие планы на совместное будущее. Это также юридическая защищённость мужа, жены и детей. Мужчина, если уверен в своей любви, в своей женщине, ставит этот штамп и берёт на себя ответственность – он это понимает и не боится этого. Мужчины, которые не хотят по каким-то причинам регистрировать отношения, боятся штампа – это мужчины, для которых своя выгода превыше всего. Они умеют так обработать женщину, что она тоже будет доказывать, что этот штамп ей не нужен.

Ирина, милая, муж и жена прежде всего состояние душевное, состояние ваших отношений. Можно в браке быть врагами, а в сожительстве – лучшими супругами друг для друга. Муж – это не просто штамп в паспорте, это человек, который захотел взять на себя моральную и материальную ответственность за семью. От официальной жены так просто, без моральных и материальных потерь (суды, раздел имущества, нервы) не уйдешь. А от сожительницы – в любой момент собрался и съехал, без проблем, потерь и последствий. Или ей указал на дверь. Поэтому если мужчина не предлагает штамп в паспорте, который, по его словам, ничего не решает, но тем не менее живёт и пользуется вами, значит, он понимает, что вы – не тот человек, ради которого он взял бы эту ответственность. Вы в его жизни до тех пор, пока он не встретит достойный для себя вариант.

Сколько примеров, когда мужчины долго сожительствуют, говорят, что штамп в паспорте не нужен, а потом встречают другую и через полгода-год уже в официальном браке. Если для мужчины женщина важна, любима и всё действительно серьёзно, ни о каком гражданском браке вы от него и не услышите. Он не только официальный брак, он ещё и венчаться предложит. А если вы скажете, что не готовы, он тут же задаст вопрос: «Ты ещё кого-то ищешь? Ты со мной не навсегда?» Одним словом, одномоментно мужчина принимает решение, и для него после этого существует только «МЫ» и в паспорте, и в доме, и в фамилии, и во всех жизненных аспектах.

Дорогая Ирина, у вас всё будет хорошо. Вы сыграете свадьбу и будете жить долго и счастливо. Я уверена, будет именно так. Всегда буду ждать от вас весточки.

Любящий вас автор, Юлия Шилова.

9

ЮЛИЯ, ДОБРЫЙ ДЕНЬ! МЕНЯ ЗОВУТ АНЖЕЛА. МНЕ 26 ЛЕТ, Я ЗАМУЖЕМ И У МЕНЯ РАСТЁТ ПРЕКРАСНЫЙ СЫН. Я РЕШИЛА ВАМ НАПИСАТЬ, ПО-

ТОМУ ЧТО САМА НЕ МОГУ РАЗОБРАТЬСЯ НИ В СВОЕЙ ЖИЗНИ, НИ В СВОИХ МЫСЛЯХ. В ГОЛОВЕ ТАКАЯ КАША...

НО ПЕРЕД ТЕМ КАК НАЧНУ ИЗЛАГАТЬ СВОЮ ЖИЗНЬ, ХОЧУ СКАЗАТЬ ВАМ ОГРОМНОЕ СПАСИБО ЗА ВАШЕ ТВОРЧЕСТВО, ЗА ВАШУ ПОМОЩЬ И ПОДДЕРЖКУ ЛЮДЯМ, ЗА ВАШИ ДОБРОТУ И УМЕНИЕ СКАЗАТЬ ТАКИЕ СЛОВА ОБОДРЕНИЯ, ЗА КОТОРЫЕ ВАМ БЛАГОДАРНЫ ЖЕНЩИНЫ, ПОДДЕРЖИВАЮЩИЕ С ВАМИ СВЯЗЬ. СПАСИБО!

ИТАК, ВОТ МОЯ ИСТОРИЯ. НАС В СЕМЬЕ ДВЕ ДЕВОЧКИ (У МЕНЯ ЕСТЬ МЛАДШАЯ СЕСТРА). МАМА НАС РАСТИЛА, МОЖНО СКАЗАТЬ, ОДНА (ВЕРНЕЕ, ВМЕСТЕ С БАБУШКОЙ). ОТЕЦ ЛЮБИЛ ВЫПИТЬ. ПИЛ ЗАПОЯМИ, ДЕНЕГ НЕ ПРИНОСИЛ, И, В КОНЦЕ КОНЦОВ, МАМА С НИМ РАЗВЕЛАСЬ. НО ОНИ ПРОДОЛЖАЛИ ЖИТЬ ВМЕСТЕ КАКОЕ-ТО ВРЕМЯ. ЗАТЕМ, КОГДА МНЕ БЫЛО ДЕВЯТЬ, ОТЕЦ УЕХАЛ К СВОЕЙ МАТЕРИ НА АЛТАЙ И СТАЛ ТАМ ЖИТЬ. АЛИМЕНТОВ НЕ ПЛАТИЛ, ВЫСЫЛАЛ ПО ПРАЗДНИКАМ ОТКРЫТКИ, ОБЕЩАЛ ВЫСЛАТЬ ДЕНЕГ И ОДЕЖДУ. МЫ СВЯТО В ЭТО ВЕРИЛИ. ЧЕРЕЗ ТРИ ГОДА ОН ВЕРНУЛСЯ, УСТРОИЛСЯ НА РАБОТУ, НО СПУСТЯ ДВА ГОДА ОПЯТЬ ЗАПИЛ, И ВСЁ НАЧАЛОСЬ СНОВА.

В ОБЩЕМ, ДЕТСТВО НАШЕ ПРОШЛО НАПОЛОВИНУ БЕЗ ОТЦА. МАМА КАК МОГЛА ТЯНУЛА НАС, НО ВСЁ РАВНО ЖИЛИ МЫ БЕЗ ДОСТАТКА. У МЕНЯ С ШЕСТНАДЦАТИ ЛЕТ БЫЛА МЕЧТА – РЕСТОРАН. Я СПЛЮ И ВИЖУ, ЧТО МОЙ РЕСТОРАННЫЙ БИЗНЕС ПРОЦВЕТАЕТ.

ГОВОРЯТ, ЧТО МЕЧТЫ СБЫВАЮТСЯ. ГОД НАЗАД МНЕ НАКОНЕЦ-ТО УДАЛОСЬ ОТКРЫТЬ СОБСТВЕННОЕ ДЕЛО. ПУСТЬ ПОКА Я РАБОТАЮ И ЗА ДИРЕКТОРА, И ЗА БУХГАЛТЕРА, И ЗА ПОВАРА, НО ВЕРЮ В ТОТ ДЕНЬ, КОГДА Я В СТРОГОМ КОСТЮМЕ БУДУ СИДЕТЬ ЗА КОРИЧНЕВЫМ ПОЛИРОВАННЫМ СТОЛОМ. ЭТОТ ДЕНЬ ТОЧНО НАСТАНЕТ! МОЙ БИЗНЕС ПОКА ЕЩЁ СОВСЕМ МАЛ, НО В ГОРОДЕ МЕНЯ УЖЕ МНОГИЕ ЗНАЮТ. Я ПЕКУ ТОРТЫ НА ЗАКАЗ И ВЫПЕКАЮ РАЗНЫЕ МЕЛКИЕ ПИРОЖНЫЕ И СДАЮ В МАГАЗИНЫ НА ПРОДАЖУ. ДЕЛО ИДЕТ.

ВТОРАЯ ЧАСТЬ МОЕЙ ИСТОРИИ – ЭТО МУЖ. СО СВОИМ БУДУЩИМ МУЖЕМ Я ПОЗНАКОМИЛАСЬ В ШКОЛЕ. МЫ ВМЕСТЕ УЧИЛИСЬ В ПАРАЛЛЕЛЬНЫХ КЛАССАХ ДО ДЕВЯТОГО КЛАССА. ЛИЧНО ЗНАКОМЫ НЕ БЫЛИ, НО Я БЫЛА НАСЛЫШАНА О НЁМ КАК О САМОМ ПЕРВОМ БАБНИКЕ ШКОЛЫ. ПОСЛЕ ДЕВЯТОГО КЛАССА МЫ НАЧАЛИ УЧИТЬСЯ ВМЕСТЕ, СИДЕЛИ ЗА ОДНОЙ ПАРТОЙ. И ПОШЛО-ПОЕХАЛО. ВЛЮБИЛАСЬ Я ПРЯМО С ПЕРВОГО УРОКА, МОЖНО СКАЗАТЬ. ОН СРАЗИЛ МЕНЯ НЕ ТОЛЬКО ВНЕШНОСТЬЮ, НО И ЗАПАХОМ. У НЕГО ВКУСНЫЙ ОДЕКОЛОН. ВСТРЕЧАТЬСЯ МЫ НАЧАЛИ СПУСТЯ ГОД. ЗА ЭТО ВРЕМЯ У НЕГО БЫЛО ЕЩЁ ТРИ ДЕВУШКИ.

СНАЧАЛА ВСЁ БЫЛО ОЧЕНЬ ХОРОШО, ОН ОБРАЩАЛСЯ СО МНОЙ КАК С ФАРФОРОВОЙ КУКЛОЙ, НОСИЛ НА РУКАХ. ВСЕ БЫЛО ЗАМЕЧАТЕЛЬНО. ОН СТАЛ МОИМ ПЕРВЫМ И ПОКА ЕДИНСТВЕННЫМ МУЖЧИНОЙ. ЧЕРЕЗ МЕСЯЦ

ПОСЛЕ ЭТОГО ОН ВДРУГ ПЕРЕСТАЛ КО МНЕ ХОДИТЬ СОВСЕМ. БЫЛИ ЗИМНИЕ КАНИКУЛЫ. ГДЕ-ТО НА СЕДЬМОЙ ДЕНЬ ОЖИДАНИЯ Я ПОШЛА К НЕМУ САМА, ТАК КАК ЗНАЛА, ГДЕ ОН МОЖЕТ НАХОДИТЬСЯ СО СВОЕЙ КОМПАНИЕЙ ДРУЗЕЙ. КОГДА ЕГО ДРУЗЬЯ МЕНЯ УВИДЕЛИ, ТО ДАЛИ ЕМУ ЗНАК, ЧТО Я ИДУ. УВИДЕВ МЕНЯ, ОН СТУШЕВАЛСЯ, НА МОИ ВОПРОСЫ СТАЛ МЫЧАТЬ, ОТВЕЧАЛ НЕОДНОЗНАЧНО. Я НИЧЕГО НЕ ПОНЯЛА. И ЛЕГЧЕ МНЕ НЕ СТАЛО.

КОГДА ЗАКОНЧИЛИСЬ КАНИКУЛЫ, ОН ПЕРЕСТАЛ ЗАХОДИТЬ ЗА МНОЙ В ШКОЛУ, НЕ СТАЛ ПРОВОЖАТЬ ДОМОЙ, ОТСЕЛ ОТ МЕНЯ НА ДРУГУЮ ПАРТУ. ПРОШЛО ПОЛТОРА МЕСЯЦА. Я МУЧИЛАСЬ, ОЧЕНЬ ЕГО ЛЮБИЛА, МОЖНО СКАЗАТЬ, СОТВОРИЛА СЕБЕ КУМИРА. А ОН НЕ ХОТЕЛ МНЕ НИЧЕГО ОБЪЯСНЯТЬ И ДАЖЕ ОБЩАТЬСЯ СО МНОЙ. НАВЕРНОЕ, ТОГДА, ЕСЛИ БЫ Я БЫЛА ХОТЬ ЧУТЬ-ЧУТЬ ГОРДОЙ, МНЕ НУЖНО БЫЛО С НИМ РАССТАТЬСЯ, НО ГОРДОСТИ ВО МНЕ НЕ БЫЛО НИ ГРАММА. Я ГОТОВА БЫЛА НА ВСЁ, ЛИШЬ БЫ ОН ПРИШЁЛ. И ВОТ ОДНАЖДЫ, ГДЕ-ТО В ПОЛНОЧЬ, РАЗДАЛСЯ СТУК В ДВЕРЬ. ОН ПРИШЁЛ, ЧТО-ТО МЯМЛИЛ. А Я ТАК ТРЯСЛАСЬ ОТ ВОЛНЕНИЯ, ЧТО НЕ МОГЛА ГОВОРИТЬ.

С ЭТОГО ДНЯ ОН НАЧАЛ КО МНЕ ХОДИТЬ ТОЛЬКО ЗА СЕКСОМ. ВСЁ ПРОИСХОДИЛО ТАК: ОН НАГУЛЯЕТСЯ С ДРУЗЬЯМИ, ВЫПЬЕТ, ЗАКУСИТ, ПОКУРИТ И ТАК ДАЛЕЕ, ПРОЙДЕТ МИМО ДОМА МОЕГО И НА ПОЛЧАСИКА ЗАЙДЕТ НА СЕКС. Я И ОТ ТАКИХ ВСТРЕЧ БЫЛА СЧАСТЛИВА.

ОКОНЧИВ ШКОЛУ, МЫ ПОСТУПИЛИ УЧИТЬСЯ В РАЗНЫЕ ЗАВЕДЕНИЯ И СТАЛИ ВИДЕТЬСЯ ЕЩЁ РЕЖЕ. РАЗ В НЕДЕЛЮ. Я ТАК ЖДАЛА ЭТИХ ВСТРЕЧ, КАК ПРЕДАННАЯ СОБАЧОНКА. УЖЕ ТОГДА Я НИ О КОМ ДРУГОМ ДУМАТЬ НЕ МОГЛА. Я ДУМАЛА, ЕСЛИ ВСТРЕЧУ КОГО-НИБУДЬ ДРУГОГО, БУДЕТ НЕ ТО. МАМА МОИХ ДЕЙСТВИЙ НЕ ОДОБРЯЛА, Я НЕ ПОНИМАЛА, ЧТО ОНА ЖЕЛАЕТ МНЕ ТОЛЬКО ДОБРА. МНЕ КАЗАЛОСЬ, МЕНЯ ПРОСТО НЕ ПОНИМАЮТ.

ПОТОМ Я ЗАБЕРЕМЕНЕЛА. МАМЕ БОЯЛАСЬ СКАЗАТЬ. ПОПРОСИЛА ОБ ЭТОМ СЕСТРУ. РЕШИЛИ ОСТАВИТЬ РЕБЁНКА. СПУСТЯ НЕСКОЛЬКО ДНЕЙ Я РАССКАЗАЛА ОБО ВСЁМ ЛЮБИМОМУ. ОН ОТВЕТИЛ: «ОНО ТЕБЕ НАДО? ТОЛЬКО МАМЕ МОЕЙ НИЧЕГО НЕ ГОВОРИ» (ХОТЯ ЕГО МАМА ТОЖЕ РОДИЛА В 17 ЛЕТ). ЭТО СЕЙЧАС ЕГО СЛОВА ШОКИРУЮТ МЕНЯ, А ТОГДА Я И АБОРТ ГОТОВА БЫЛА СДЕЛАТЬ РАДИ НЕГО, И МАМЕ НИЧЕГО НЕ ГОВОРИТЬ.

Я ВСЁ СДЕЛАЛА, КАК ОН ПРОСИЛ. ОН ДАЖЕ ОБЕЩАЛ ДАТЬ ДЕНЕГ НА АБОРТ (ХОТЯ ОБОШЛОСЬ БЕЗ ДЕНЕГ, ОН ТОЛЬКО ДАЛ ТРИСТА РУБЛЕЙ НА НАРКОЗ). МОЯ ЖЕ МАМА ПРОСИЛА МЕНЯ НЕ ДЕЛАТЬ ЭТОГО, НО Я В ОЧЕРЕДНОЙ РАЗ ЕЁ НЕ ПОСЛУШАЛА. АБОРТ БЫЛ НЕУДАЧНЫМ, И Я ПОЛУЧИЛА ОСТРОЕ ЗАБОЛЕВАНИЕ, И ПОТОМ, КОГДА ВТОРАЯ БЕРЕМЕННОСТЬ УЖЕ БЫЛА ЖЕЛАННАЯ, Я ОЧЕНЬ ПЛОХО ЕЁ ПЕРЕНОСИЛА. В ИТОГЕ ОСТРОЕ ЗАБОЛЕВАНИЕ ПЕРЕШЛО В ХРОНИЧЕСКУЮ ФОРМУ. ТЕПЕРЬ Я В БОЛЬНИЦЕ ЧАСТЫЙ ГОСТЬ.

ВЕРНУСЬ К БЕРЕМЕННОСТИ. ПОСЛЕ АБОРТА ОТНОШЕНИЯ С ЛЮБИМЫМ ОСТАЛИСЬ НА ПРЕЖНЕМ УРОВНЕ. Я ЛЮБИЛА, А ОН ПОЗВОЛЯЛ СЕБЯ ЛЮБИТЬ. У НЕГО НА ПЕРВОМ МЕСТЕ ДРУЗЬЯ, ВЫПИВКА, ДЕВУШКИ.

БЫЛО ЛЕТО, И ТЕПЕРЬ ОН ПРИХОДИЛ НЕ В ПОЛНОЧЬ, А В ЧЕТЫРЕ ЧАСА УТРА. А Я СИДЕЛА В КУХНЕ НА ПОДОКОННИКЕ И ЖДАЛА. ЧЕРЕЗ КАКОЕ-ТО ВРЕМЯ ОН ПОПАЛ В БОЛЬНИЦУ, А ЕГО БРАТ УМЕР. Я ПРИМЧАЛАСЬ К НЕМУ, ОН ЛЕЖАЛ ВЕСЬ ПЕРЕВЯЗАННЫЙ. ОКАЗЫВАЕТСЯ, ОНИ ПОШЛИ ПРОВОЖАТЬ СВОИХ ДЕВУШЕК ДО ДОМА (В НЕБЛАГОПОЛУЧНЫЙ РАЙОН), И В НИХ СТРЕЛЯЛИ. ЕГО БРАТА УБИЛИ, А МОЙ ОСТАЛСЯ ЖИВ.

С ЭТОГО ДНЯ В МОЕЙ ЖИЗНИ НАЧАЛАСЬ НОВАЯ СТРАНИЦА. ОН ИЗМЕНИЛ СВОЁ ОТНОШЕНИЕ КО МНЕ, ПРОСИЛ, ЧТОБЫ Я НЕ УХОДИЛА И ОСТАЛАСЬ НАСОВСЕМ. ВСЕ ЕГО ДРУЗЬЯ ПОСТЕПЕННО УДАЛИЛИСЬ ИЗ ЕГО ЖИЗНИ, А Я ЗАПОЛНЯЛА, КАК МОГЛА, УТРАТУ БРАТА СОБОЙ. ПОНАЧАЛУ ОН, КОНЕЧНО, НЕМНОГО ЗАМКНУЛСЯ В СЕБЕ, НО Я ВЫТАЩИЛА ЕГО. МЫ СТАЛИ ЖИТЬ ВМЕСТЕ У ЕГО РОДИТЕЛЕЙ.

НАША СЕМЕЙНАЯ ЖИЗНЬ ПОТЕКЛА СВОИМ ЧЕРЕДОМ. ВОТ ТЕПЕРЬ МЫ ХОТЕЛИ РЕБЁНКА, НО НИЧЕГО НЕ ПОЛУЧАЛОСЬ. Я СТАЛА ЛЮБИМОЙ. ОН МЕНЯ СНОВА СТАЛ НОСИТЬ НА РУКАХ, ПРИЗНАВАТЬСЯ В ЛЮБВИ. ИНОГДА Я ДУМАЮ: НЕУЖЕЛИ ТАКОЕ ГОРЕ ДОЛЖНО БЫЛО ПРОИЗОЙТИ, ЧТОБЫ ВСЁ ВОТ ТАК СЛУЧИЛОСЬ?

СПУСТЯ ГОД Я НАКОНЕЦ-ТО ЗАБЕРЕМЕНЕЛА. БЕРЕМЕННОСТЬ С САМОГО НАЧАЛА ПРОХОДИЛА ТЯЖЕЛО, И С МЕНЯ СДУВАЛИ ПЫЛИНКИ. МНОЮ НЕ МОГЛИ НАРАДОВАТЬСЯ.

МЫ ПОЖЕНИЛИСЬ. ВСЁ БЫЛО ПРОСТО ШИКАРНО, И В ИЮЛЕ РОДИЛСЯ НАШ СЫНОЧЕК. МЫ НЕ МОГЛИ НАРАДОВАТЬСЯ НА НАШУ КРОШКУ. СВЕКРОВЬ КОНТРОЛИРОВАЛА КАЖДЫЙ МОЙ ШАГ, ВО ВСЁМ, В ВОСПИТАНИИ РЕБЁНКА ОСОБЕННО. КАЗАЛОСЬ, ЭТО ЕЁ РЕБЁНОК, А Я И НЕ МАТЬ ВОВСЕ. ВСЁ, ЧТО КАСАЕТСЯ РЕБЁНКА, СОГЛАСОВЫВАЛОСЬ ТОЛЬКО С НЕЙ. В ТО ВРЕМЯ Я ЕЩЁ НЕ ПОНИМАЛА, К ЧЕМУ ЭТО ПРИВЕДЁТ. И ВОТ УЖЕ ЧЕТЫРЕ ГОДА Я ЖИВУ ПОД ЕЁ ДИКТАТУРОЙ И ДАВЛЕНИЕМ.

МУЖ МЕНЯ ТЕПЕРЬ НЕ ЛЮБИТ (ХОТЯ НЕ ГОВОРИТ ОБ ЭТОМ, НО Я ВИЖУ). ВСЯЧЕСКИ УНИЖАЕТ, ОСКОРБЛЯЕТ. ОЩУЩЕНИЕ, ЧТО ОН ВОСПИТЫВАЕТ В РЕБЁНКЕ НЕНАВИСТЬ К МАТЕРИ, ПОТОМУ ЧТО ДЛЯ НЕГО НИЧЕГО НЕ СТОИТ УДАРИТЬ МЕНЯ ПРИ РЕБЁНКЕ ИЛИ ОБОЗВАТЬ. НИ В ЧЁМ СО МНОЙ НЕ СОВЕТУЕТСЯ, ПОСТУПАЕТ ТАК, КАК НУЖНО ЕМУ, ИЛИ СОВЕТУЕТСЯ СО СВОЕЙ МАМОЙ. ОНА, В СВОЮ ОЧЕРЕДЬ, ДОВЕЛА КОНТРОЛЬ НАДО МНОЙ ДО ФАНАТИЗМА. ЕСЛИ Я НА РАБОТЕ, ПОСТОЯННО ЗВОНИТ, СПРАШИАЕТ, КОГДА ПРИДУ. ЕСЛИ Я НЕ ДОМА, ОНА УСТАНАВЛИВАЕТ ВРЕМЯ, КОГДА Я ДОЛЖНА ВЕРНУТЬСЯ. ЕСЛИ МЫ НАХОДИМСЯ НА МЕРОПРИЯТИИ, ОНА ЗАПРЕЩАЕТ МНЕ ОБЩАТЬСЯ С МУЖЧИНАМИ. А НЕДАВНО ДАЖЕ ЗАПРЕТИЛА МНЕ ИДТИ

НА ДЕНЬ РОЖДЕНИЯ К СЕСТРЕ, МОТИВИРУЯ ТЕМ, ЧТО Я ПЛОХО ВОСПИТАНА И НЕ МОГУ ГУЛЯТЬ БЕЗ МУЖА. МУЖ, УЗНАВ ОБ ЭТОМ, ВСТАЛ НА ЕЁ СТОРОНУ. Я ДАЖЕ К СВОЕЙ МАТЕРИ НЕ МОГУ ХОДИТЬ БЕЗ РАЗРЕШЕНИЯ.

ЛЮБЛЮ ЛИ Я ЕГО? КАК НИ ПЫТАЮСЬ СЕБЯ ПЕРЕСИЛИТЬ, ЗАГЛЯНУТЬ В СВОЮ ДУШУ И НАЙТИ ХОТЬ ЧТО-НИБУДЬ ОТ ПРЕЖНЕЙ ЛЮБВИ, НЕТ, НЕ МОГУ. НЕТ ЁЁ ТАМ. НЕ ЛЮБЛЮ Я ЕГО. МАМА ГОВОРИТ, В СВОЁ ВРЕМЯ Я БЫЛА ВЗЯТА РАДИ УТЕШИТЕЛЬНОЙ ИГРУШКИ ДЛЯ ИХ СЫНА. А СЕЙЧАС, ПО ПРОШЕСТВИИ ЛЕТ, ИГРУШКА СТАЛА НЕ НУЖНА, И ЕЁ МОЖНО УБРАТЬ В ДАЛЬНИЙ УГОЛ.

ЮЛЕНЬКА, ГОЛОВА ОТ ЭТИХ МЫСЛЕЙ ИДЁТ КРУГОМ. ПОСОВЕТУЙТЕ, ЧТО ДЕЛАТЬ. РАЗВЕСТИСЬ? ЕЩЁ ВОТ ЧТО: НА СЕВЕРЕ У МОЕЙ МАМЫ ЖИВУТ ДРУЗЬЯ, У НИХ ЕСТЬ СЫН ЧУТЬ ПОСТАРШЕ МЕНЯ. КАЖДОЕ ЛЕТО ОН ПРИЕЗЖАЕТ В ГОСТИ. РАНЬШЕ Я ЕГО НЕ ЗАМЕЧАЛА, ВИДЕЛА ТОЛЬКО СВОЕГО МУЖА. ПОЭТОМУ И НЕ ВИДЕЛАСЬ С СЕРГЕЕМ, А В ПРОШЛОЕ ЛЕТО НАМ ПРИШЛОСЬ УВИДЕТЬСЯ. И ВОТ Я ВЛЮБИЛАСЬ, КАК ШКОЛЬНИЦА. НЕДАВНО РАССКАЗАЛА ЕМУ О СВОИХ СЕМЕЙНЫХ ПРОБЛЕМАХ, И ОН ПООБЕЩАЛ ПРИЕХАТЬ ЗА МНОЙ. ЧЕРЕЗ ТРИ НЕДЕЛИ ОН ПРИЕДЕТ. ХОЧЕТСЯ ВСЁ БРОСИТЬ И СБЕЖАТЬ, НО НЕИЗВЕСТНОСТЬ ПУГАЕТ.

ЮЛЕНЬКА, Я ПРОСТО УСТАЛА ТАК ЖИТЬ. ТЕРПЕТЬ ВСЁ ЭТО РАДИ СЫНИШКИ. МАМА ГОВОРИТ, НУЖНО ТЕРПЕТЬ И ПЕРЕСТРАИВАТЬСЯ

ПОД МУЖА, А СВЕКРОВЬ УБИТЬ РАВНОДУШИЕМ. НО Я УЖЕ УСТАЛА. ВСЁ, ЧТО Я ДЕЛАЮ, НЕПРАВИЛЬНО. Я ХОЧУ СЖЕЧЬ ЗА СОБОЙ ВСЕ МОСТЫ.

С УВАЖЕНИЕМ,

АНЖЕЛА.

Анжела, милая, спасибо за приятные отзывы о моём творчестве и за ваш крик души. Ваши отношения с мужем сошли на нет по одной простой причине: вы, как молодая семья, не стали жить отдельно. Жизнь под диктатурой свекрови – это не жизнь. Жутко даже читать об этом. Вам запрещают с кем-то встречаться, куда-то ходить, устанавливают время, когда вы должны вернуться. Вас не считают взрослым и самостоятельным человеком. Вами командуют и по большому счёту даже не считают матерью, потому что воспитанием вашего ребёнка тоже занимается свекровь.

Справиться со свекровью в одиночку вы не сможете. Вам нужна поддержка мужа и ваших близких. Только из вашего письма я поняла, что муж поддерживать вас не будет, а во всём поддерживает свою мать. Вы сами позволили свекрови командовать вами. Предоставили ей такую возможность. С самого первого дня этого командования вы должны были тактично поставить её на место и заставить себя уважать. Обязанность вашего мужа – стать взрослым мужчиной и оградить вас от своей мамы.

Ваша свекровь командует, потому что находится у себя дома. В своём доме она хозяйка и, несмотря на то что вы живёте в доме мужа, вы у неё в гостях.

Вы находитесь на её территории. Конечно, вы хотите, чтобы она признала вашу самостоятельность и перестала командовать, но её не переделать. Волшебных рецептов не существует. Она не обязана вас любить, поэтому не ждите от неё снисхождения и понимания. Многое вы ей сами позволили. Вам можно сказать всё что угодно, не выбирая слов. Что значит – она вам на работу названивает и проверяет, что вы делаете? Можно её одёрнуть и запретить ей звонить, ведь вы заняты работой. Сами того не желая, вы позволили ей сесть вам на шею.

Многое зависит от мужа. От того, как он относится к вам. Его прямая обязанность – не давать в обиду свою жену своей матери и, в случае конфликта, расставить все точки над «і». И тут имеет большое значение, как она сама относится к сыну. Если его ни во что не ставит, то и слушать не будет. А если любит и уважает, то и невестку не посмеет обидеть.

Если финансовый вопрос не позволяет жить отдельно, почему бы вам не пожить у ваших родителей? Ваша мама должна быть в этом вопросе вашим союзником. Нужно искать любой вариант, чтобы не проживать вместе, потому что ваше совместное проживание под пристальным взглядом свекрови очень печально закончится. Свекровь уже не переделаешь, и серьёзных конфликтов в семье не избежать. Пожалейте свои нервы и начинайте быть хозяйкой в своей семье. Выход один – разъезжаться и свести общение со свекровью к минимуму. Если уж совсем нет денег, чтобы жить отдельно, вариант жить с тёщей гораздо лучше, чем с деспотичной свекровью.

Иначе проблему не решить. Тут может быть замешана и ревность свекрови, и её жизненный опыт. Возможно, вы просто не нравитесь ей как невестка, и она думает, что её любимый сыночек мог найти кого-нибудь получше. Если у неё нет к вам теплых чувств, они не появится. Как бы вы ни старались, что бы ни делали, для неё всё будет плохо.

Есть аксиома: любовь родственников прямо пропорциональна расстоянию между ними. То, что у вас с мужем не хватает денег снять отдельное жильё, – это проблемы вас и вашего мужа, но не свекрови. Подумайте о вашем ребёнке, в котором сейчас взращивают ненависть к матери. Ребёнок будет расти и каждый день слышать о том, какая у него несамостоятельная мама. Он не увидит и не почувствует в вас самостоятельную личность. Ему просто не за что будет вас уважать. Это может иметь самые негативные последствия.

Что касается ваших отношений с Сергеем, то не принимайте поспешных решений. Взвесьте все ЗА и ПРОТИВ. Эти отношения не должны быть бегством от семейных проблем. Не принимайте их как спасательный круг. Не хватайтесь, как утопающий за соломинку. Убедитесь, что это действительно ЛЮБОВЬ. Разумная, обдуманная, выстраданная, настоящая. И хорошо подумайте о том, останется ли ваш ребёнок с вами в случае развода. Судя по характеру свекрови, она обвинит вас во всех смертных грехах и сделает всё возможное, чтобы этого не произошло. Готовы ли вы принять такой удар судьбы, постоять за себя и стать СИЛЬНОЙ, САМОСТОЯТЕЛЬНОЙ И НЕЗАВИСИМОЙ ЛИЧНОСТЬЮ? Ответьте на этот вопрос, и ваше решение не заставит себя ждать.

Анжела, я не могу не выразить своё восхищение, какая вы молодчина, что открыли собственное дело. Будет у вас и свой ресторан. У такой умницы и красавицы всё обязательно будет. Сейчас вы приступили к исполнению мечты. Вы ведь и сами пишете, что все мечты сбываются. Да будет так! Анжелочка, мечты реализовываются, когда рядом есть группа поддержки из близких людей, которые верят в вас и помогают хотя бы морально.

Вас уже знают в городе. Вы печёте торты, пирожные, реализовываете себя, насколько возможно. Развиваетесь. Слабый человек не может сделать то, что делаете вы. Ну куда делась ваша сила в личных отношениях? Почему вы позволили себя поработить свекрови и мужу? Почему умеете заставить уважать себя посторонних людей, а ваши близкие вытирают о вас ноги и не считаются с вами? Почему перед мужем вы пасуете? Нужны ли такие близкие, которые отравляют вас? Какие мечты может разделить с вами муж, который и за человека вас не считает?

Когда-то я мечтала писать книги... Я была замужем. Хотела себя реализовать и многого достичь, но рядом со мной был муж, который не хватал звёзд с неба, ни к чему не стремился и не понимал таких людей, как я. Он поднял моё желание заняться писательской деятельностью на смех. Отпускал колкие шутки, издевался. Тогда я задумалась, как могу чего-то достичь в этой жизни, если рядом со мной человек, который меня не поддерживает и откровенно мешает, ставит невидимые подножки?

Как можно пытаться взлететь вверх, когда тот, кто рядом, будет постоянно тащить тебя вниз? Как бы ты ни старалась, не получится это сделать. Двое должны либо смотреть в одном направлении и друг друга поддерживать, либо разбегаться в разные стороны, понимая, что им дальше не по пути.

Я решила сбросить груз со своих ног и выставила ненавистного мужа за дверь, дав ему возможность жить той посредственной жизнью, которая его вполне устраивает. Ну а потом я стала тем, кем стала, и зажила так, как мечтала. И теперь мне даже страшно подумать, что было бы, если бы я не скинула груз со своих ног и отказалась от своей мечты.

С тех пор прошло слишком много лет. Больше я не встречалась с этим человеком. А совсем недавно он нашёл меня в социальных сетях и... попросил денег. Не в долг, не на что-то экстренное, а так, на поддержание своих протёртых штанов. Я, конечно, опешила от такого хамства и проигнорировала этот выкрик из прошлого, потому что объяснять горе-мужику, что на штаны можно заработать и самому, себе дороже.

Я написала это не к тому, что вы должны тут же разводиться. Я написала про исполнение мечты. Очень важно, чтобы близкие люди поддерживали, восхищались, верили, говорили, что вы молодец и у вас всё получится. Достигая чего-то в одной области, вы терпите страшный крах в другой. Невозможно быть личностью на работе и безвольным существом дома, собирающим плевки и оскорбления. Тратя дома всю энергию на негативные эмоции, вы опустошаетесь, истощаетесь физически и морально. Анжелочка, подумайте над моими словами. Так жить нельзя. Нужно что-то менять...

Да хранит вас Бог!

Любящий вас автор, Юлия Шилова.

Анжела, я разместила ваше письмо на форуме своего официального сайта, чтобы вы услышали мнения других девушек и смогли посмотреть на свою ситуацию со стороны, чтобы принять правильное решение.

«Здравствуйте, Анжела. Очень вам сочувствую. Уходите от мужа. В семье, где унижают, счастья не будет. Будьте сильной. Возьмите себя в руки и начните новую жизнь. Удачи!

Юлия, г. Курган».

«Анжела, здравствуйте. Вы так настрадались из-за своего мужчины. Ещё свекровь оказалась женщиной властной, сующей свой нос куда не просят. Вы с мужем не любите друг друга, уходите от него. Забирайте ребёнка и уезжайте к маме. Анжела, мне очень хочется пожелать вам простого женского счастья. Встретить своего мужчину, хорошего, доброго, надёжного. У вас всё будет замечательно, сейчас только надо решиться изменить свою жизнь.

Любовь, Московская область».

«Анжела, здравствуйте! Вы попали в тяжелую любовную зависимость от вашего мужа. И очень хорошо, что сейчас вы практически свободны от нее и не чувствуете такой сильной привязанности. Всё, что вы терпите от мужа и его матери, ни терпеть, ни прощать нельзя. И не нужно ни под кого подстраиваться. Это же ваша жизнь, и в ваших силах ее изменить и сделать более легкой и счастливой.

Так, как живете вы, жить очень тяжело. Постоянный негатив, ссоры и упреки очень сильно снижают качество вашей жизни, понижают самооценку. Тем более, всё это происходит на глазах у ребенка. Если продолжать в том же духе, вы рискуете и своему ребенку причинить вред. Он не должен наблюдать ненормальные отношения между матерью и отцом.

Хорошо, что у вас появился молодой человек, который очень вам симпатичен. Это уже шанс. Просто, может быть, не стоит как в омут с головой, может быть, сначала попробовать повстречаться с ним, пообщаться, узнать друг друга получше. Но в первую очередь вам желательно решить проблему с вашей семейной жизнью.

Анжела, по-моему, здесь только один выход – развод. Вы же можете пока вернуться с ребенком к маме и пожить у неё. А дальше время покажет, может, сложатся отношения с Сергеем или с кем-нибудь ещё. В любом случае хуже, чем есть, уже не будет. Анжела, желаю вам решимости всё поменять и обрести своё женское счастье!

Ирина, г. Москва».

«Анжела, здравствуй! Все мы по глупости в юности совершаем не то, а потом по прошествии лет оглядываемся и думаем, какими глупыми были. На вашем месте я бы переехала к маме, посмотрела, как поведёт себя муженёк. Если не будет ни помогать, ни приезжать вообще, а останется маменькиным сынком, на кой он тебе нужен? Насчет влюбленности: не торопись, не бросайся в омут с головой. У тебя теперь ребёнок, ты должна отвечать не только за себя, думать наперед. Будь осторожнее с мужчинами, не всем можно доверять себя и жизнь своего дитя. В общем, подумай, всё взвесь. Может быть, дашь мужу шанс? А может, подашь на развод? Решать тебе. Удачи!

Мария, г. Москва».

«Анжела, добрый день. Прочитала вашу историю. Даже не представляю, каково вам живется в такой клетке и прессинге от свекрови и мужа. Я бы ни минуты не выдержала. Понятно, что вы любили мужа и на всё были согласны, но сейчас же уже нет прошлой любви. Тем более, муж на вас руку поднимал. Как вообще нормальный мужчина может так поступить! На вашем месте я бы поскорее от него и его мамаши уехала. Поезжайте к себе домой, восстановите душевные силы, полюбите себя! Вы же не мусульманка, чтобы вас не пускали никуда без мужа, что за правила такие? Как вы их терпите? Берите ребенка и уезжайте к маме. Там все обдумаете и посмотрите на реакцию мужа. А дальше будет видно. Может, вас ждет новая и чистая любовь. Все у вас наладится, только нужно для этого что-то предпринять. Удачи!

Ольга, г. Москва».

«Анжела, привет! Берите руки в ноги и бегите из дома без оглядки! Пока к маме... Разведитесь с мужем – вздохните полной грудью от этой семейки и её тотального контроля. Ничего хорошего вас там точно не ждёт... Не бойтесь неизвестности! Вспомните пословицу: всё, что ни делается, всё к лучшему! У вас всё точно будет хорошо, поверьте в это! А с Сергеем, если это судьба, всё сложится само собой... Для вас сейчас самое главное – уйти из этой семейки! Удачи! Всё у вас получится!

Наталья, г. Москва».

10

ЗДРАВСТВУЙТЕ, ДОРОГАЯ ЮЛИЯ! ЧИТАЮ ВАШИ КНИГИ УЖЕ БОЛЕЕ ДЕСЯТИ ЛЕТ. ВАШИ СОВЕТЫ ВСЕГДА ЦЕННЫ И ДЕЙСТВЕННЫ, ОСО-

БЕННО В ТРУДНЫЕ МИНУТЫ. ОГРОМНОЕ ВАМ ЗА ЭТО СПАСИБО! МЫ ВЕДЬ С ВАМИ ПРАКТИЧЕСКИ ЗЕМЛЯЧКИ, Я ТОЖЕ РОДИЛАСЬ В ПРИМОРСКОМ КРАЕ. СЕЙЧАС УЖЕ СЕМЬ ЛЕТ ПРОЖИВАЮ В ЧУВАШИИ, ОЧЕНЬ СКУЧАЮ ПО РОДИНЕ, ПО МОРЮ! ОЧЕНЬ ХОТЕЛОСЬ УСЛЫШАТЬ ВАШЕ МНЕНИЕ. Я СОВСЕМ ЗАПУТАЛАСЬ И НЕ ЗНАЮ, КАК БЫТЬ ДАЛЬШЕ.

ИТАК, КОГДА Я УЕХАЛА В ЧУВАШИЮ ВМЕСТЕ С МАМОЙ, Я УСТРОИЛАСЬ НА РАБОТУ НА ХЛЕБОЗАВОД, РАБОТАЛА ТАМ ДВА ГОДА, ТАК КАК ПО СПЕЦИАЛЬНОСТИ НЕ МОГЛА НАЙТИ РАБОТУ. ВСЁ ЭТО ВРЕМЯ Я ДРУЖИЛА С ПАРНЕМ. ОН МЕНЯ ЛЮБИЛ, А МНЕ ПРОСТО С НИМ БЫЛО СПОКОЙНО.

ЧЕРЕЗ ТРИ ГОДА СЫГРАЛИ СВАДЬБУ. Я УСТРОИЛАСЬ НА РАБОТУ ПО СПЕЦИАЛЬНОСТИ. ПОСТУПИЛА В УНИВЕРСИТЕТ. МУЖ ЕЗДИЛ НА ЗАРАБОТКИ В МОСКВУ НА ДВА МЕСЯЦА. ПОБУДЕТ ДОМА ДВЕ НЕДЕЛИ, И НА ДВА МЕСЯЦА УЕЗЖАЕТ. Я СХОДИЛА С УМА ОТ СКУКИ – РАБОТА И ДОМ. С ДЕТИШКАМИ НЕ ПОЛУЧАЛОСЬ, У НЕГО БЫЛИ ПРОБЛЕМЫ СО ЗДОРОВЬЕМ, А Я ТАК ХОТЕЛА МАЛЫША. И ВОТ ПОДРУЖКА И СЕСТРА ПОЗВАЛИ МЕНЯ В БАР. ОНИ ИСКАЛИ ПОКЛОННИКОВ, А МНЕ ПРЕДЛОЖИЛИ РАЗВЕЯТЬСЯ. ПОЛУЧИЛОСЬ НАОБОРОТ.

КАК УВИДЕЛА ЕГО, ЧТО-ТО СТРЕЛЬНУЛО, ЧТО-ТО ПРОБЕЖАЛО МЕЖДУ НАМИ. ЗАКОНЧИЛОСЬ ТЕМ, ЧТО ПЕРВЫЙ РАЗ Я ИЗМЕНИЛА МУЖУ. ХОТЕЛА ВСЁ ЗАБЫТЬ, ПАРЕНЬ ИЗ БАРА, МАК-

СИМ, РАЗЫСКАЛ МЕНЯ САМ, СКАЗАЛ, ЧТО ВЛЮБИЛСЯ.

МЫ СТАЛИ ВСТРЕЧАТЬСЯ, КОГДА МУЖ УЕЗЖАЛ В МОСКВУ. Я ПРАКТИЧЕСКИ ЖИЛА У НЕГО, НАМ БЫЛО ХОРОШО ВДВОЁМ. НО БОЛЕЛА ДУША, ВЕДЬ МУЖ МОЙ – ХОРОШИЙ ЧЕЛОВЕК, И СЕМЬЯ У НЕГО ПОРЯДОЧНАЯ. ОН МНЕ НИКОГДА НЕ ИЗМЕНЯЛ. ДЕЛО БЫЛО ВО МНЕ, ПРОСТО МНЕ ХОТЕЛОСЬ ЭКСТРИМА, КУРАЖА, ПОЭТОМУ С МУЖЕМ БЫЛО СКУЧНО, НЕ О ЧЕМ РАЗГОВАРИВАТЬ.

С МАКСИМОМ ВСЁ ЗАШЛО СЛИШКОМ ДАЛЕКО. ОН СХОДИЛ С УМА, КОГДА ПРИЕЗЖАЛ МУЖ, МНЕ БЫЛО НЕ ЛЕГЧЕ. ПО ИСТЕЧЕНИИ ГОДА Я ПОНЯЛА: НАДО ЧТО-ТО РЕШАТЬ. БЫЛО ЖАЛЬ МУЖА, ХОТЕЛА СОХРАНИТЬ СЕМЬЮ, ПЫТАЛАСЬ РАССТАТЬСЯ С МАКСИМОМ, НО НАДОЛГО НАС НЕ ХВАТАЛО.

ПОТОМ Я СБЕЖАЛА ОТ МУЖА, И ОН ПОНЯЛ, ЧТО У МЕНЯ КТО-ТО ЕСТЬ. А САМОЙ ВО ВСЁМ ПРИЗНАТЬСЯ НЕ ХВАТАЛО СМЕЛОСТИ. МУЖ ВСКРЫЛ ВЕНЫ. УСПЕЛИ СПАСТИ, СЛАВА БОГУ. ПОСЛЕ ЭТОГО ОН ЦЕЛОВАЛ МНЕ НОГИ, УМОЛЯЛ НЕ УХОДИТЬ. И Я СДАЛАСЬ, БОЯЛАСЬ, ЧТО ЕЩЁ ЧТО-НИБУДЬ НАТВОРИТ.

МАКСИМ ЖДАЛ. ПОЖИВ С МУЖЕМ ТРИ МЕСЯЦА, Я ПОНЯЛА, ЧТО НЕ МОГУ ОБМАНЫВАТЬ ЕГО И СЕБЯ. ПОДАЛА НА РАЗВОД. ТЕМ ВРЕМЕНЕМ МАКСИМ САМ ПОЗВОНИЛ МУЖУ И ВСЁ РАССКАЗАЛ. И ЕЩЁ ЗАЧЕМ-ТО ПОЗВОНИЛ СВЕКРОВИ. Я БЫЛА В ШОКЕ. ОЧЕНЬ ОБИДЕЛАСЬ НА МАКСИМА. ОЧЕНЬ ТЯЖЕЛО БЫЛО ВСЕМ. МОИ РОД-

СТВЕННИКИ БЫЛИ УДИВЛЕНЫ МОЕМУ ПОСТУПКУ. МУЖ ПЛАКАЛ, НЕ ХОТЕЛ РАЗВОДА И ВСЁ ЖЕ ОТПУСТИЛ.

ЧЕРЕЗ ГОД ОН ЖЕНИЛСЯ НА ЖЕНЩИНЕ СТАРШЕ ЕГО, И ВРОДЕ БЫ ВСЁ У НИХ ХОРОШО, ТОЛЬКО ДЕТОК НЕТ. ДАЙ БОГ ИМ СЧАСТЬЯ. Я ПЕРЕЕХАЛА К МАКСИМУ. И ВОТ ЧЕРЕЗ ТРИ МЕСЯЦА СЛУЧИЛОСЬ ЧУДО! Я ЗАБЕРЕМЕНЕЛА, ПРЫГАЛА И ПЛАКАЛА ОТ СЧАСТЬЯ! МЫ РАСПИСАЛИСЬ. МАКСИМ ТОЖЕ БЫЛ НА СЕДЬМОМ НЕБЕ ОТ СЧАСТЬЯ. В НАЧАЛА 2009 ГОДА Я РОДИЛА СВОЮ ДОЧЕНЬКУ, ОНА – КОПИЯ ПАПЫ.

И ВОТ, ПОЖАЛУЙ, ЮЛЕЧКА, Я ПОДОШЛА К САМОЙ БОЛЕЗНЕННОЙ ДЛЯ МЕНЯ ТЕМЕ. КОГДА ВИКЕ БЫЛО 10 МЕСЯЦЕВ, Я СНОВА ЗАБЕРЕМЕНЕЛА. МАКСИМ ВРОДЕ ОБРАДОВАЛСЯ, НО ИСПУГАЛСЯ. СКАЗАЛ, КАК САМА ХОЧЕШЬ, НО НА АБОРТ САМ ТЕБЯ НЕ ОТПРАВЛЮ. РЕШИЛИ РОЖАТЬ, СПРАВИМСЯ, ХОТЬ БУДЕТ И ТЯЖЕЛО. Я ЛЕГЛА В БОЛЬНИЦУ. ВРАЧИ ОТГОВАРИВАЛИ РОЖАТЬ, ГОВОРИЛИ, ЧТО РАНО, ОРГАНИЗМ НЕ СПРАВЛЯЕТСЯ. ПРИХОДИЛОСЬ ВСЁ ВРЕМЯ ЛЕЖАТЬ И ПИТЬ ТАБЛЕТКИ, ЧТОБЫ ПОМОЧЬ ОРГАНИЗМУ.

НА ВЫХОДНЫЕ МЕНЯ ОТПУСТИЛИ ДОМОЙ. Я ХОТЕЛА СДЕЛАТЬ МУЖУ СЮРПРИЗ, А В ИТОГЕ СДЕЛАЛИ СЮРПРИЗ МНЕ. ПРИЕХАЛА ДОМОЙ, А ОН ДВЕРЬ НЕ ОТКРЫВАЛ МИНУТ ПЯТНАДЦАТЬ. КОГДА ОТКРЫЛ, СМОТРЕЛ НА МЕНЯ ГЛАЗАМИ ПОБИТОЙ СОБАКИ, К ТОМУ ЖЕ БЫЛ ПЬЯН. Я ЗАШЛА, А ТАМ СТОИТ ДЕВУШКА, С ВНЕШНОСТЬЮ

ДАЛЕКО НЕ КРАСАВИЦЫ, И ГОВОРИТ: «НЕ РАССТРАИВАЙСЯ, ОНИ ВСЕ ТАК ДЕЛАЮТ. ОН МНЕ ВСЁ ВРЕМЯ ТОЛЬКО ПРО ТЕБЯ ГОВОРИТ».

НЕ ЗНАЮ, ОТКУДА ВЗЯЛИСЬ СИЛЫ ВО МНЕ, Я С УЛЫБОЧКОЙ ПОСЛАЛА ЕЁ ПОДАЛЬШЕ. ХОТЕЛА УЙТИ, НО МАКСИМ МЕНЯ НЕ ПУСКАЛ, ПРОСИЛ ПРОЩЕНИЯ. СКАЗАЛ, ЧТО ДРУЗЬЯ ПРИГЛАСИЛИ ЕГО В БАР НА ЧЕЙ-ТО ДЕНЬ РОЖДЕНИЯ, ТАМ ОН С НЕЙ И ПОЗНАКОМИЛСЯ И РЕШИЛ ПОПРОБОВАТЬ ВКУС ИЗМЕНЫ (У НАС ПОЧИ МЕСЯЦ НИЧЕГО НЕ БЫЛО, ТАК КАК МНЕ БЫЛО НЕЛЬЗЯ). КСТАТИ, ВСЕ ДРУЗЬЯ, ТОЖЕ ЖЕНАТЫЕ, РАЗЪЕХАЛИСЬ ПО БАБАМ. Я В ШОКЕ: ЗАЧЕМ ТОЛЬКО БОГ СОЗДАЛ ЭТИХ КОЗЛОВ?

ЮЛЬ, КАК ТАК МОЖНО, КОГДА ЖЕНА В БОЛЬНИЦЕ? ХОТЯ, МОЖЕТ, ЭТО КАРА? Я И САМА РАНЬШЕ НЕ ЛУЧШЕ ПОСТУПАЛА. НАВЕРНОЕ, ТАК И ЕСТЬ. В ОБЩЕМ, Я УЕХАЛА К МАМЕ И ДОЧКЕ, ЗАТЕМ К ПОДРУГЕ. СОСТОЯНИЕ БЫЛО НИКАКОЕ, ХОТЕЛОСЬ УМЕРЕТЬ. ПОСЛЕ ТАКОГО ШОКА БОЯЛАСЬ, ЧТО НЕ ВЫНОШУ ЗДОРОВЕНЬКОГО МАЛЫША.

ТО, ЧТО Я СДЕЛАЛА ДАЛЬШЕ, БОЛЬШАЯ ОШИБКА, НО НА ТОТ МОМЕНТ ХОТЕЛОСЬ МЕСТИ. Я ИЗМЕНИЛА МАКСИМУ. ОПИСАЛА ЕМУ ЭТО В SMS: СКОЛЬКО РАЗ И В КАКИХ ПОЗАХ. УТРОМ ОН ПРИШЕЛ В БОЛЬНИЦУ, НЕ РУГАЛСЯ, ПРОСИЛ ОСТАВИТЬ РЕБЁНКА И ПРОСТИТЬ. НО МАЛЫША Я НЕ СМОГЛА СБЕРЕЧЬ. НАЧАЛОСЬ КРОВОТЕЧЕНИЕ, ВРАЧИ НАСТОЯЛИ НА ЧИСТКЕ. МУЖ СКАЗАЛ: «ТЫ СЛИШКОМ ЖЕСТОКО МЕНЯ

НАКАЗЫВАЕШЬ». ОКОЛО МЕСЯЦА Я ЖИЛА У МАМЫ, МАКСИМ ПРОСИЛ ВЕРНУТЬСЯ.

Я ВЕРНУЛАСЬ С ДОЧКОЙ. И ОН МЕНЯ УДАРИЛ. ПЕРВЫЙ РАЗ ОН УДАРИЛ МЕНЯ, ДАЛ ПОЩЕЧИНУ, КОГДА Я ВЕРНУЛАСЬ К МУЖУ, ПОЖАЛЕВ ЕГО. ВТОРОЙ РАЗ, КОГДА УВИДЕЛ ПЕРЕПИСКУ С ДРУГИМ ПАРНЕМ. МАКСИМ ТОГДА РАЗБИЛ МОЙ ТЕЛЕФОН. ПОТОМ ОН ПОДОШЁЛ И УДАРИЛ МЕНЯ ГОЛОВОЙ ОБ СТЕНУ. В ТРЕТИЙ РАЗ Я ПОЛУЧИЛА ЗА МОЮ ИЗМЕНУ. ПОЛУЧАЕТСЯ, ВО ВСЁМ ВИНОВАТА Я, А НЕ ОН.

ЮЛЕЧКА, ВОТ СКАЖИТЕ, МОЖНО ЛИ ЕГО ОПРАВДАТЬ? ПОЧЕМУ ОН ВИНИТ ВО ВСЁМ МЕНЯ? ПАПА БИЛ ЕГО МАМУ ПРИ ДЕТЯХ. А ВДРУГ ПОТОМ МАКСИМ УДАРИТ ДОЧЬ? МАМА ГОВОРИТ, Я МОГУ ДОСТАТЬ ЛЮБОГО, ДАЖЕ ЕЙ ИНОГДА ХОЧЕТСЯ ДАТЬ МНЕ ПОЩЁЧИНУ. НО ДЕЛО В ТОМ, ЧТО Я ТЕРЯЮ ДОВЕРИЕ К МУЖУ, ОН СТАЛ МЕНЯ ПОДВОДИТЬ, ЧАСТО БЫВАЕТ НЕТРЕЗВЫЙ, АГРЕССИВНЫЙ. НЕ ПОНИМАЮ, ЧТО ЖЕ Я СДЕЛАЛА.

Я ТОЖЕ НИЧЕГО НЕ МОГУ С СОБОЙ ПОДЕЛАТЬ И ИЗМЕНЯЮ ЕМУ. ОДНАЖДЫ, КОГДА ОН СПАЛ ДОМА, Я УШЛА ГУЛЯТЬ И ПОЗНАКОМИЛАСЬ С НЕСКОЛЬКИМИ ПАРНЯМИ. КАТАЛАСЬ С НИМИ ПО ГОРОДУ, А ПОТОМ ПО ОЧЕРЕДИ С НИМИ ПЕРЕСПАЛА. САМА НЕ ЗНАЮ ЗАЧЕМ. ГЛУПОСТЬ...

ЮЛЕЧКА, МОЖЕТ БЫТЬ, Я САМА СОЗДАЮ ПРОБЛЕМЫ? НО Я ТАК ОТ НЕГО УСТАЛА. Я ПОДАЛА НА РАЗВОД. ОН, ЕСТЕСТВЕННО, НЕ ХОЧЕТ РАЗВОДИТЬСЯ. В ДОЧКЕ ДУШИ НЕ ЧАЕТ, ГОВО-

РИТ, ЧТО ЛЮБИТ НАС. ВОТ Я И НЕ ЗНАЮ, КАК ПОСТУПИТЬ.

ЮЛЯ, ВЫНЕСИТЕ СВОЙ ПРИГОВОР: КАЗНИТЬ ИЛИ ПОМИЛОВАТЬ? ТЯЖЕЛО БУДЕТ БЕЗ НЕГО ЖИТЬ НА АЛИМЕНТЫ (НА РАБОТЕ МЕНЯ СОКРАТИЛИ), А ОН УСТРОИЛСЯ НА ВТОРУЮ РАБОТУ. РАБОТАЕТ ИНЖЕНЕРОМ, НОРМАЛЬНЫЙ МУЖ, ЕСЛИ ЕГО НЕ ВЫВОДИТЬ ИЗ СЕБЯ. ОН ХОЗЯЙСТВЕННЫЙ, ГОТОВИТЬ ЛЮБИТ, НОЧЬЮ ВСТАЁТ К ДОЧКЕ. НО НЕ ЗНАЮ, ЛЮБЛЮ ЛИ Я ЕГО. В ИТОГЕ ПОЛУЧАЕТСЯ, С ПЕРВЫМ МУЖЕМ СКУЧНО, СО ВТОРЫМ СЛИШКОМ ВЕСЕЛО. СХОЖУ С УМА ОТ ВЕРНОСТИ, ДОВЕРИЯ НЕТ, МОГУ ДАЖЕ РУКОПРИКЛАДСТВО ПРОСТИТЬ, А ИЗМЕНУ НЕ МОГУ.

ЕДИНСТВЕННОЕ СЧАСТЬЕ – ДОЧКА. ТОЛЬКО ЗА ЭТО МОГУ СКАЗАТЬ ЕМУ СПАСИБО. ЗНАТЬ БЫ, ЧТО ВСТРЕЧУ ДОСТОЙНОГО ОТЦА ДОЧКЕ И МУЖА, УШЛА БЫ, А ТАК БОЮСЬ. МОЖЕТ, Я ЗАСЛУЖИЛА ТО, ЧТО ЗАСЛУЖИЛА, И ПОЛУЧАЕТСЯ, НИЧЕГО ХОРОШЕГО Я НЕ ЗАСЛУЖИВАЮ. А ХОЧЕТСЯ СЧАСТЬЯ.

ВОТ ТАКАЯ МОЯ ИСТОРИЯ. БУДУ ЖДАТЬ ВАШЕГО СОВЕТА С НЕТЕРПЕНИЕМ. ВСЕГО ВАМ САМОГО ДОБРОГО И СВЕТЛОГО, ЧТО ЕСТЬ В ЭТОЙ ЖИЗНИ. С УВАЖЕНИЕМ,

ЕКАТЕРИНА.

Екатерина, большое спасибо за ваше письмо. Я всегда выступаю за сохранение брака, но в вашем случае мне почему-то не хочется это делать.

Несмотря на наличие ребёнка, вы к браку совершенно не готовы, вам нужно нагуляться. Возможно, в скором будущем вы встретите ещё одного мужчину, но и с ним не сможете построить полноценные и гармоничные отношения. С одним мужем скучно, с другим слишком весело, а каково вам с самой собой? Почему вам никто не объяснил, что есть такое слово, как ответственность. За себя, за другого, за свою жизнь, за свои поступки...

Мне абсолютно непонятны строки вашего письма о том, как вы, замужняя дама, мама маленького ребёнка, знакомитесь с парнями, катаетесь с ними по городу, спите по очереди и называете это обычной глупостью. Катя, не в моих правилах заниматься морализаторством, но хочется спросить: в вашей жизни существуют хоть какие-то жизненные ценности и принципы? Ваши близкие поступают с вами так, как вы этого заслуживаете. У вас в жизни есть какие-то интересы, кроме ночных гулянок и секса по глупости?

Семейная жизнь – это не веселье, не экстрим, не кураж, а постоянная работа над отношениями. Это взаимоуважение, терпимость и большой труд. О каком взаимоуважении в вашем случае можно говорить, если вы не уважаете себя. Что значит вы не можете ничего с собой поделать и изменяете мужу направо и налево? Вы сами руководите своей жизнью или кто-то делает это за вас? Возьмите, наконец, себя и свою жизнь в руки. Научитесь думать не только о своих интересах, но и об интересах близких вам людей. Хватит вести столь легкомысленный образ жизни. ПОРА СТАТЬ ВЗРОСЛОЙ И ПОНЯТЬ, ЧТО В ВАШЕЙ ЖИЗНИ ВСЁ В ПЕРВУЮ ОЧЕРЕДЬ ЗАВИСИТ ОТ ВАС. Вы так же, как и ваш муж, должны принимать участие в строительстве счастливой семьи. ВАМ НИКТО НИЧЕГО НЕ ДОЛЖЕН. Поймите это, наконец. Отсутствие взаимопонимания в семье может быть связано не только с вашим мужем, но и с вами.

Вы спрашиваете меня о том, казнить или помиловать мужа. Катя – это решать только вам. С мужем или без мужа, вы никогда не будете счастливы, пока не измените свой внутренний мир и своё Я. Нужно взрослеть и становиться серьёзнее. Учитесь правильно расставлять приоритеты. Только после этого ваша жизнь начнёт меняться в положительном направлении. Неужели мои книги вас ничему не учат? Катенька, чтобы заслужить в жизни всё самое лучшее, вы должны быть лучшей.

Оставить ребёнка без отца вы всегда успеете. Если у вас сохранилось хоть немного любви и уважения к мужу, дайте себе шанс всё исправить. Измените себя и свои жизненные установки. Знаете, мудрые женщины прощают в браке измену, ведь измена – это ещё не предательство. Если вы не можете это сделать, нет смысла сохранять брак, потому что мысли о былой измене будут разрушать вашу душу. Прекратите себя грызть и тащить груз обиды. УЧИТЕСЬ ПРОЩАТЬ.

Измена измене рознь. Одно дело, когда у мужа никаких чувств к женщине не было. Сдуру, по пьянке. Простить можно. Другое дело – видеть мужа влюблённым в другую женщину.

Прощать или не прощать, уходить или не уходить от изменника – личное дело каждого. Решать это нужно было сразу и на месте. Нет смысла долбить человека годами, при каждом удобном случае напоминая про измену. Это нечестно. Раскаяние не выбивается напоминаниями и истериками. Оно либо есть, либо его нет. Постоянные напоминания, упрёки и уколы только озлобляют. При таком положении вещей муж скорое пойдёт на новую измену и начнёт искать женщину, которая не будет выносить ему мозг. Стереть из памяти этот неприятный момент практически невозможно, но нужно принять и понять тот факт, что ваш муж искренне раскаялся. Каждый из нас имеет право на ошибку. Тем более, вы уже столько раз отомстили мужу своими многочисленными изменами.

Не доводите себя и мужа до потери здоровья. Помогите ему и себе наладить жизнь. Конечно, всё зависит от того, остались ли у вас к вашему мужу чувства. Если совсем ничего не осталось, отпустите. Если осталось, сохраните. Решите для себя, вам лучше с ним или одной. Помните: перемены не наступят в вашей жизни до тех пор, пока вы не начнёте меняться сама. Научитесь уважать себя, свои жизненные ценности и своё тело.

Любящий вас автор, Юлия Шилова.

Катенька, я разместила ваше письмо на форуме своего официального сайта, чтобы вы услышали мнения других девушек и смогли посмотреть на свою ситуацию со стороны, чтобы принять правильное решение.

«Здравствуйте, Екатерина. Вы как собака на сене. С одним скучно, с другим не очень. Подумайте о ребенке. Найдите хорошую работу. Живите с мужем и будьте счастливы.

Юлия, г. Курган».

«Екатерина, здравствуйте! У вас было столько поспешных решений и действий в жизни! Этими необдуманными поступками вы сами себе и окружающим портите жизнь. Сначала вы вышли замуж за нелюбимого мужчину, стало скучно с ним жить. Вы встретили другого мужчину, влюбились. Но ещё какое-то время мучили своего мужа. Вместо того чтобы сесть, поговорить, предложить развестись, вы изменяли ему. В итоге развод и новая жизнь с любимым мужчиной. Рождение ребёнка, потом снова беременность и такой удар со стороны мужа, измена.

Но если вы решили с ним остаться, тут был только один выход – простить мужа. А вы решили уподобиться ему и изменить. Будучи в тот момент беременной от своего мужа! Где у вас был разум? Ведь вы лежали на сохранении и после больницы побежали изменять мужу. Вы эгоистка, ведь вы не о ребёнке думали, а о себе, о том, как отомстить мужу. И даже сейчас, когда, казалось бы, всё нормально, муж и хозяйничает дома, и в дочке души не чает, вам всё неймётся. Вы изменяете ему и ещё удивляетесь, почему муж может прийти домой в нетрезвом виде и по отношению к вам агрессивен. Если хотите изменить что-то в своей жизни, начните с себя. Поживите одна, не спешите связывать свою жизнь с очередным мужчиной. Подумайте о том, что мать и для своей дочери пример для подражания.

Любовь, Московская область».

«Екатерина, извините меня, конечно, но я считаю, вы имеете то, что заслужили. В нашей жизни всё возвращается бумерангом. Изменив своему первому мужу, вы в итоге получили такой же удар, какой совершили сами. Имея всё, вы этого не ценили, теперь же расплачиваетесь за это. Если решили простить вашему любимому измену и продолжить жить с ним, зачем ложиться спать с другими? Этим вы навредите только себе и вашей семье. Подумайте о дочке, какой пример она видит. Очень печально осознавать, что есть в мире женщины, которые думают не мозгами, а другим местом.

Лариса, г. Рим, Италия».

«Екатерина, добрый день! Твой пример еще раз доказывает, что семью нужно создавать с человеком, к которому есть чувства, а не просто с тем, кто тебе в данный момент удобен. Потому, наверное, тебе стало скучно с первым мужем. Возможно, ребенок мог бы спасти ваш брак, но с ребенком тоже не получилось. Со вторым мужем, наоборот, чувств было предостаточно, но, тем не менее, брак тоже оказался неудачным.

Екатерина, может быть, измена твоего второго мужа вовсе не кара за то, что ты тоже изменяла в первом браке. Может, он просто не считает супружескую верность необходимым атрибутом семьи. А тут случай удобный подвернулся. Далеко не каждый порядочный и преданный семейный мужчина, уходя к кому-то на день рождения, вернется домой с девушкой из бара. Скорее всего, что-то в ваших отношениях уже к тому моменту было не так. Своими изменами ты только усугубила ситуацию. А сейчас напряженная обстановка в семье, недоверие, вполне объяснимые вещи. Ты пишешь, что подала на развод, и мне тоже кажется, это самое правильное решение. Тем более что и любви у тебя к нему уже нет. В сложившейся ситуации самым лучшем будет настраиваться на новую жизнь, искать новую работу, подавать на алименты и искать свое новое счастье.

Ирина, г. Москва».

«Екатерина, ты меня повергла в шок своей историей. Как там говорится про бумеранг... Вот он к тебе и возвращается. Я думаю, начать стоит с себя – перестать спать с кем попало, ведь тело – это храм нашей души, а ты его оскверняешь. Измена – это, прежде всего, неуважение себя, ведь ты выбирала себе мужа. А устроить групповуху с незнакомыми мужиками – это дно. Пора голову включать. И если ты веришь в Бога, рекомендую сходить и исповедоваться, поставить свечку, помолиться, пообщаться с батюшкой. Если ты неверующая, забудь про измены как страшный сон. Тебе просто скучно жить, скучно было с первым мужем. А чем ты можешь заинтересовать? Может, пора подумать над хобби, чтобы и мыслей не было про других мужиков? Ну и последнее: побои не прощай. Твой мужчина – совсем не мужчина, а слабак, позволяющий себе бить беззащитную женщину, мать его дочери. Уезжай к матери. Такой мужчина тебе не нужен. Желаю тебе принять верное решение!

Мария, 26 лет, г. Москва».

«Екатерина, привет! Я, честно говоря, не понимаю, как можно изменять самой напропалую, а мужу измену простить, видите ли, не под силу. Мы сами творцы своей жизни. Если вы не уважаете свою семью, почему думаете, что семья должна уважать вас. Бумерангом в этой жизни ВСЁ возвращается. Всегда. Поэтому, пока не будете ценить то, что у вас есть, не будут ценить и вас. И муж ваш пьет не от хорошей жизни. Подозреваю, ваше поведение его к этому подталкивает. Какой муж может терпеть гулящую жену? Мне кажется, вам стоит расстаться с мужем и не портить друг другу жизнь. Пусть он найдет себе женщину, которая будет его ценить. А вам хочется пожелать угомониться уже и найти мужчину, которого вы будете любить, ценить и уважать. Тогда всё в вашей жизни наладится!

Наталья, г. Москва».

РЕДАКЦИОННО-ИЗДАТЕЛЬСКАЯ ГРУППА «ЖАНРОВАЯ ЛИТЕРАТУРА» ПРЕДСТАВЛЯЕТ КНИГИ

ЮЛИИ ШИЛОВОЙ

Азарт охоты, или Трофеи моей любви

Белая Ворона, или В меня влюблён даже бог

Быстрые деньги, или Я жду, когда ты нарисуешь сказку

Брак по расчёту, или Вокруг тебя змеёю обовьюсь

В ворохе чувств, или Разведена и очень опасна

Венец безбрачия, или Я не могу понять свою судьбу

Влюбиться насмерть, или Мы оба играем с огнём

Воплощение страсти, или Красота – большое испытание

Время лечит, или Не ломай мне жизнь и душу

Всё под откос, или Я выпита до дна

Всё равно ты будешь мой, или Увези меня в сказку

Встань и живи, или Там, где другие тормозят, я жму на газ!

Встретимся в следующей жизни, или Трудно ходить по земле, если умеешь летать

Выигрывает тот, кто всё продумал, или Наказание красотой

Высокие отношения, или, Залезая в карман, не лезу в душу

Гарем по-русски, или Я любовница вашего мужа

Глаза одиноких, или Женщина с прошлым ищет мужчину с будущим

Грехи молодости, или Расплата за прошлую жизнь

Досье моих ошибок, или Как я завела себе мужичка

Душевный стриптиз, или Вот бы мне такого мужа

Его звали Бог, или История моей жизни

Если хочешь меня – возьми, или Отдам сердце в хорошие руки

Железная леди, или Ты в моём чёрном списке

Женская продажность, или Мысли женщины вслух

Женщина для экстремалов, или Кто со мной прогуляться под луной?!

Жизнь с перчинкой, или Идите смело против правил
Заблудившаяся половинка, или Танцующая в одиночестве
Замки из песка, или Стервам тоже бывает больно!
Игра вслепую, или Был бы миллион в кармане
Идущая по трупам, или Я нужна вам именно такая!
Исповедь грешницы, или Двое на краю бездны
Казнь для соперниц, или Девушка из службы «907»
Как покорить мужчину едой и аппетитно себя подать
Карьеристка, или Без слёз, без сожаления, без любви
Крик души, или Никогда не бывшая твоей
Кукла без сердца, или Твоя жизнь всегда будет пахнуть моими духами
Лабиринт страсти, или Случайных связей не бывает
Ловушка для мужчин, или Умная, красивая, одинокая
Ложные ценности, или Мое сердце в группе риска
Люби и властвуй, или С мужчинами не расслабляйтесь!
Любовь проверяется временем, или Его нежная дрянь
Мастерица провокаций, или одной ночью перечеркнуть всё в жизни мужчины
Меня зовут Провокация, или Я выбираю мужчин под цвет платья
Месть женщины, или История одного предательства
Мечты сбываются, или Инстинкт против логики
Моё сердце ставит точку, или Любовь в инете не для слабонервных
Мой грех, или История любви и ненависти
Мужская месть, или Давай останемся врагами
Мужские откровения, или Как я нашла дневник своего мужа
Мужчина на блюдечке, или Будет всё как ты захочешь!
Мужчина – царь, мужчина – бог, и этот бог у женских ног
На зависть всем, или Меркантильная сволочь ищет своего олигарха
Неверная, или Готовая вас полюбить
Нежное чудовище, или Я поставлю твою волю на колени

Неслучайная связь, или Мужчин заводят сильные женщины

Не такая, как все, или Узнаешь меня из тысячи

Нечего терять, или Мужчину делает женщина

Ни мужа, ни любовника, или Я не пускаю мужчин дальше постели

Ни стыда, ни совести, или Постель на троих

Ноги от ушей, или Бойся меня. Я могу многое!

Ночь без правил, или Забросай меня камнями

Обещать – не значит любить, или Давай разводить олигархов!

Обманутые надежды, или Чего не прощает любовь

Обновление чувств, или Зачем придумали любовь?

Одинокая волчица, или Я проткну твоё сердце шпилькой

Океан лжи, или Давай поиграем в любовь

Отрекаются любя, или Я подарю тебе небо в алмазах

Пленница Хургады, или Как я потеряла голову от египетского мачо

Порочная красота, или Сорви с меня мою маску

Пощадить – погубить, или Игры мужскими судьбами

Праздник страсти, или Люби меня до сумасшествия!

Притягательность женатых мужчин, или Пора завязывать

Пропади всё пропадом, или Однажды ты поймёшь, что ты меня убил

Путь наверх, или Слишком красивая и слишком доступная

Рожденная блистать, или Мужчины в моей жизни не задерживаются

Сердце вдребезги, или Месть – холодное блюдо

Сердце на продажу, или Я вижу свет в конце тоннеля

Сильнее страсти, больше, чем любовь, или Запасная жена

Сказки Востока, или Курорт разбитых сердец

Слишком редкая, чтобы жить, или Слишком сильная, чтобы умереть

Согрей меня, или Научи меня прощать

С пляжа к алтарю, или Танго курортной страсти

Упавшая с небес, или Жить страстями приятно

Хочется кричать, или Одним разбитым сердцем стало больше

Хочу замуж, или Русских не предлагать!

Храбрая блондинка, или Мужчина должен быть в сердце
и под каблуком!

Цена за её свободу, или Во имя денег

Чувство вины, или Без тебя холодно

Шаги по стеклу, или Я знаю о мужчинах всё!

Шанс на счастье, или Поиск мужа за рубежом

Эгоистка, или Я у него одна, жена не считается

Я живу без оглядки, или Узнай тайны женской души

Я сделала приворот, или Мужчина, мое сердце свободно

Я стерва, но зато какая, или Сильная женщина в мире слабых мужчин

Литературно-художественное издание

Женщина, которой смотрят вслед

Шилова Юлия Витальевна

Я СДЕЛАЛА ПРИВОРОТ,
ИЛИ МУЖЧИНА, МОЕ СЕРДЦЕ СВОБОДНО

Роман

Редакционно-издательская группа
«Жанровая литература»

Зав. группой *М. Сергеева*
Ответственный редактор *Т. Захарова*
Технический редактор *Г. Этманова*
Компьютерная верстка *Е. Илюшиной*

ООО «Издательство АСТ»
129085, г. Москва, Звездный бульвар, д. 21, строение 3, комната 5
Наш электронный адрес: **www.ast.ru**
E-mail: **astpub@aha.ru**

«Баспа Аста» деген ООО
129085, г. Мәскеу, жұлдызды гүлзар, д. 21, 3 құрылым, 5 бөлме
Біздің электрондық мекенжайымыз: www.ast.ru
E-mail: astpub@aha.ru

Қазақстан Республикасында дистрибьютор
және өнім бойынша арыз-талаптарды қабылдаушының
өкілі «РДЦ-Алматы» ЖШС, Алматы қ., Домбровский көш., 3«а», литер Б, офис 1.
Тел.: 8(727) 2 51 59 89,90,91,92
Факс: 8 (727) 251 58 12, вн. 107; E-mail: RDC-Almaty@eksmo.kz
Өнімнің жарамдылық мерзімі шектелмеген.

Өндірген мемлекет: Ресей
Сертификация қарастырылмаған

Подписано в печать 01.07.2015. Формат 84x108 $^{1}/_{32}$.
Печать офсетная. Усл. печ. л. 16,8.
Тираж (первый завод – 4000) экз. Заказ 9219.

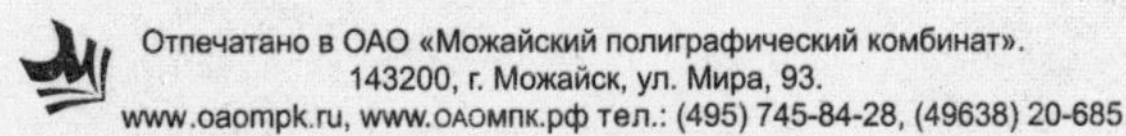

Отпечатано в ОАО «Можайский полиграфический комбинат».
143200, г. Можайск, ул. Мира, 93.
www.oaompk.ru, www.оаомпк.рф тел.: (495) 745-84-28, (49638) 20-685

ISBN 978-5-17-091597-2

9 785170 915972 >